ÁRBOLES

GUÍAS DE LA NATURALEZA

ÁRBOLES

PAOLA LANZARA • MARIELLA PIZZETTI

Dibujos de Francesco de Marco

grijalbo

GUÍAS DE LA NATURALEZA

Títulos publicados

Título original:
ALBERI

Traducido por
MERCÈ SERRANO y FERRAN VALLESPINÓS
de la 1.ª edición de Arnoldo Mondadori Editore, S.p.A., Milán, 1977
© 1977, ARNOLDO MONDADORI EDITORE, S.p.A.
Derechos exclusivos de edición para todos los países de habla española
y propiedad de la traducción castellana:
© 1979, GRIJALBO (Grijalbo Mondadori, S.A.)
    Aragó, 385, 08013 Barcelona
    www.grijalbo.com
Diseño cubierta: Mateo & Solano
Segunda edición, primera reimpresión
Reservados todos los derechos
ISBN: 84-253-3360-1
Depósito legal: To. 1298-2000
Impreso y encuadernado en
Artes Gráficas Toledo, S.A., Toledo

ÍNDICE

INTRODUCCIÓN

Las algas son los vegetales más sencillos. Entre éstas, las Diatomeas poseen una antigüedad superior a mil millones de años y actualmente todavía se encuentran presentes en las aguas de toda la Tierra.

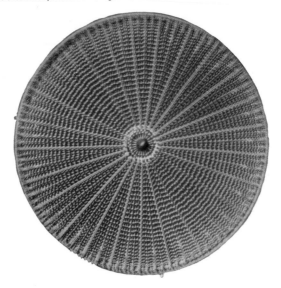

HISTORIA DE LOS ÁRBOLES

En el reino vegetal, aparte de la clasificación científica, se utiliza (especialmente con fines prácticos), la distinción de las plantas según su envergadura y consistencia. Dejando evidentemente de lado a las formas más primitivas, desprovistas de flores, cual es el caso de las algas, los musgos, los hongos y los helechos, el resto de las plantas puede incluirse en cuatro grandes subdivisiones: las *plantas herbáceas* que muestran una consistencia herbácea en todas sus partes; los *sufrútices,* especies que muestran sólo parcialmente una consistencia leñosa en la parte basal de la planta y el resto es de naturaleza herbácea; los *arbustos,* definición aplicada a todas las plantas leñosas, ramificadas a partir de la base, a veces incluso con aspecto de mata y que por regla general no suelen sobrepasar los cinco metros de altura; finalmente, bajo el concepto de *árboles* se incluye a todas las especies que disponen de un tronco columnar, de consistencia leñosa, del que parten toda una serie de ramificaciones que permanecen a una distancia mayor o menor del suelo según las especies, de las características del medio ambiente u otras causas. Aunque normalmente el nombre de árbol se reserva para los ejemplares que alcanzan y superan los seis metros de altura, la forma y el porte son también características determinantes para comprender en esta categoría a especies de menor desarrollo, bajo la especificación de arbórea o pequeño árbol. Por otro lado, ya que se trata de una distinción clásica pero que no obedece a unas reglas científicas estrictas, una interpretación laxa de las cuatro categorías mencionadas está más que justificada.

La historia de los vegetales se identifica prácticamente con la de la Tierra, en la que el hombre es una especie de reciente aparición en términos geológicos (aproximadamente, unos tres millones de años). Los biólogos

8

y geólogos están en general bastante de acuerdo en aceptar a las Cianofíceas (algas verdeazuladas) como las primeras formas vegetales con clorofila, con una antigüedad entre dos y tres mil millones de años; por espacio de aproximadamente dos mil millones de años, las algas dominaron de modo indudable toda la superficie del planeta, hasta la aparición de las primeras formas terrestres provistas de sistema vascular. No debe extrañar la lentísima evolución experimentada por las plantas en tierra firme, si se tiene en cuenta que los vegetales no sólo debieron estar en condiciones de generar tejidos celulares capaces de producir gruesas paredes celulares en condiciones de resistir la acción del viento (paredes que posteriormente encontraron su máximo desarrollo en el leño de los árboles), sino además elaborar los complejos sistemas fisiológicos que permitieran, mediante el sistema radial y la estructura aérea, la nutrición, el metabolismo y la reproducción. Todas estas funciones debieron realizarse en el nuevo medio a través de sistemas muy distintos a los utilizados durante la existencia acuática, ya que sobre tierra firme las plantas no pudieron disponer del agua como vehículo que permitiera a los gametos móviles masculinos alcanzar los gametos inmóviles femeninos.

Una vez se completaron todas las transformaciones necesarias, el siguiente paso hacia la adquisición de una estructura arbórea fue relativamente corto; sin embargo, debió transcurrir un estadio intermedio en el que la reproducción fue confiada a las esporas, puesto que todavía no se habían desarrollado los órganos florales completos. En efecto, los gigantescos bosques existentes durante el período Carbonífero (denominado de este modo por el hecho de que los yacimientos que forman el carbón fósil están constituidos por las grandes plantas arborescentes que sucumbieron a causa de los trastornos geológicos y climáticos de la

9

Tierra) estaban formados por equisetos y otros helechos de aspecto arbóreo. Estos gigantes, actualmente extinguidos a pesar de que todavía existen algunos helechos arbóreos en regiones tropicales, fueron durante decenas de millones de años extraordinarios agentes purificadores de la atmósfera primitiva que estaba formada en gran parte por anhídrido carbónico (CO_2). Mediante la fijación del carbono y la eliminación del oxígeno contenido en el agua se posibilitó la evolución hacia formas vegetales y animales que requerían en su metabolismo cantidades ingentes de este último gas y que además, a través de una atmósfera más permeable debido a su menor contenido en anhídrido carbónico, permitir que las radiaciones solares, fuente de energía, alcanzaran en mayor grado la superficie terrestre. Así aparece el gran grupo de vegetales que denominamos Gimnospermas, que comprende a las Coníferas actualmente existentes y algunas especies pertenecientes a otras familias, como *Ginkgo, Cycas* que por estar todavía presentes en la vegetación actual son consideradas como auténticas formas fósiles vivientes. Con el transcurso de los diferentes períodos geológicos se alcanza, finalmente, la aparición de las Angiospermas, plantas que disponen de verdaderas flores y de semillas encerradas en el interior del fruto. Precisamente durante el período Terciario, relativamente mucho más reciente, aparecieron los primeros árboles, semejantes a los actuales, muchos de los cuales todavía sobreviven en la flora actual. No obstante, durante el último período (Cuaternario), en el que se supone que tuvo lugar la aparición del hombre, último de los Mamíferos, cuatro grandes glaciaciones sacudieron la corteza terrestre. Estos cuatro cataclismos climáticos reciben el nombre de Günz, Mindel, Riss y Würm; el segundo fue el más drástico y aunque después de la glaciación de Günz siguiera un período de unos 50 000

años de clima bastante benigno (semejante al actual, con toda probabilidad), los hielos que aparecieron durante esta primera glaciación en los polos fueron persistentes y provocaron la desaparición, en las zonas más frías, de las especies vegetales menos resistentes. Cuando estas regiones más frías se extendieron hacia el sur, las nuevas condiciones climáticas determinaron la desaparición o la instalación de las distintas especies, que para sobrevivir necesitaron superar enormes dificultades, incluida la competencia con las especies anteriormente establecidas y afirmadas debido a su mayor estabilidad. Las cadenas montañosas tuvieron una importancia de primera magnitud, ya que detuvieron estos flujos migradores, protegiendo de este modo a las especies que ya gozaban de mejores condiciones ambientales.

La evolución se aceleró de modo extraordinario por la difusión de las diversas familias vegetales a los distintos continentes y a las diversas zonas climáticas, ya que la lucha por la supervivencia de las especies favorece el desarrollo de las mutaciones con características verdaderamente extraordinarias. Las especies vegetales estuvieron, a lo largo de este proceso evolutivo, cada vez más especializadas para sobrevivir a las nuevas necesidades impuestas por las nuevas condiciones ambientales. Y en la actualidad, a pesar de que el proceso evolutivo parece estar detenido, debe inevitablemente continuar si, como parece probable, actualmente vivimos un nuevo período interglaciar.

LIMAS Y LOS ECOSISTEMAS

és de los cataclismos que durante las distintas eras geológ
laron y alteraron profundamente la superficie de nuestro pl
desde el punto de vista climático como en la distribución

Mapa de las distintas zonas de vegetación arbórea de la Tierra.

bosques de Coníferas

estepas, praderas y sabanas

bosques de latifolios de hoja caduca

desierto, tundra y regiones polares

bosque tropical

selva pluvial u ombrófila

tierras emergidas, el mundo vegetal fue paulatinamente adaptándose a las nuevas condiciones que se produjeron de modo fraccionado a través de un proceso que duró millones de años, adaptándose al mismo y creando un conjunto de formaciones particulares que, junto a los animales y a las condiciones ambientales, denominamos actualmente ecosistema. El concepto de ecosistema coincide con el de biocenosis, esto es, la asociación biológica de determinadas especies coincidentes en su dependencia del ambiente físico en el que están inmersas y constituyendo con el ambiente un todo inseparable. El término "globalización", acuñado por Tansley en 1923, sirve para expresar este concepto de forma justa. Todo ecosistema no sólo está estrechamente ligado a los factores climáticos y ambientales, sino con todas las formas de vida incluidas, tanto si se trata de vegetales como de animales, en una interdependencia que no puede ser alterada sin trastornar por completo a todo el equilibrio. La retirada, adaptación o desaparición de numerosas especies vegetales durante la glaciación y su posterior estabilización durante los intervalos de clima relativamente favorable, no pueden explicar por completo la supervivencia o la existencia de individuos pertenecientes a una misma familia e incluso a un mismo género en hábitats francamente distintos e incluso alejados entre sí. Como explicación se avanzó la hipótesis de la deriva continental que presupone la división de la tierra emergida en grandes masas continentales y su posterior separación o aproximación. Sin embargo, y de acuerdo con los datos proporcionados por los ▪eólogos, tales fenómenos serían demasiado antiguos como para poder ▪licar la situación actual de las plantas en la Tierra. Efectivamente, se ▪ne de algunas distribuciones tan particulares, en especial en el caso ▪ecies descendientes de otras muy remotas, que no pueden

explicarse de forma sencilla a través de los cambios producidos en el clima. Algunos de estos casos constituyen los ejemplos más sorprendentes de endemismo que actualmente reclaman nuestra atención. Aquí pueden citarse tres ejemplos característicos: los géneros descendientes de la antiquísima familia Cicadáceas, las especies pertenecientes al género *Araucaria* y las que componen el género *Ravenala*. En el primer ejemplo, actualmente encontramos un género residual de los denominados "fósiles vivientes" en cada continente, todos ellos dispuestos en la zona tropical o subtropical: *Cycas* especialmente en el continente asiático, *Encephalartos* en África, *Zamia* y *Dioon* en América. A pesar de la existencia de ligeras diferencias morfológicas, todos estos géneros descienden aparentemente de un mismo antepasado remoto, y dado que se desconocen fósiles del grupo pertenecientes a la era Mesozoica, su supervivencia puede atribuirse realmente a la deriva continental. El género *Araucaria*, asimismo muy primitivo, presenta una distribución actual muy singular, en la que s̶... duda han jugado una serie de factores climáticos: las especies̶... delicadas debieron retirarse durante las glaciaciones o al menos ̶... en parte. Aun así es difícil explicar la presencia de *Araucarí*... grandes altitudes en los Andes, *A. angustifolia* en Bra̶... *A. columnaris* y *A. bidwilli* respectivamente presentes ̶... en Nueva Caledonia y en Australia. El caso del gén̶... más característico, género al que pertene̶... *R. madagascariensis*, el árbol del viajero ̶... *R. guianensis*, que no alcanza el desarr̶... que es nativa de la parte septentri̶... Estos pocos ejemplos bastan pa̶... asociaciones vegetales con̶...

Abajo: bosque de coníferas; en altitudes altas, con la presencia de hielo, sólo las especies de hoja acicular se organizan en bosques. Página contigua: bosque de latifolios característico de la zona templada.

atender exclusivamente al conjunto climático y ambiental actual, en el que cada ecosistema está formado por numerosísimas especies vegetales, con una cierta uniformidad en sus diversas características. Es evidente que en tales conjuntos no basta la latitud para explicar la aparición de un tipo determinado de desarrollo frente a otro, sino que también cuentan la altitud sobre el nivel del mar y la situación continental o insular; y más aún, ya que el poblamiento vegetal de las islas es distinto si se trata de islas continentales que han conservado los caracteres de la porción de continente del que se separaron, o bien islas oceánicas, de aparición totalmente independiente de los continentes. La fitogeografía distingue un cierto número de dominios florísticos, subdivididos a su vez en regiones, provincias, etc. y en cada uno de estos conjuntos, los árboles constituyen el poblamiento dominante, dondequiera que puedan existir. En lo referente al caso del bosque, es decir, la asociación de plantas ñosas exclusivamente de tallo alto, su formación está sujeta, al igual sucede con todos los seres vivos, al medio ambiente. En la ﹍ción de las condiciones del ambiente interviene una gama muy ﹍tores: *atmosféricos*, como la luz, la temperatura, la humedad ﹍as, el viento y la concentración de anhídrido carbónico; ﹍ el caso de las propiedades físicas y químicas del ﹍ en agua: *bióticos*, que incluye a todos los seres ﹍ animales. A efectos ecológicos, la acción del ﹍ o menos compleja y considera conjunta- ﹍ La resultante de la acción recíproca de ﹍da a través de algunas leyes de ﹍ factores que determinan un

fenómeno concreto se encuentra limitada por la actividad de aquél que actúa en menor concentración. Esta ley fue formulada por vez primera con respecto al comportamiento de los distintos elementos nutritivos de las plantas, pero posteriormente se ha aplicado a los diversos elementos que componen en medio ambiente. Allen expuso el mismo concepto al afirmar que la máxima acción depende del factor que se encuentra más alejado de su óptimo (ley del factor más significativo).

2) **Ley de compensación:** la acción de un factor determinado puede verse compensada por la acción paralela de otro factor concomitante; por ejemplo, luz y temperatura.

3) **Ley del mínimo fisiológico:** para cada factor que compone el medio ambiente existe un máximo, un mínimo y un óptimo con respecto a la posibilidad de supervivencia de la planta y a la continuidad de una función aislada.

A pesar de que, con fines prácticos, se utilice una clasificación bastante burda que divide a los bosques en un número limitado de tipos principales, se han intentado también varias otras clasificaciones. En general suele utilizarse esta terminología:

a) **Bosque de coníferas** (perennifolios), formación que se extiende por toda la parte meridional de la región eurosiberiana y Norteamérica, junto con otras importantes extensiones en las cadenas montañosas de mayor relieve.

b) **Bosque templado de latifolios;** que ocupa la zona templada de América, Europa y Asia, en los lugares en los que no predomina ni la pradera, ni la estepa ni la sabana a causa de la escasez de precipitaciones o bien que se encuentran concentradas en determinados períodos del año.

c) **Bosque tropical,** de hoja caduca o bien de hoja perenne; en él, el período de reposo anual viene determinado por un mínimo en las precipitaciones.

d) **Bosque umbrófilo o pluvial,** propio de la zona ecuatorial, donde el calor y la humedad alcanzan unos límites máximos y constantes.

Como ya se ha comentado, se han elaborado otras clasificaciones que tienen en cuenta a un número mayor de factores. Entre estas clasificaciones merecen citarse la de E. Rübel y H. Brockmann-Jerosch, dedicado a las formaciones forestales:

1— **Pluviisilva,** bosque tropical de clima oceánico; se caracteriza por la existencia de árboles de hoja perenne con ápices vegetativos no protegidos. Suele contener un número muy elevado de especies; presenta numerosos estratos vegetativos y permite la existencia de lianas y epífitos.

2— **Laurisilva,** bosque perenne de clima oceánico. La temperatura actúa como factor limitante; esta formación avanza también hacia las regiones frías, restringiéndose en tal caso en la banda costera. Los árboles que componen la laurisilva disponen de ápices vegetativos protegidos; en algunos casos, la transición hacia los bosques de coníferas es poco perceptible dado que sus propágulos están formados por hojas escuamiformes (*Taxus, Thuja,* etc.).

3— **Hiemisilva,** bosques de especies caducifolias propio de los climas continentales tropicales. Durante las épocas de lluvias, las especies de esta formación se encuentran en base vegetativa y permanecen en reposo durante el período de sequedad. Los árboles poseen en general hojas pequeñas e incluso están protegidas de tomento durante el estado juvenil.

4— **Durisilva,** denominado también bosque perenne xerófilo y esclerófi-

Bosque ombrófilo o pluvial, propio de la zona tropical; es característico de climas cálidos y húmedos.

lo, ya que las principales especies presentan una gran resistencia a los climas áridos. Las hojas casi siempre disponen de medios de protección, como por ejemplo sustancias céreas que proporcionan la tonalidad glauca característica, o bien un conjunto de pelos responsables del color blanquecino de las hojas; en algunos casos éstas son de dimensiones extraordinariamente reducidas. En los climas subtropicales, la durisilva sustituye a la laurisilva en el paso del clima oceánico al continental; las especies típicas de esta formación son propias de la zona templado cálida *(Casuarina, Eucalyptus).*

5— **Aestisilva,** formada predominantemente por especies de hoja caduca que quedan desnudas durante el período invernal; esta formación es típica de los climas templado cálido y templado frío (encinas, hayas).

6— **Aciculisilva,** denominado también bosque de coníferas de hoja acicular; está formada por árboles de follaje persistente salvo contadas excepciones *(Larix);* este conjunto es propio de los climas fríos o templado fríos, y constituye la última formación forestal al ascender hacia los polos o los límites térmicos de los climas alpinos.

Lógicamente, estas asociaciones, independientemente de la clasificación adoptada, no variarán bruscamente entre sí, sino que constituyen un número muy grande de formaciones de transición, incluso con otros ambientes que no presentan especies de porte arbóreo o, si existen, no son predominantes.

En general, el equilibrio alcanzado en un ecosistema es ventajoso para todos los individuos que lo componen; de este modo es posible distinguir a toda una serie de formas animales, desde los Insectos a los Mamíferos, que no sólo obtienen del bosque su alimento, sino que a su vez contribuyen a su desarrollo, mediante la polinización o la inseminación.

Troncos de coníferas. El tronco constituye para los árboles un verdadero esqueleto. Una de sus misiones es servir de sostén a las hojas, las flores y los frutos. Por su interior transcurren los vasos que tienen encomendado el transporte de la savia.

Las intervenciones humanas, a menos de que no sean particularmente cuidadosas, pueden alterar este equilibrio llegando incluso a destruirlo y demolerlo, con estúpida superficialidad, destruyendo con ello una labor de la naturaleza que se ha prodigado a lo largo de millones de años.

EL LEÑO, ELEMENTO ESENCIAL DEL ÁRBOL

El sentido de la verticalidad, la búsqueda del aire para respirar y de la luz para la realización de la función fotosintética, son características comunes a todos los vegetales más evolucionados. Mientras que las plantas herbáceas disponen sólo de un tallo frágil que se yergue del sustrato, el árbol se caracteriza, sin embargo, por poseer una estructura longilínea que se levanta del terreno. Esta estructura se denomina corrientemente el tronco. Anualmente esta estructura incrementa su tamaño a la vez que mantiene invariable su función, basada en el sostén de las hojas, las flores y los frutos.

El tronco de un árbol es una parte constitutiva de un ser vivo y, como tal, está formado por células. Estas, al tratarse de un organismo vegetal, están provistas de membrana formada por materiales elaborados por la propia célula. En efecto, la membrana envuelve durante toda la vida a la célula vegetal y a partir de los organismos más sencillos hasta los más evolucionados. Si es necesario para la economía y la finalidad del órgano, la membrana llega a adquirir un espesor tal que constituye la parte prominente de la célula y sus formas y dimensiones se conservan incluso después de su muerte. La membrana puede además utilizarse como depósito de sustancias, y ello es de gran importancia tanto en la formación de los diversos tejidos como en la posterior aplicación que éstos pueden tener en la industria. En función del tipo de sustancia depositado, existen

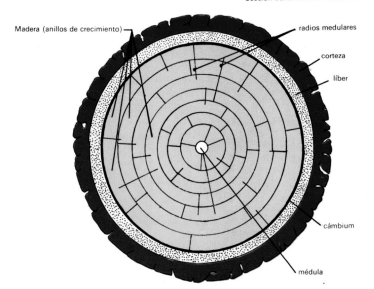

Madera (anillos de crecimiento)

radios medulares

corteza

líber

cámbium

médula

membranas celulósicas, membranas pécticas, membranas celulopécticas y mucilaginosas, membranas lignificadas, suberificadas o cutinizadas, membranas que se impregnan de diversas sales minerales e incluso membranas que producen sustancias céreas. Estos distintos tipos de membranas dependen de la función que deban desempeñar un grupo determinado de células.

Aparte de la composición química, es importante conocer el espesor de la membrana, ya que cuanto más esté impregnada de otras sustancias, menos permeable resulta al paso de la savia, función fundamental entre las diversas que el tronco debe realizar. Sin embargo, existen células provistas de paredes engrosadas de lignina y que no obstante conservan una buena permeabilidad debido a que el engrosamiento no es uniforme y se halla interrumpido en determinadas áreas, a veces incluso circulares o lenticulares, que reciben el nombre de punteaduras. Por lo tanto, lo que generalmente se denomina tronco está en realidad formado por una pluralidad de tejidos, más o menos diferenciados, con el fin de realizar las diversas funciones de sostén, de transporte, de depósito y de secreción. Si cortamos un árbol en dirección perpendicular al tronco y guardamos la imagen observada, podremos distinguir, del exterior al interior: 1) una *corteza,* que puede ser lisa o rugosa y estar provista de una amplia gama de colores que caracterizan de algún modo la identidad de la planta; esta parte del tronco tiene encomendada la función de protegerla de los saltos de temperatura y humedad de la atmósfera y, si es necesario, de las heridas y de las injurias que los animales o el hombre puedan causarle; el tronco puede ser un medio de reconocer a la especie cuando falta el follaje. 2) Inmediatamente después de la corteza, se observa un estrato de color rosado, rojizo y raras veces blanco, al que se denomina corteza interna, de

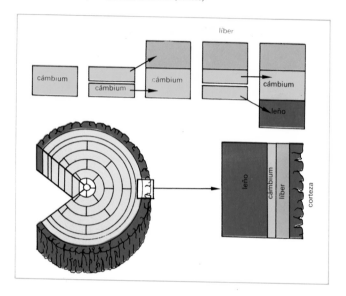

Esquema de las distintas fases de actividad del cámbium. Produce el leño hacia el interior y el líber hacia el exterior (corteza)

forma errónea; este estrato es el *líber,* tejido especializado en el descenso y repartición de la savia enriquecida en las hojas mediante las sustancias elaboradas. Este tejido, cuyo espesor es muy pequeño en comparación con el leño, toma este nombre debido a que sus anillos, producidos anualmente, son tan delgados que se asemejan a las páginas de un libro. 3) El *cámbium,* difícilmente apreciable sin la ayuda de un microscopio, es a su vez el tejido responsable del crecimiento diametral del tronco. Se encuentra situado entre el leño propiamente dicho y el líber, dividiendo tangencialmente sus células mediante una membrana delgada y transparente, viva e indiferenciada, que produce hacia el interior nuevos elementos del leño, y hacia el exterior, es decir hacia la corteza, nuevos elementos de líber. 4) En el interior del líber se encuentra el *leño* propiamente dicho; en él se individualizan tantos anillos concéntricos como años de vida del tronco. El leño está formado por fibras y vasos; estos últimos tienen como función el transporte de la savia bruta, es decir, una solución acuosa de sales minerales contenidas en el sustrato, desde las raíces hacia las hojas, donde tendrá lugar la síntesis clorofílica con la transformación de esta solución inorgánica en una solución de compuestos orgánicos. 5) La *médula* es la parte central de un tallo o de una raíz anual, a cuyo alrededor se dispone un solo anillo de haces criboleñosos; la médula puede reducirse en los ejemplares adultos o incluso llegar a destruirse cuando la planta ha alcanzado una cierta edad, dejando un cilindro medular vacío como ocurre en el género *Paulownia.* En el ciprés, enebro y manzano, la médula muestra un diámetro de uno a dos milímetros; en el cembro, abeto rojo, chopo e higuera es mayor, de 2,5 a 8 milímetros; y es todavía mucho mayor en el ailanto o sambuco, con más de 8 milímetros. Otro elemento característico de una sección transversal

Distintas clases de madera. De izquierda a derecha, y de arriba abajo: cerezo, alerce, haya, caoba, abeto y nogal.

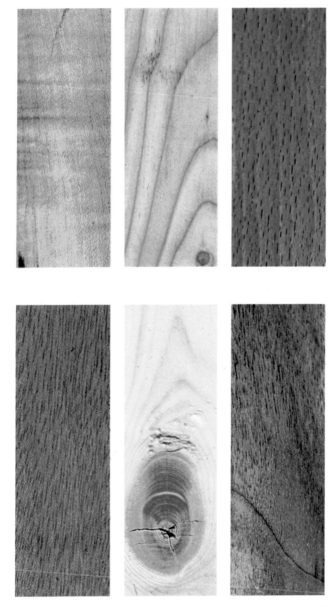

de un tronco son los radios medulares que, como dice el nombre, son estrechos conjuntos de células dispuestos en sentido radial y que sirven para la distribución de las sustancias nutritivas a todas las partes de la planta.

En algunos árboles, como en el roble albar, el olmo y el alerce, se observa una diferencia de tonalidad entre la zona más externa del leño y la interna; en cambio, en otros casos, como por ejemplo el abedul, el castaño de indias y el boj, esta diferencia no es apreciable y el leño recibe el nombre de indiferenciado.

La *albura* o parte clara es, en una sección del tronco, el leño de formación más reciente y que representa por tanto la corona más externa del cilindro central. Constituye la parte fisiológicamente activa del leño que permite el ascenso de la savia y por ello presenta un elevado contenido en agua. Ello hace que sea fácilmente putrescible o atacable por parte de los hongos e insectos que encuentran en ella el lugar más idóneo para su desarrollo. La albura se elimina en aquellos casos en los que conviene emplear los maderos en faenas que requieren resistencia y duración. En general ocupa, en el tronco de una planta madura, una corona circular de pocos centímetros de radio, pero sin embargo, en determinadas especies o bien en estado juvenil, la albura puede presentar un desarrollo mucho mayor. El *duramen*, denominado también corazón, es la parte más interna y de mayor edad del tronco; sin embargo, ocupa un gran porcentaje del mismo. El duramen no es más que una modificación, por envejecimiento, de la albura de la que se distingue por una mayor densidad y por un color más oscuro e intenso. El duramen presenta una menor proporción de humedad y está formado por células que poseen una membrana de tal modo engrosada por el depósito de taninos, resinas, sustancias amiláceas, colorantes y aceites, que la luz resulta sensiblemente reducida, o incluso totalmente ocluida. El duramen representa para la planta una zona muerta que desempeña sólo una función de sostén y de depósito, pero sin embargo estas propiedades son muy adecuadas para su ulterior empleo, ya que así será más duro y resistente tanto a las inclemencias meteorológicas como a los ataques de los hongos e insectos. Las sustancias de diferente naturaleza (taninos o resinas) que impregnan al duramen pueden hacer que adquieran una tonalidad distinta, y en general el precio aumenta con la coloración, como ocurre con el duramen negro del ébano o el rojizo de la caoba; en algunas especies, el duramen puede estar impregnado de sustancias inorgánicas, como por ejemplo sílice, que confiere una extraordinaria dureza al tronco de la teca.

En las regiones templadas, al llegar la primavera, cuando se inicia el canto de las aves y se abren las primeras corolas en los prados, también los árboles reemprenden su actividad vegetativa. En primavera las yemas producen nuevas hojas y nuevas ramificaciones, y todo el árbol experimenta la necesidad de disponer de una mayor cantidad de nutrientes para cuyo aprovechamiento es necesaria la aparición de nuevos vasos conductores en el tronco para el transporte de la savia bruta. La parte más clara de cada anillo de formación anual está formada precisamente por el leño temprano o de primavera, que se caracteriza por la posesión de unos vasos conductores de mayor diámetro; la parte más oscura se corresponde al leño tardío o estival, al que se llama también, aunque de forma errónea, leño otoñal; los vasos, muy abundantes y de escasa luz, tienen como función primordial el sostén y el aporte del agua necesaria para la transpiración, ya que el follaje, en plena estación, ha completado ya su desarrollo y no requiere la gran cantidad de líquido ascendente que precisa en primavera, el cual colabora también a la formación de los tejidos foliares. La alternancia de un anillo de tonalidad más clara, con vasos más anchos, y de otro más oscuro provisto de vasos más estrechos, pone en evidencia una formación que suele recibir el nombre de anillos anuales. En efecto, cada uno de estos anillos supone el leño producido a lo largo de un ciclo anual y que estará constituido por una banda más ancha de leño temprano y otra más débil de leño tardío. Anualmente, el árbol, a medida que completa su desarrollo, encierra en una especie de abrazo todo su pasado, formando en su entorno un nuevo anillo de materia viva; por lo tanto, el tronco de un árbol es el producto de una labor tan antigua como el propio árbol. De este modo, mediante el número de anillos puede conocerse la edad de un vegetal, y mediante una lectura atenta de su espesor, de su morfología y de su tonalidad, puede reconstruirse toda la aventura de la vida del árbol, a partir del clima y de las adversidades meteorológicas a las que ha estado expuesto, de las condiciones de la asociación en las que ha vivido y del aprovechamiento del que ha sido objeto, por parte del hombre o de los animales. Los anillos de crecimiento son por lo tanto un registro inmediato e imperecedero de todos los acontecimientos que se han producido en las proximidades del árbol. Desde Teofrasto y Columela ya se realizaron observaciones acerca de las secciones de un tronco; sin embargo, fue Leonardo da Vinci quien, con su mente enciclopédica, intuyó que no sólo podía discernirse la edad de un árbol a través del número de anillos sino que también, mediante su diversa amplitud, era posible conocer las condiciones climáticas de una época determinada. Posteriormente, se interesaron en el tema H. L. Duhamel-Dumonceau y Buffon, quien en 1737 reconoció en los anillos de los árboles correspondientes a los años 1708-1709 la influencia de una ola de frío que el propio Linné (1745) atribuyó al mismo año. En el siglo siguiente, De Candolle y Pokorny, al estudiar los enebros, los pinos y los abetos, relacionaron el crecimiento diametral de los troncos con los acontecimientos climáticos. Sin embargo, se debe a A. E. Douglass, astrónomo americano, la formulación, a principios del presente siglo, de una nueva ciencia, la dendrocronología que estudia, mediante un atento examen del crecimiento de los árboles, la historia del clima y las relaciones de éste con las variaciones ambientales. La manifestación del crecimiento de un árbol que encuentra su reflejo en los anillos anuales, constituye una entidad medible y que puede traducirse en un gráfico en cuyos ejes de ordenadas pueden situarse respectivamente el diámetro y el tiempo. La dendrocronología se basa en estos estudios. Debido a que la influencia del clima sobre los anillos es completamente singular, al igual que las huellas digitales, si se aprende a leer un tronco, empleando para ello una multiplicidad de datos y también la experiencia, puede llegarse a individualizar a un año determinado del mismo modo como un bebedor experto es capaz de reconocer la procedencia de un vino. De este modo es factible reconstruir el diagrama de un período dado y, a partir de los árboles seculares abatidos en una época conocida, retroceder los diagramas mostrados en los troncos a tiempos más remotos mediante la sobreposición de los últimos elementos de una serie con los primeros de la siguiente, hasta alcanzar períodos tan remotos como de 7400 años de retroceso *(Pinus aristata)* e incluso retroceder, según un grupo de la

Universidad de Arizona, hasta 9000 años e indagar las condiciones climáticas de este período.

Cada árbol produce un leño de características determinadas, con respecto al color y al diseño, como es conocido por los fabricantes de muebles. Influyen sobre las características del tronco la mayor o menor distancia entre las ramas, el crecimiento lento o rápido del árbol y el hecho de que éste fuera joven o viejo al ser abatido. Mediante el tacto de un objeto de madera, contemplándolo detenidamente, estaremos en condiciones de conocer su "calidad" a través de sus numerosos caracteres organolépticos.

Color: la variedad de las tonalidades de los distintos tipos de madera no pasa ni siquiera desapercibida al profano que pronuncia frases como "negro como el ébano" o bien "pelo de color caoba"; a estas observaciones puede añadirse que la madera del abeto rojo (denominado de este modo por el color de la corteza) es de color blanco, que el leño de la acacia es de color bronceado, amarillo en el caso del roble, etc.; las distintas tonalidades de color muestran una gama casi infinita.

Olor: todas las maderas presentan un buen olor a... madera, pero es más o menos característico según las resinas, los aceites o alcaloides que impregnan sus células. El cembro desprende un olor de resina y de bosque; en cambio, el roble turco posee olor de taninos, mientras que el alcanfor, huele a... alcanfor; los chinos utilizaban esta madera para la construcción de cofres esculpidos sumamente apreciados en occidente, no sólo por la belleza de la decoración, sino también para guardar las prendas de piel.

Sabor: las maderas, según las sustancias impregnantes, poseen un sabor característico, como por ejemplo el citiso, el chopo, el abeto rojo y el árbol del rosario *(Abrus precatorius).*

Textura: se denomina textura de una madera al aspecto que ésta adquiere según las distintas dimensiones y distribución de los elementos que la componen. La textura puede ser tosca como la del roble o fina como la del boj.

Veteado: es la imagen que compone la alternancia de colores entre las zonas tempranas y tardías de los anillos de crecimiento, cuyo aspecto es circular en una sección transversal, pero que se transforma en oval en una sección elíptica y en paralela en una sección longitudinal. Los anillos resultan más o menos marcados según la especie leñosa a la que pertenecen: en efecto, son mucho más aparentes en las Coníferas (pinos y abetos, por ejemplo) y mucho menos en algunos latifolios, como los chopos y los abedules.

A todos estos elementos cabe añadir el *ondeado,* fenómeno especialmente frecuente en las raíces y en el cuello de las plantas arbóreas. Los leños ondulados del acer, del roble, del olivo o del nogal son buscados en los trabajos de lujo por su aspecto curvo, flexuoso e irregular de los elementos del leño. En realidad, estos elementos representan una desviación del normal recorrido rectilíneo de los vaso leñosos paralelos al eje de la planta, y por tanto una desviación, e incluso una interrupción, de la corriente ascendente de la savia. Sin embargo, ello no supone un deterioro de las propiedades técnicas del leño que antes bien adquiere un mayor grado de elegancia al asumir diseños característicos por la forma, color y variedad del veteado. El ondulado puede producirse por la respuesta del árbol ante la invasión de parásitos, por heridas o descortezado, por una poda

excesiva, por heladas o por una producción excesiva de yemas; todas estas causas negativas son en ocasiones capaces de incrementar la belleza y la elegancia de la madera.

El conjunto de todos estos elementos citados es útil para poder reconocer los diversos tipos de madera a primera vista; sin embargo, para alcanzar una identificación segura es necesario el empleo de técnicas microscópicas que pongan de manifiesto las particularidades de los distintos elementos que componen la madera. Maderas afines pueden ser fácilmente confundidas entre sí o a veces maderas de escaso valor pueden mejorarse, teñirse o tratarse de forma que se modifiquen los caracteres más aparentes con la finalidad de falsificar a otras maderas de precio mucho mayor. En tales casos, sólo el empleo de técnicas microscópicas o cromatográficas puede producir una identificación segura y exenta de confusión.

Para el estudio microscópico se utilizan las tres secciones anatómicas fundamentales, es decir: una *sección transversal,* perpendicular al eje de la planta; una sección, que al igual que el radio de una circunferencia, pase por el centro del tronco, y que recibe el nombre de *sección radial.* La *sección tangencial* se dispone perpendicularmente a la sección radial y representa la tangente a la circunferencia del tronco. Los espesores de las secciones microscópicas utilizadas para la identificación científica especializada deben ser como máximo de 1/20 mm y se obtienen mediante unos aparatos especializados en la consecución de secciones finas, que reciben el nombre de microtomos. Al acariciar un objeto de madera, notamos que está ''vivo''; ello se debe quizás a que se asemeja al pelaje de un animal o al plumaje de un ave, pero sobre todo porque experimentamos que es el producto de una criatura viviente que, dentro

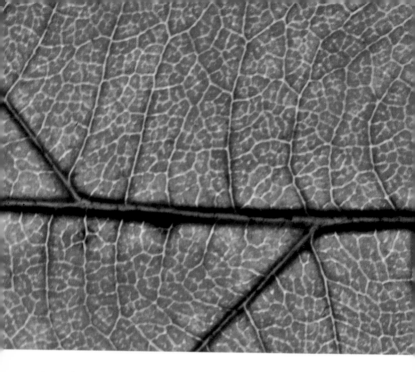

de su género y de su especie, representa una unidad extraordinaria del árbol en el ámbito de la naturaleza. Y sus líneas, elegantes e incisas, están como las líneas de la mano marcadas por la vida.

LA HOJA: FUENTE DE VIDA

Repetidas veces se ha mencionado que la hoja es la fábrica más maravillosa de la Tierra, pero esta definición precisa una explicación más detallada. La hoja es verdaderamente "la" fábrica, la fuente primera de la vida, el primer eslabón de esta cadena alimentaria que se inicia con la captación y posterior elaboración de la energía solar, que de nuevo se convierte en energía a través de los sistemas metabólicos de los animales herbívoros, animales carnívoros y finalmente el hombre. En efecto, son los tejidos foliares los que a través de la fotosíntesis clorofílica permiten la formación de los productos orgánicos, los cuales posteriormente vuelven a dividirse, adquiriendo cada compuesto una función propia en la formación y en el mantenimiento de los organismos animales. Para poder realizar esta misión, única en la Tierra, los tejidos celulares están altamente especializados y formados por células provistas de una alta diversidad de pigmentos, de los que el más importante es la clorofila, que sólo se produce en presencia de la luz y que a la vez proporciona el color verde característico de los órganos fotosintéticos de las plantas. La clorofila está contenida en el interior de unos corpúsculos celulares, que se denominan cloroplastos, y tiene la propiedad de captar la energía luminosa y utilizarla, a través de una serie compleja de reacciones fotoquímicas, para reducir al anhídrido carbónico presente en la atmósfera y transformarlo en una serie de productos orgánicos (azúcares en general, como la glucosa y el almidón) que se unen al torrente circulatorio de la savia (que ahora se

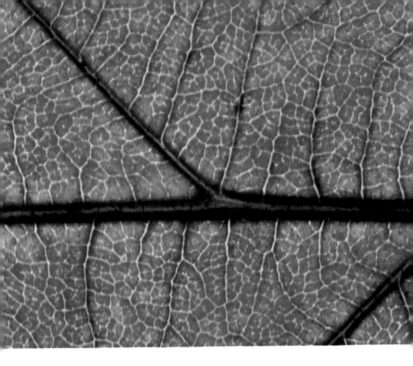

denomina elaborada) para su posterior utilización en otros órganos de la planta. Este fenómeno, conocido por el nombre de fotosíntesis clorofílica, constituye la base del metabolismo y del balance energético en la Tierra, es decir, de los procesos internos celulares presentes tanto en los vegetales como en todos los restantes organismos vivos. A pesar de que la fotosíntesis en general tiene lugar en los órganos foliares, puede también encomendarse a ramas e incluso a tallos que asumen las funciones de la hoja cuando ésta, por algún motivo, falta, está reducida o ha sido metamorfoseada perdiendo con ello sus propiedades originales. La hoja cuelga del tallo, en el que se inserta en determinados puntos que reciben el nombre de *nudos;* el punto de inserción recibe el nombre de *axila.* En tales puntos aparecen generalmente unas protuberancias que forman las *yemas axilares,* en contraposición a las yemas apicales que se forman a la extremidad del tallo y que determinan el crecimiento del mismo en longitud. Las yemas son tejidos embrionarios cubiertos por una hoja dispuesta contra el brote a causa del desarrollo desigual de las dos caras de la hoja, constituyendo de esta forma una auténtica protección en forma de caperuza, que protege de una excesiva transpiración y que a la vez supone una defensa frente a las injurias mecánicas. A medida que avanza el proceso de vegetación, se producirá el desarrollo de la hoja y la aparición de una nueva ramificación a partir de la yema. Cuando las hojas han alcanzado un determinado desarrollo, se producen en su axila una nueva yema que puede permanecer en estado de latencia durante un largo período, o bien puede desarrollarse inmediatamente con la aparición de una nueva ramificación que a su vez es portadora de más hojas. Una parte de las yemas está destinada a convertirse en flores o e inflorescencias, y que debido a ello se denominan yemas florales.

Esquema del proceso de fotosíntesis, que tiene lugar en la hoja y en otros órganos verdes de la planta. La fotosíntesis permite el desarrollo y la conservación de la vida en la Tierra.

En las plantas, particularmente las leñosas, en las que la yema debe superar un período de reposo (yema hibernante), los folíolos más externos se transforman en escamas protectoras, denominadas pérulas, que a veces se acompañan con otras formaciones protectoras, por ejemplo pelosidades y resinas.

En la hoja se distinguen tres partes: *base, pecíolo* y *lámina*. La base es el punto en el que se produce la inserción con el tallo; esta inserción puede ser simple o bien abrazar, en parte o totalmente, al tallo, en cuyo caso recibe el nombre de base envainante; en cambio, si la base está íntimamente soldada con la base foliar opuesta, la hoja completa recibe el nombre de perfoliada. A veces, la base está ligeramente hinchada y constituye el denominado pulvínolo motor que, según el grado de turgescencia, permite movimientos parciales; también existen especies en las que aparecen unos apéndices denominados estípulas, que pueden ser pequeñas y caducas, grandes y persistentes, espinosa o bien escamosa, en cuyo caso adquiere la función protectora de las pérulas, como ocurre en el caso de las encinas. El pecíolo es el órgano estrecho que une la base con la lámina foliar; cuando falta el pecíolo, la hoja recibe el nombre de sésil. En general posee forma cilíndrica o semicircular, pero no faltan las excepciones; así, por ejemplo, puede actuar como vaina protectora para la siguiente hoja y, después del crecimiento, aplanarse y expandirse en la parte basal, con la aparición de formaciones laterales que califican al pecíolo como alado. En algunos casos, el pecíolo puede desarrollarse y aplanarse adoptando el aspecto y las funciones de la hoja, en cuyo caso se denomina filodio. La lámina o limbo es la parte extendida de la hoja, y sus dos caras reciben el nombre de *páginas*.

Su forma es muy variable y su aspecto determina la terminología con la

que se conocen los distintos tipos de hoja. De entrada pueden distinguirse las hojas en simples y compuestas; las primeras son aquéllas cuya lámina, incluso en el caso de que esté profundamente hendida, es continua. En las hojas compuestas, el pecíolo se ramifica y es portador de varios folíolos. En las hojas simples, la forma de la lámina, de la base, de los bordes y del ápice, determina las distintas denominaciones con las que se conocen los varios tipos de hojas. Así por ejemplo, existen hojas aciculares en algunas coníferas, mientras que otros géneros del mismo orden, como los cipreses y el género *Thuja,* muestran hojas escamiformes.

Las hojas se denominan lineares cuando son largas y estrechas; ensiformes si adoptan el aspecto de una espada; falciformes en el caso de las hojas del eucalipto, y también lanceoladas, ovales, elípticas, etc. Si se considera la morfología de la base de la hoja, ésta puede ser cordada, astada o asaetada según si su unión con el pecíolo penetra en la lámina, forma un seno o determina lóbulos laterales de forma diversa. Los bordes foliares pueden presentarse enteros, ondulados, dentados y crenados; según la dentadura pueden ser redondas, lobuladas si los cortes no alcanzan la mitad del limbo y sectadas si rebasan la mitad. El ápice de la hoja puede ser acuminado, obtuso, truncado, cuspidado o emarginado.

Todas estas definiciones pueden usarse en combinación si las hojas presentan, en sus partes, varios caracteres en conjunto; así, existen hojas ovadocordadas, palatolobuladas, etc.

Las hojas compuestas pueden ser palmadas, cuando los folíolos se disponen alrededor de un punto central único, o bien pennadas si se insertan a ambos lados del peciólulo.

Referente a su disposición en el tallo, pueden distinguirse las hojas esparcidas, en las que sólo aparece una hoja en cada nudo, de las

Epidermis inferior de una hoja observada al microscopio. Son perfectamente visibles los estomas, pequeñas aberturas que regulan el intercambio gaseoso de la hoja con la atmósfera.

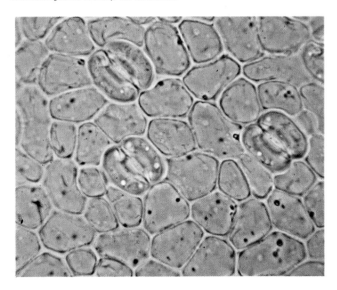

Epidermis inferior de una hoja observada al microscopio. Son perfectamente visibles los estomas, pequeñas aberturas que regulan el intercambio gaseoso de la hoja con la atmósfera.

verticiladas en las que en cada nudo se insertan varias hojas. En el primer caso, es frecuente que cada hoja se sitúe en posición contraria en nudos contiguos; en tal caso, las hojas se denominan alternas. En el segundo caso, cuando hay dos hojas en cada nudo y guardan entre sí una distancia de 180°, se denominan opuestas. Sobre una misma planta pueden existir hojas de forma distinta, y este fenómeno se denomina heterofilia. Suele producirse por la coexistencia de hojas de distinta edad, y raras veces es un fenómeno permanente.

La forma de las hojas está estrechamente relacionada con sus funciones y también con el medio ambiente. Además de la fotosíntesis clorofílica que permite el metabolismo, la hoja cuida de realizar los restantes intercambios gaseosos con la atmósfera, y mediante los tejidos foliares, la planta respira y transpira. Sus tejidos epidérmicos están provistos de estomas, formados por dos células en forma de riñón constituyendo un microscópico agujero parecido a una válvula; su estructura y su turgencia, debida a la mayor o menor cantidad de agua contenida, regulan la abertura o el cierre de las minúsculas válvulas, favoreciendo o impidiendo la transpiración por la que la planta pierde la mayor parte del agua absorbida y lo que facilita una ascensión del agua absorbida por las raíces. En casi todas las plantas, los estomas se sitúan en los tejidos de la página inferior de la hoja, y su funcionamiento está así perfectamente regulado, ya que las plantas que viven en los climas áridos poseen un número de estomas sensiblemente inferior con respecto a las que viven en climas húmedos que poseen estomas salientes y numerosos. Además, a falta de humedad ambiental, los estomas pueden hundirse profundamente en el tejido foliar, o bien cubrirse parcialmente de pelos con el fin de impedir una transpiración excesiva. Además de transpirar, la planta respira a través de sus tejidos

Al iniciarse la estación fría (o seca en otros climas), las hojas de muchas especies de árboles amarillean y caen, lo que posibilita que la planta reduzca al máximo las funciones foliares y con ello puede superar el período invernal.

epidérmicos, es decir, absorbe oxígeno y desprende anhídrido carbónico y aprovecha la energía. Este fenómeno se produce ininterrumpidamente, tanto de día como de noche, pero en las plantas verdes sólo se pone de manifiesto ante la falta de luz, ya que en presencia de energía luminosa, la fotosíntesis, intercambio gaseoso de mayor entidad, enmascara a la respiración. El mecanismo de respiración no presenta la misma importancia de todas las especies: es muy activo en las plantas provistas de hojas grandes y de consistencia delicada, se reduce en las plantas provistas de hoja con cutícula coriácea y adquiere valores mínimos en las hojas aciculares. La cutícula, secreción externa de la membrana del estrato epidérmico, puede presentar formaciones protectoras en relación al hábitat y al estado mayor o menor de contenido hídrico en el interior del organismo vegetal. Así, por ejemplo, la formación cérea denominada pruina, no sólo impide una transpiración excesiva, sino que permite que el agua escurra por la superficie de las hojas de las plantas muy suculentas en las que si el agua llegara a estancarse podrían pudrirse. Tomentos, pelos, verrugas, glándulas y acúleos son otras tantas formaciones protectoras que existen en función de las condiciones adversas a la célula normal, bien para defenderla frente a los rigores climáticos excesivos, o a una incidencia demasiado fuerte de las radiaciones ultravioletas, como puede suceder en algunas especies de alta montaña. Para defenderse frente a los agentes atmosféricos y climáticos, la planta dispone de varios mecanismos: las Coníferas pueden sobrevivir en zonas bastante frías merced a sus hojas aciculares que soportan un estado de casi total reposo y no arriesgan ser ahogadas por el hielo o la nieve; las plantas propias de los países templados son en general de hoja caduca debido a que la falta de hojas marca un estadio de reposo en el que las actividades metabólicas

34

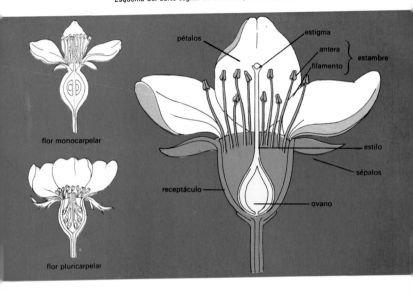

flor monocarpelar

flor pluricarpelar

pétalos

estigma

antera

estambre

filamento

estilo

sépalos

receptáculo

ovario

son reducidas al mínimo y el organismo puede superar el período de hibernación. En otros climas, esta fase de reposo obedece a los períodos de sequía en los que las plantas no tienen a su disposición el agua necesaria para la elaboración de la savia. Con tal que la humedad, el calor y la luz sean constantes, el ritmo vegetativo no experimenta ningún tipo de trastorno y el follaje es en tales condiciones perenne, incluso grande y tierno; la caída de la hoja sólo se produce en función de la renovación debida a la edad, y generalmente en la base del pecíolo se forma un estrato de cicatrización lignificado.

LA FLOR: SEXUALIDAD Y BELLEZA

Al hablar de sexualidad, suele pensarse en el reino animal, pero en realidad, la sexualidad es un carácter propio de todos los organismos vivos más o menos evolucionados. En los estadios más primitivos, tanto vegetales como animales, presentan formas de propagación exclusivamente agámicas, consistentes en las divisiones de la célula en el caso de los organismos unicelulares o bien en la separación de una parte del cuerpo vegetativo, con capacidad para recomponer a todo el organismo. Tal tipo de multiplicación resulta, por otra parte, perfectamente posible en muchos vegetales ya dotados de sexualidad, e incluso en algunos casos es predominante a pesar de la presencia de los órganos sexuales que hacen posible otros tipos de reproducción. Este es el caso de la lenteja de agua *(Lemma),* pequeña planta acuática flotante que, a pesar de que produce verdaderas flores microscópicas, se multiplica normalmente en la naturaleza por escisión de las partes que la componen. Además, en las algas y en los hongos están ya presentes células sexuales, que reciben el nombre de *gametos,* que permiten mediante su acoplamiento y posterior

Al visitar distintas flores, los insectos transportan a menudo polen y permiten la fecundación.

fecundación la producción de un cigoto o célula huevo fecundada que dará origen a un nuevo organismo. No obstante, sólo en las formas superiores más evolucionadas los caracteres masculinos y femeninos tienden a evidenciarse en las llamadas plantas con flores.

En las Gimnospermas, muchas de cuyas familias son actualmente fósiles y en las que las Coníferas representan la gran mayoría de las especies incluidas, se hallan tal como indica el nombre (*gymnós*=desnudo y *espérma*=semilla) formas rudimentarias que a pesar de ser fanerógamas, disponen de óvulos desnudos, que no están encerrados en el ovario, sino que están insertos en hojas carpelares abiertas; el transporte del polen hasta el óvulo suele estar encargado al viento.

Las flores de las Gimnospermas son unisexuales y carecen de perianto; se reúnen en estróbilos (denominados también conos, de donde procede el nombre de Coníferas) formados por brácteas imbricadas que pueden lignificarse, como ocurre en las piñas. Estas formas suponen, en términos evolutivos, el tránsito entre los helechos o Pteridófitos y las verdaderas plantas con flores, las Angiospermas, en los que la naturaleza, sin ningún escamoteo de esfuerzos, ha creado su verdadera obra maestra. En las Angiospermas, la flor es también un órgano de origen foliar, cuyos elementos se han transformado y adaptado a la función reproductora; sin embargo, los óvulos están siempre contenidos en el interior de una cavidad cerrada, el *ovario,* que después de la fecundación se transforma en fruto, mientras que los óvulos serán las futuras semillas. La parte fundamental de la flor es la que está destinada a la función sexual y consta de los elementos masculinos, los *estambres,* que en conjunto forman el denominado *androceo,* y de los elementos femeninos, o *carpelos,* que constituyen el *gineceo.* Aunque la mayoría de las flores son hermafroditas, es decir, que constan de órganos masculinos y femeninos situados sobre un mismo elemento, existen también muchas especies con flores unisexuales, es decir, que sólo son portadoras o de los elementos masculinos o de los femeninos. Si los elementos masculinos y femeninos se sitúan sobre pies distintos de la planta, estas especies se denominan *dioicas,* mientras que las especies provistas de flores hermafroditas o bien con flores unisexuales que coexisten sobre un mismo pie, se denominan *monoicas.* Cuando una misma planta es portadora a la vez de flores bisexuales y flores con un solo sexo, se denomina *polígama.*

Los órganos sexuales verdaderos y propios están, en la gran mayoría de las angiospermas, encerradas en un invólucro floral que tiene funciones portadoras y protectoras. Está constituido por el *cáliz,* formado por los *sépalos* y en la parte más interna, por la *corola,* cuyos elementos constitutivos son los *pétalos.* Su conjunto, denominado *perianto,* es la parte más vistosa de la flor y la que despierta nuestra atención, dadas las formas extrañas de la corola, sus colores brillantes o delicados, que precisamente tienen la misión de actuar como reclamo... no para el ojo humano, sino con respecto a los insectos prónubos que ayudan a la polinización y por tanto colaboran a que se produzca la fecundación. Si observamos una flor en su significado más clásico, en su centro observaremos efectivamente el gineceo formado, tal como hemos dicho, por los carpelos cuya base ensanchada, el ovario, se prolonga por un filamento o *estilo,* con el ápice ensanchado, el *estigma.* El estigma se hace receptivo y ligeramente viscoso cuando los óvulos están maduros y dispuestos para la fecundación. El conjunto de estos órganos se denomina *pistilo.* A su alrededor se disponen en general los estambres compuestos comúnmente por un filamento que sostiene un órgano particular, la *antera,* formada a su vez por dos cajas o tecas que contienen a los granos polínicos, portadores del sexo masculino. Cuando el polen está dispuesto para la fecundación, es trasportado mediante una gran variedad de medios al estigma, cuya secreción facilita la formación del tubo polínico a través del cual, como si se tratara de un corredor, los gametos masculinos alcanzan al ovario, donde se acoplan con los gametos femeninos contenidos en los óvulos: así se completa la fecundación. Naturalmente, en las flores hermafroditas es posible la autopolinización, particularmente en los hábitats en los que los prónubos escasean o bien a causa de condiciones ambientales adversas. Incluso en este último caso, la polinización se encomienda al viento (polinización anemófila) o bien, en último caso, tiene lugar la autofecundación.

Sin embargo, en numerosas especies provistas de flores bisexuales, la autofecundación se evita mediante facultades especiales, como por ejemplo la falta de coincidencia en la maduración de los estambres y pistilos, o bien la posición recíproca del estigma y de las anteras. La función de los insectos, y también de algunas especies de aves, consiste en ayudar a que el polen de una flor determinada alcance un pistilo en el que el estigma sea receptivo, es decir maduro, y pueda tener lugar la fecundación sexual. Pero es necesario que los prónubos sean invitados y ayudados, e incluso que reciban alguna compensación a cambio del servicio que prestan a la especie vegetal. A este punto entran en juego las transformaciones experimentadas por los órganos que forman el invólucro floral; corolas espléndidas que se cierran vistosamente, corola parcialmente soldada de modo que forman un tubo de modo que los insectos se

empolvan de polen antes de alcanzar a la flor, corolas perfumadas para atraer a los insectos nocturnos o aquéllos en los que el olfato prevalece sobre la visión, e incluso se conocen ejemplos de especies cuya corola desprende sensaciones desagradables debido a que son flores polinizadas preferentemente por insectos necrófagos, como por ejemplo las moscas. Existen insectos cuya alimentación se basa directamente en la utilización del polen; no obstante, siempre hay la cantidad suficiente para que pueda tener lugar la polinización. En cambio, otras flores recompensan a los insectos con una secreción particular, el néctar, con la que se deleitan mientras el polen se adhiere al cuerpo del insecto para ser, a continuación, transportado al estigma que lo aguarda. En determinados casos, para que ello ocurra, existen contraseñas especiales (colores o formaciones varias) denominadas nectarostigmas dispuestas para conducir al huésped hasta las glándulas nectaríferas, dispuestas en general de tal modo que, para alcanzarlas, el insecto debe frotar su cuerpo contra las anteras.

La polinización se ayuda también por la posición que las flores ocupan en la planta; en efecto, pueden presentarse aisladas o solitarias, o bien reunirse en formaciones especiales denominadas inflorescencias. Las inflorescencias, típicas para cada especie, constan de un determinado número de flores sostenidas por un eje principal, en la mayoría de los casos ramificado; la denominación del conjunto depende de la forma según la que se presentan estas ramificaciones. Conviene ante todo distinguir dos grandes grupos: el de las inflorescencias definidas o *cimas,* en las que el eje floral termina con una flor, y el de las inflorescencias indefinidas o *racemosas* en las que el eje continúa su crecimiento apical mientras se destacan toda una serie de ramificaciones secundarias. En el primer grupo, las inflorescencias reciben el nombre de *monocasio* si por debajo del eje principal, que termina en una flor, se desarrolla una sola ramita lateral también florífera; *dicasio,* si se desarrollan dos ramitas lateral opuestas y *pleocasio,* si el número de ramificaciones es superior a dos, partiendo del mismo punto. La inflorescencia racemosa, a su vez, se divide en *espiga,* cuando las flores son sésiles y se disponen sobre un eje florífero alargado; *capítulo,* con flores sésiles dispuestas sobre un eje muy engrosado en el ápice y acortado, rodeado generalmente de brácteas; *espádice,* inflorescencia en forma de espiga, con el eje engrosado y carnoso sobre el que se insertan las flores desnudas; *racimo,* inflorescencia que posee el eje alargado provisto de flores pedunculadas insertas en distintos puntos y *corimbo,* en la que todas las flores alcanzan aproximadamente el mismo nivel gracias al desarrollo de los pedúnculos situados más lejos del ápice. Si las flores pedunculadas alcanzan la misma altura pero sus pedúnculos no parten del mismo punto, la inflorescencia recibe el nombre de *umbela; el amento* no es más que una espiga con el eje flexible, generalmente colgante, provisto de flores desnudas y unisexuales. Se conocen también casos de inflorescencias compuestas, en las que el eje está ramificado de modo que cada ramita forme a su vez una nueva inflorescencia, en general definida. De este modo, se conocen inflorescencias en *espiga compuesta, umbela compuesta* y *mazorca,* que no es más que un *racimo compuesto.* En los árboles en particular es muy frecuente el hecho de que las flores se reúnan en inflorescencias, ya que ello facilita la visión y la percepción a distancia de las flores, asegurando con ello una mayor facilidad para la polinización y como consecuencia una garantía de supervivencia de la especie a través de la reproducción.

Arriba: esquema de una semilla madura. A) semilla dicotiledónea con albumen; B) semilla monocotiledónea con albumen; C) semilla dicotiledónea sin albumen; D) semilla de monocotiledónea sin albumen; 1) albumen; 2) cotiledon; 3) yema; 4) radícula. Abajo: cápsula de Paulownia, *que se abre con el fin de facilitar que las semillas aladas abandonen el fruto.*

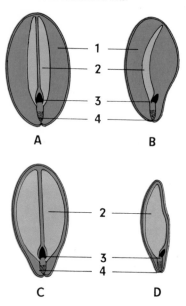

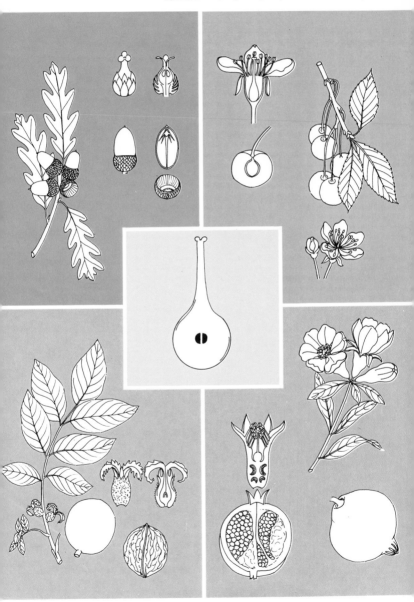

Distintos ejemplos de la transformación de ovario en fruto. Arriba, izquierda: cápsula; derecha, drupa. Abajo, izquierda: nuez; derecha, baya.

LA SEMILLA: PERPETUACIÓN DE LA ESPECIE

Cuando el árbol se cubre de flores, se reviste con las galas nupciales, apenas producido el acto culminante de la fecundación, se forma la semilla; con ello se alcanza el fin último de la planta, la conservación de la especie está con ello asegurada. En efecto, la semilla es el elemento reproductor derivado del óvulo fecundado; contiene el esbozo, el proyecto de la futura planta, el *embrión,* que permanece encerrado en el interior de la semilla en estado latente, bien sobre la planta madre o sobre el suelo, por un espacio de tiempo que varía en función de la especie. La germinación no suele producirse hasta la primavera siguiente.

Los rigores invernales facilitan por tanto la germinación, al producirse las primeras temperaturas primaverales más benignas, y al cabo de un período de reposo; este proceso supone una forma mediante el cual la planta defiende su propia descendencia, ya que si las semillas germinaran inmediatamente después de la maduración, la nueva planta, todavía débil, debería afrontar demasiado pronto el frío invernal, y probablemente sucumbiría a su rigor. Evidentemente ello sólo es válido para las plantas propias de las floras de los países templados; las plantas de las zonas tropicales y subtropicales no requieren este tipo de protección. Al contrario, el período en el que es factible la germinación es más bien breve; todas las semillas procedentes de regiones tropicales deben sembrarse lo antes posible.

Frecuentemente la semilla, alrededor del embrión, dispone para su protección y alimento de un tejido de reserva, el *albumen.* La semilla se desprende de la planta madre y cae al suelo para el desarrollo de un nuevo organismo; está protegida externamente por un *tegumento seminal* formado por tejido muerto y derivado del tegumento del óvulo del que se ha originado, o bien está provista externamente de células con cutícula robusta, formaciones céreas, pelos, acúleos, y a veces expansiones alares que sirven tanto como defensa frente a los agentes externos, como para facilitar la diseminación. La forma, el color y el tamaño de las semillas es muy variable: desde las pequeñísimas y muy abundantes semillas de las orquídeas hasta la nuez del coco, de varios centímetros de diámetro y *Dimorphandra megistosperma,* una cesalpinácea de Centroamérica cuya semilla puede medir dieciocho centímetros. La semilla es un carácter común a todas las Fanerógamas, plantas provistas de aparato sexual aparente, pero mientras en las Gimnospermas las semillas son desnudas y libres, en las Angiospermas se alojan en el interior del fruto. El fruto constituye la transformación del ovario en cuyo interior se disponen los óvulos, y representan una consecuencia secundaria de la transformación de éstos.

Mientras que el significado de la semilla está muy bien definido, el del fruto es más laxo. El fruto es en realidad la cuna de las semillas y está formado de las diversas partes de la flor que subsisten después de la fecundación. Por una parte tiene por tanto una misión protectora de las semillas y por otra, mucho más importante, facilitan su propagación y con ella la continuidad de la especie. En términos estrictos, tal como ya se ha dicho, el fruto es el ovario más o menos modificado y que contiene las semillas procedentes de los óvulos fecundados. Según esta definición, los frutos sólo pueden existir en las Angiospermas, ya que sólo en este grupo vegetal existe el ovario, que falta en las Gimnospermas que disponen de semillas desnudas. En sentido amplio, el fruto es el conjunto de las partes

Las semillas de las Coníferas se disponen entre las escamas de los conos o estróbilos.

florales, junto con los órganos próximos que, después de la fecundación, acompañan y encierran a las semillas hasta que éstas alcanzan la madurez, momento en que el fruto libera a las semillas o se separa junto con ellas de la planta madre. Según esta acepción puede considerarse como frutos a las piñas del pino, las bayas del enebro, los arilos del tejo y otras formaciones típicas de las Gimnospermas. Esta forma de interpretar el concepto de fruto, más ecológico que estrictamente morfológico, permite una más fácil identificación y situación de los elementos reproductores de los vegetales, las semillas.

Generalmente se acepta como sinónimo de fruto al vocablo *pericarpio* (*peri*=entorno y *karpos*=fruto) formado por las paredes engrosadas y transformadas del ovario, sin tener en cuenta las semillas. Sin embargo, en realidad un fruto sólo está completo cuando contiene semillas. En determinadas variedades hortícolas se tiende a la obtención de frutos desprovistos de semillas, denominados *apirenos*, que se forman después de un proceso normal de fecundación y una posterior degeneración del embrión. En el fruto procedente de la evolución postfecundativa del ovario se observan desde el exterior al interior tres estratos: el *epicarpio*, más externo, *mesocarpio*, intermedio, y el *endocarpio*, más interno; según su desarrollo, consistencia y relaciones recíprocas y complejas entre estos tres estratos, e incluso por la fusión con otras partes de la flor, se produce una amplia variedad de frutos. Es difícil emprender una clasificación acertada de los frutos debido a su gran variabilidad con respecto al aspecto externo, a la constitución y disposición de los elementos que lo forman. Su tamaño es también muy variable, desde un milímetro en las orquídeas a un metro en las Cucurbitáceas. Se distinguen también por el color, la forma, las estructuras superficiales (pelos, costillas, espinas), la

43

consistencia y el número de semillas que puede variar desde sólo una a más de tres millones y medio. Dentro de las Angiospermas, los frutos se clasifican en función de las hojas carpelares que forman el ovario; según si cada hoja forma una sola cavidad o bien pueden generar una cavidad común, que recibe el nombre de ovario pluricarpelar. Otro carácter de importancia en la clasificación de los frutos es la forma y el punto en el que las semillas se implantan y sobre todo la presencia de dehiscencia, es decir, la capacidad de abrirse espontáneamente para liberar a las semillas. Una clasificación tradicional basada en términos descriptivos divide a los frutos en *verdaderos* o propiamente dichos, cuando derivan de un solo ovario, en *compuestos*, cuando derivan de una infrutescencia, y falsos si proceden de partes accesorias de la flor. Según su consistencia los frutos se dividen habitual y convencionalmente en *frutos secos*, si durante la madurez adquieren un aspecto membranoso o coriáceo, y *frutos carnosos*, en los que algunos componentes son de consistencia carnosa o ricos en zumos. Como frutos secos indehiscentes puede citarse *aquenio*, que dispone de una sola semilla no adherida al fruto; *cariopsis*, fruto de las Gramíneas, en los que en cambio las paredes del fruto están íntimamente unidas a la semilla, y la *nuez* que dispone de un característico involucro coriáceo o leñoso, con una sola semilla, pero derivada de un pistilo formado por numerosos carpelos de los que sólo uno es fértil; la *sámara* y la *disámara* están formados respectivamente por una o dos semillas, y en los que el tegumento más externo se transforma en un ala membranosa, dispuesta completamente alrededor del fruto como en el caso del olmo, o lateralmente, como en el fresno y en el acer.

Los frutos secos dehiscentes son, por ejemplo, el *folículo* constituido por la soldadura de una sola hoja carpelar, mientras que la *legumbre*, fruto

Hojas muertas flotando sobre las limpias aguas de un riachuelo.

característico de todas las Leguminosas, a pesar de estar formado por un solo carpelo, se abre a lo largo de las líneas de fractura opuestas y distintas; una vez desprendido el fruto, las dos mitades pueden enrollarse favoreciendo con ello la caída de las semillas. La *silicua* es también un fruto seco dehiscente: deriva de dos hojas carpelares unidas, pero la cavidad del fruto está dividida por la mitad por un falso septo, el *replo*, en el que se implantan las semillas. La *cápsula*, finalmente, es también un fruto seco que puede tomar diversas formas y que muestra distintos mecanismos para liberar a las semillas; ejemplos particulares de cápsula son por ejemplo las bellotas de las encinas, rodeadas en la base por el cáliculo a modo de cúpula, o la avellana encerrada en un invólucro membranoso, o la castaña encerrada completamente en un invólucro coriáceo espinoso.

Dentro de los frutos carnosos prevalecen los frutos indehiscentes sobre los dehiscentes. En la *drupa* la semilla está encerrada en una vaina resistente denominada nuez, derivada de la parte interna del fruto (endocarpio), mientras que el mesocarpio es jugoso y la parte más externa (epicarpio) representa la película externa que comúnmente se denomina piel. Como ejemplo de drupas pueden citarse a los frutos del cerezo, ciruelo, melocotonero o albaricoquero, pero también son drupas los frutos del almendro, del que se consume la semilla, y también el coco, cuyo mesocarpio jugoso y fibroso sirve para disminuir la violencia del choque contra las escolleras, ya que los cocos se diseminan por flotación a través de las aguas marinas.

La *baya* es en cambio un fruto carnoso en todo su espesor; la pulpa, en cuyo interior se hallan dispuestas las semillas, está delimitada en su parte externa por el epicarpio. Los racimos de uva son también bayas, en cambio

45

se consideran también como bayas, erróneamente, los frutos del laurel, cuando en realidad son drupas, y los del enebro, que son *gálbulos*.

Algunas bayas toman nombre específico, cual es el caso de los *hesperidios*, fruto característico de todos los agrios: en ellos, el verdadero fruto es una baya formada por un estrato más externo, coloreado y rico en glándulas secretoras, uno mediano, esponjoso y blanquecino, y finalmente un tercero interno, membranoso, que rodea a los gajos; la porción jugosa que se consume no es más que un tejido de relleno desarrollado de modo secundario.

En un grupo particular de especies dentro de las Rosáceas, el fruto típico es un *pomo*, propio del manzano, el peral y el sorbo, es en realidad un fruto compuesto formado por cinco septos cartilaginosos entre los que se disponen las semillas, rodeadas a su vez por la parte carnosa del fruto que es considerada como un pseudofruto, derivado del crecimiento del receptáculo floral.

Los frutos en general no son dehiscentes, a pesar de que en la naturaleza existen algunas simpáticas excepciones que facilitan la diseminación, como ocurre con el nometoques *(Impatiens noli-tangere)* de nuestra flora y la especie americana *Hura crepitans* que lanza, con una pequeña denotación, las semillas a una cierta distancia. En los falsos frutos concurren a su formación órganos que no son florales, como por ejemplo la parte comestible en la que están inmersos los diminutos aquenios del higo (siconio), mientras que en *Anacardium occidentale* es el pedúnculo quien adquita una constitución carnosa. Dentro de los falsos frutos puede mencionarse al estróbilo leñoso de la mayoría de coníferas, el gálbulo carnoso del enebro y las formaciones carnosas que rodean a las semillas del *Taxus* y del *Ginkgo*.

Pero todavía existe otro fruto del árbol, el primero y último: la tierra. Las raíces se disponen entre las piedras y cascajos, y al morir la planta enriquece con sus despojos al sustrato. Después de que las hojas hayan realizado la síntesis clorofílica, también el tronco muere y sus moléculas gigantescas regresan al suelo de donde habían sido retiradas en forma de compuestos simples inorgánicos. De esta forma se completa una larga evolución mediante la intervención de la planta, con la transformación de la roca en tierra fértil, en la que otras plantas hallarán posibilidad de una nueva vida: de este modo, cada árbol deja al planeta, como consecuencia de su existencia, una pequeña parcela de vida y su testamento se inicia con la frase: "tú me diste piedra; yo te dejo tierra". Por ello el hombre debe pensárselo mejor antes de abatir, sin razón, a un árbol.

LOS NOMBRES DE LOS ÁRBOLES

La clasificación de las plantas tiene por objeto asignar un nombre a cada distinta especie, tanto si es viviente como si se ha extinguido a lo largo de la evolución, e integrarla en un sistema, en un determinado orden que, en conjunto, recibe el nombre de sistemática o taxonomía (vocablo derivado de la voz griega *táxis*=orden).

La necesidad de disponer de un ordenamiento que permitiera una identificación segura de una determinada planta fue ya experimentada por los primeros naturalistas y tentativas en este sentido se realizaron ya en la antigüedad más remota, por parte de los griegos y romanos, incluido Teofrasto en el siglo IV-III a. de J.C. y Plinio el Viejo. Sin embargo, durante muchos siglos el método de individualización se basó en frases

Ejemplo de clasificacion (los nombres han sido castellanizados). Para identificar
a una planta basta con conocer los nombres genérico y específico.

Reino Vegetal

División: Angiospermas

Clase: Dicotiledóneas

Orden: Rosales

Familia: Rosáceas

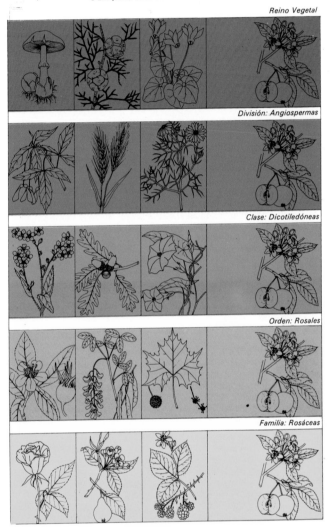

Manzano (Malus communis)

completamente descriptivas, y su longitud e imprecisión las hacía difícilmente comprensibles y comparables. Los obstáculos se incrementaron con el conocimiento de nuevas especies procedentes de los países de reciente descubrimiento y muchos botánicos se arriesgaron a la creación de sistemas racionales de clasificación: uno de los primeros en emprender esta tarea fue Andrea Cesalpino (1519-1603), quien intentó subdividir a los vegetales de acuerdo con los caracteres de las semillas, y a continuación Marcello Malpighi, nacido en Crevalcore cerca de Bolonia y casi contemporáneo Joseph Pitton de Tournefort (Aix-en-Provence, Francia, 1656-1708), quienes probaron de elaborar nuevos sistema. Estos y otros intentos reciben el nombre de ''prelinneanos'' por el hecho de que el verdadero padre de la taxonomía fue Carl Ritter von Linné, el gran naturalista sueco que vivió entre los años 1707-1778 y quien según la costumbre entonces en boga latinizó su apellido por Linnaeus. Después de una primera elaboración, publicó en 1753 la obra *Species plantarum* en la que se establecía una clasificación basada en los órganos reproductores de la planta; debido a ello este tipo de clasificación se denominó sexual. Mientras tanto introdujo la nomenclatura binomial, dado que su sistema estaba articulado de tal modo que bastaba el nombre de la especie, precedido por el del género, para identificar completamente a un vegetal. Sin duda el sistema linneano encerraba algunas imperfecciones, y aunque a partir de entonces siempre haya supuesto la base fundamental de la taxonomía, fue estudiado, profundizado y rehecho varias veces por los botánicos posteriores más ilustres, como por ejemplo A. L. de Jussieu, quien en 1789 dividió a los vegetales en 15 clases según la presencia y el número de hojas cotiledonares; Augustin Pyramus De Candolle (Ginebra, 1778-1841) intentó en cambio una división entre las plantas provistas de sistema vascular y las plantas celulares, o sea formadas por tejidos desprovistos de vasos conductores, subdividiéndolas además según la disposición de los vasos y la morfología de la flor.

La teoría evolucionista de Charles Darwin influyó poderosamente los estudios sistemáticos posteriores, y a patir de este momento el enfoque filogenético que procede de la concatenación natural del mundo vegetal y que, entre otras realizaciones, tiene en su haber la formulación del concepto de especie originaria, de un modo mucho más extenso y rígido de lo que había sido considerado hasta la fecha. Entre los sistemáticos más recientes, todavía válidos y que son tradicionalmente respetados, cabe citar a H. G. Adolf Engler (1844-1930) y Richard von Wettstein (1863-1931), partidarios del evolucionismo y fomentadores por tanto del enfoque filogenético. A pesar de que hoy día existe la tendencia a la elaboración de nuevas clasificaciones basadas sobre conceptos diversos, biológicos y químicos, la taxonomía oficialmente reconocida distribuye al Reino Vegetal en *Divisiones* o tipos, y en categorías inferiores en:

Clases, Órdenes, Familias, Géneros y Especies

Existen todavía subdivisiones de entidad taxonómica inferior, pero gracias al sistema binomial, para una correcta identificación basta con conocer el nombre del género y de la especie. Los nombres de las plantas están actualmente regulados mediante las normas de un Código Internacional de Nomenclatura de las plantas, publicado por primera vez en 1953 a pesar de que su proyecto retrocede hasta 1866. Una de las dificultades mayores que debieron afrontarse está relacionada con el hecho de que a través de los siglos una misma planta ha sido descrita por distintos autores con nombres diferentes; para obviar este inconveniente se estableció el acuerdo de que sólo eran válidos los nombres publicados después de la edición del *Species plantarum* y era válido el nombre publicado por vez primera, mientras que los posteriores permanecían como sinónimos. Esta norma creó una cierta confusión, ya que numerosas veces los nombres más válidos no coincidían con los de uso hortícola o florícola, y en numerosas ocasiones ha prevalecido el sinónimo. Se estableció también que en la nomenclatura binomial, el nombre del género se escribiera la primera letra siempre con mayúscula y el de la especie con minúscula, a pesar de que hiciera referencia a un nombre propio o a un lugar geográfico. Igualmente se reglamentó la nomenclatura de los híbridos, tanto los naturales como los artificiales, a los que se les atribuía un nombre latino creando con ello no poca confusión con respecto a las verdaderas especies. Actualmente los híbridos pueden indicarse de varias maneras; por ejemplo utilizando el nombre de los dos progenitores separados con el signo de multiplicar (así, *Forsythia suspensa* × *Forsythia viridissima*), pero cuando los híbridos eran naturales o mostraban tendencia a una cierta estabilidad, pueden adoptar un nombre propio, siempre precedido no obstante del signo de multiplicar, y disponiendo, muchas veces, el nombre de los progenitores (por ejemplo, *Forsythia* × *intermedia (F. suspensa* × *F. viridissima))*. Esta regla, en el caso de las plantas leñosas, se aplica además de los híbridos obtenidos por polinización, también a las *quimeras*, o sea el resultado del injerto de dos especies distintas cuando en el punto de contacto del patrón con el injerto se presenta una yema adventicia formada en parte por los tejidos de un individuo y en parte por los tejidos del otro. En este caso no se trata realmente de un híbrido, ya que su origen puramente somático excluye toda fusión de los caracteres, y por ello el signo utilizado en este caso no es el de la multiplicación, sino el de la adición (+). Las quimeras no son muy frecuentes, sin embargo pueden obtenerse a veces experimentalmente; una de las más frecuentes es + *Laburnocytisus adamii (Laburnum anagyroides* + *Cytisus purpureus)*. El Código ha establecido, con muy buen criterio, que todas las variedades aparecidas en cultivo artificial o natural, pero que no pueden mantener sus caracteres si no se cultivan, tomen el nombre del cultivar, y que el atributo que se les dé para su denominación sea siempre un nombre de fantasía que nunca debe traducirse de la lengua original y no deberá escribirse en bastardilla y deberá situarse entre dos ápices. Así por ejemplo, *Ficus elastica* 'Decora' o *Fraxinus excelsior* 'Pendula'.

Todas estas tentativas, ensayadas durante siglos, y estas reglas que atañen no sólo a una actividad científica, sino también hortícola, puede parecer inútiles a muchos lectores que piensen que para distinguir una planta bastan los denominados nombres comunes. Ciertamente, cuando sea necesario identificar un número pequeño de plantas situadas en una zona también reducida, los nombres comunes o vulgares servirán a esta finalidad tan bien como los nombres científicos; sin embargo, precisamente el área de distribución de un determinado nombre puede hacer incierta, confusa e incluso totalmente errónea la identificación de una planta. En efecto, determinados nombres vulgares poseen carácter nacional, y los árboles son generalmente los elementos favoritos de esta situación, al menos en lo referente al nombre del género, pero la mayoría

de las veces los nombres poseen carácter regional, e incluso límites todavía más reducidos: a veces bastan unos pocos kilómetros de distancia entre dos puntos para que una planta presente dos nombres distintos. Además, cuando se traduce el nombre de una lengua a otra, el nombre siempre cambia, ya que en cada país las plantas espontáneas tienen un nombre común propio del lenguaje local; para ello no bastaría ser un experto lingüístico, sino que sería necesario conocer la exacta pronunciación a fin de poder ser comprendido. Las numerosísimas plantas originarias de países tropicales y subtropicales, cuyos nombres comunes pueden existir en una o más lenguas o en varios dialectos, son todos ellos de difícil aprendizaje y pronunciación por parte de los europeos. Ello es evidente al estudiar los nombres vulgares y apreciar que en ellos existen dos corrientes filológicas bien distintas: una es de origen griego y romano, y ha dado lugar a los nombres utilizados en los países denominados latinos; la otra corriente es de origen germánico y, con las variantes lógicas, ha producido los nombres utilizados en los países de lengua alemana o anglosajona. Naturalmente ello sólo es válido para los nombres que podemos denominar nacionales, provistos de una clara etimología y no para los nombres diminutivos usados localmente. Un ejemplo lo constituye el género *Fraxinus* que en castellano se denomina fresno, en catalán freixo, en italiano frassino, en francés frêne, derivando todos ellos de la corrupción del nombre latino que se ha conservado como nombre científico. Sin embargo, el área de distribución del fresno alcanza también las costas del Báltico, y así encontramos también un segundo grupo de nombres con origen teutón: esche, en alemán; es, en holandés; ask, en sueco; ash, en inglés, todos ellos derivados del antiguo nombre alemán ask, convertido en aesc en inglés antiguo. En vasco al fresno se le

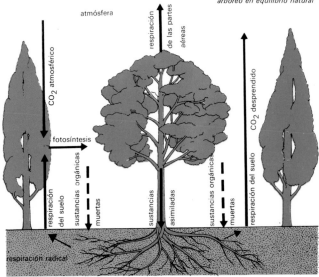

Relaciones entre el anhídrido carbónico asimilado, la fotosíntesis, la respiración y los intercambios de sustancias orgánicas en un sistema arbóreo en equilibrio natural

denomina lizar. Este es un ejemplo que demuestra cómo para los pueblos de lengua latina el nombre científico es bastante sencillo de aprender y recordar, y por otro lado demuestra cómo su nombre científico es necesario para los intercambios informativos con países en los que los nombres comunes utilizados por los vegetales son de formación filológica totalmente distinta, a pesar de que la distancia en términos de espacio no sea excesiva y los ambientes naturales sean relativamente parecidos.

¿ESTÁ EL FUTURO AMENAZADO POR UN DESASTRE?

Especialmente en el último decenio, los medios de comunicación social han comenzado a hablar de la ecología y de la protección ambiental de forma desaforada; sin embargo, hacía ya tiempos que numerosas voces alarmadas se habían alzado para denunciar los estragos suicidas que el hombre realizaba sobre su propio planeta. Desde los tiempos más remotos, el peor enemigo del hombre ha sido el medio hostil que le envolvía, y al que debía además su propia existencia. Sin embargo, el egocentrismo y la presunción con los que el hombre se afanó en dominar todo lo que le rodeaba, a la vez que expresamente lo destruyó en aras de un aprovechamiento inmediato. La naturaleza fue conservada durante el largo período de tiempo en el que la relación hombre-naturaleza era todavía favorable a la segunda, y el peligro se hizo más inmediato con el incremento de la población humana y con los conocimientos particularmente adquiridos por el *Homo sapiens,* los cuales utilizaba sin preocuparse del futuro de su especie. El rápido proceso de industrialización realizado a partir del siglo pasado, la expansión de los vehículos a motor y por tanto del consumo de combustible, y finalmente la extensión de las concentraciones humanas, por doquiera de la superficie de la Tierra, son

Vista de una pineda destruida por la contaminación atmosférica producida por la vecindad de la refinería de hidrocarburos.

las causas que han ocasionado unas proporciones cada vez más preocupantes de los daños ocasionados al poblamiento vegetal por parte de la contaminación atmosférica. Al poco de iniciarse el fenómeno, los daños implacables a los árboles sólo alcanzaban a las inmediaciones de la fuente contaminante; actualmente se han extendido a áreas cada vez más amplias y constituyen la amenaza más grave para la humanidad al poco que ésta reflexione acerca de su frenética vida diaria. Es verdad que en los miles de millones de años transcurridos desde el momento en el que la Tierra comenzó a enfriarse y a formar una corteza sobre su bola de fuego, se han producido inenarrables cataclismos e innumerables especies vivas se han extinguido, pero nunca hasta ahora se ha apagado la chispa de la vida. La naturaleza está preparada para afrontar las glaciaciones, fuegos, terremotos, erupciones y hundimientos, pero no en el grado de alcanzar las destrucciones insensatas provocadas por el intelecto humano. Estos factores inquietantes, esta amenaza a la vez homicida y suicida, está destinada desgraciadamente a extender su influencia negativa sobre la vida vegetal, y como consecuencia sobre la animal, si no se reflexiona a tiempo sobre su alcance y no se adaptan inmediatamente las adecuadas medidas protectoras. Actualmente, con lo que inconscientemente denominamos contaminación, lamentado sólo de forma vaga, el hombre está destruyendo en la atmósfera cosas tan delicadas, que a su alrededor y fuera de las mismas no puede existir ninguna de las formas de vida conocidas. Cuando la contaminación alcanza un bosque, un prado, un seto, el efecto que deriva es una alteración del equilibrio suelo-sobresuelo, se altera un equilibrio complejo y por tanto particularmente vulnerable a la acción de las sustancias tóxicas difundidas en la atmósfera: con ello se verá irremediablemente afectado todo un

conjunto delicado de vegetales y de animales, reduciendo a una envoltura vacía y a una esfera muerta errante, sin finalidad en el Universo, a todo un conjunto de objetos que significan muchos millones de años de evolución.

El cerco se cierra; los verdes bosques que han proporcionado oxígeno para respirar, alegría a la vista y que han utilizado la luz para obtener flores y frutos; la energía del Sol logró, con la purificación de la atmósfera, traspasar las nubes perennes de aire irrespirable que rodeaban a la Tierra. Todo lo que ésta es lo debe, no a la inteligencia "superior" humana, sino a la actividad de las plantas verdes. No a la filosofía ni a la ciencia, no a las espléndidas catedrales ni tampoco a las obras maestras encerradas en los museos, no a los sueños de gloria de los grandes caudillos, ni a los sueños de los grandes idealistas acerca de las posibilidades de nuestro planeta, sino que todo ello es obra de densos bosques actualmente reducidos a ceniza y carbón.

La absorción y la difusión de los gases a través de los tejidos vegetales se realiza principalmente a través de los estomas y son favorecidas por los factores externos que estimulan la actividad vegetativa (como, por ejemplo, la elevada humedad atmosférica, una iluminación favorable, la amplitud de los espacios intercelulares y el espesor de la cutícula). Las sustancias gaseosas afectan a la vegetación bien por efecto de los gases tóxicos que contienen (por ejemplo, anhídrido sulfuroso, ácido fluorhídrico y ácido clorhídrico) provocando con ello los daños más aparentes y fácilmente reconocibles, o bien indirectamente, modificando mediante la sedimentación de una notable cantidad de polvos volátiles ricos en residuos fitotóxicos (como por ejemplo, plomo, cobre, estaño y arsénico) a la estructura y el dinamismo del suelo. Algunas veces se trata

Entre los distintos factores que contribuyen a la destrucción de los ambientes naturales debe también tenerse en cuenta los incendios intencionados y la culpable desatención que origina también muchos desastres.

de partículas de dimensiones microscópicas que, en el estadio de aerosol, pueden permanecer suspendidas en el aire y que a nuestra vista aparecen como una neblina opaca que se forma actualmente en todas las aglomeraciones humanas. Estas nubes funcionan a veces como núcleos de condensación del vapor acuoso y por tanto modifican el espectro de las radiaciones luminosas que el Sol manda a la Tierra. Como consecuencia de ello, en los vegetales se reduce la posibilidad de asimilación y, a largo plazo, el depósito de los polvos sobre las láminas de las hojas disminuye su crecimiento, e incluso puede llegar a provocar la muerte de la planta.

Los *efectos fitotóxicos* pueden distinguirse en *agudos* y *crónicos:* mientras los primeros aparecen rápidamente, al cabo de horas o de unos pocos días, manifestándose en forma de placas de células muertas, los crónicos, en cambio, aparecen al cabo de un cierto tiempo con una destrucción parcial de la clorofila, con reducción en el desarrollo vegetativo, con disminución en el espesor de los anillos anuales; todas estas manifestaciones son aspectos del lento envenenamiento de la planta y del trastorno creciente de sus procesos metabólicos. Entre los gases más nocivos, el que ha producido mayores daños es el anhídrido sulfuroso, presente en la atmósfera en aquellos puntos en los que se utiliza como combustible, carbón y aceites minerales (caso de los altos hornos, fábricas de abono, de celulosa y de sosa). Además de los daños directos señalados, pueden también manifestarse una serie de daños indirectos, como por ejemplo la caída sobre el terreno de cantidades notables de sustancias tóxicas que llevan a la alteración del propio terreno, con los efectos desfavorables que pueden derivarse del envenenamiento del agua; a continuación, las sustancias dañinas pasan, por infiltración, al suelo y por lo tanto a las raíces. Pinedas espléndidas y enteras de nuestro litoral se han reducido a cementerios de esqueletos arbóreos a causa de los vertidos industriales que han permitido la difusión de los detergentes. Los daños varían con las condiciones estacionales, el estado vegetativo de la planta, el momento del ataque y las condiciones meteorológicas.

El conocimiento del grado de resistencia de las distintas especies vegetales frente a la contaminación según las condiciones particulares y condiciones estacionales, a la edad, al vigor vegetativo, podrá ayudar a elegir a las plantas con capacidad de supervivencia.

Las Coníferas, por ejemplo, a exepción del alerce, son menos resistentes que las especies caducifolias, ya que al poseer hojas persistentes durante varios ciclos vegetativos, acumulan las sustancias nocivas en mayor tasa. Dentro de las Coníferas, en condiciones estacionales favorables, son especies resistentes (situadas en orden decreciente) las siguientes:

Alerce *(Larix decidua)*
Tejo *(Taxus baccata)*
Falso abeto *(Picea pungens, Picea canadensis* y *Picea omorika)*
Thuja sp.
Enebro (*Juniperus* sp.)
Pino montano *(Pinus montana)*
Pino negral *(Pinus nigra)*
Cembro *(Pinus cembra)*
Abeto *(Abies concolor)*

Dentro de las especies caducifolias, en general todas ellas menos receptivas a la contaminación, pueden clasificarse en orden creciente de sensibilidad frente a ella:

1. Aliso *(Alnus incana)*
2. Abedul *(Betula pendula)*
3. Roble *(Quercus sessilis)*
4. Olmo *(Ulmus montana)*
5. Arce blanco *(Acer pseudoplatanus)*
6. Arce *(Acer platanoides)*
7. Roble boreal *(Quercus borealis)*
8. Chopo, álamo (*Populus* sp.)

Evidentemente, estas distinciones y valoraciones sólo poseen valor indicativo a causa de la gran diversidad de condiciones ecológicas en las que las plantas pueden hallarse. En efecto, debe reconocerse que en condiciones climáticas adecuadas, especies como *Albizia julibrissin* resisten e incluso florecen en el centro de las grandes ciudades.

Sin embargo, no deben sobrevalorarse excesivamente estas excepciones y en cambio conviene disponer los remedios precisos para evitar el continuo deterioro de nuestra flora debido a los procesos de contaminación. A causa de su inteligencia, el hombre por lo que parece es la única especie animal dotada de una percepción tan intensa de la muerte, hasta el punto de causarle temor. Al menos ello parece deducirse de las observaciones y experimentos realizados con otras muchas especies animales, aunque también ha podido saberse que los animales, e incluso las plantas, son sensibles al dolor. Por lo tanto, la actitud humana encierra un contrasentido psicológico en base al cual el temor individual está completamente superado por el egoísmo, igualmente individual, pero que al sumar la actitud de cada individuo lleva a la destrucción global.

Hoy, un árbol abatido, una bolsa de plástico que al arder contamina la atmósfera, una mancha de alquitrán en el mar, un poco de detergente no degradable... pero, ¿qué valor tienen un árbol, una bolsa, un poco de alquitrán o de detergente?

¡Mañana pueden suponer el desastre!

1 ABETO BLANCO
Abies alba

Familia: Pináceas
Etimología: Deriva de la voz latina *abire,* marcharse, en el sentido del alejamiento de la copa del árbol del suelo debido la gran altura que pueden alcanzar algunos ejemplares.
Hábitat: La especie vive en las montañas de Centro y Sur de Europa.
Descripción: Puede alcanzar hasta 60 m de altura, tronco recto y columnar, corteza lisa y blanco ceniza, provista de lagunas o vejigas resiníferas en estado juvenil, después se agrieta y segrega resina. Hojas solitarias, insertas en dos series opuestas sobre un mismo plano, de 2 a 3 cm de longitud, de color verde oscuro, casi brillante, en su cara superior y adornadas, en la página inferior, por dos líneas estomáticas de color blanco plateado, lo que ha inducido el nombre vulgar de la especie; los estróbilos (1) son erectos, de color verde oscuro, con las escamas provistas de un apéndice característico que caen del árbol una vez alcanzada la madurez, dejando al eje de la piña completamente desnudo. Parece ser que los grandes abetales que todavía persisten en Centroeuropa se deben al amparo y cuidados protectores realizados por las órdenes monásticas en siglos pasados.
Propagación: Mediante semillas; sólo puede obtenerse nuevos ejemplares mediante esqueje a través de tratamientos hormonales (auxina).
Condiciones de cultivo: Prefiere los climas con elevada pluviosidad, oscilaciones térmicas no muy bruscas y terrenos frescos y profundos.

2 ABETO DEL CANADÁ
Abies balsamea

Familia: Pináceas
Etimología: Su nombre científico deriva de su capacidad de producción del bálsamo del Canadá, cuyas características ópticas le hacen sumamente adecuado para microscopía.
Hábitat: Especie originaria de Canadá, Labrador y norte de la vertiente atlántica de los Estados Unidos. Fue introducida en Europa en 1697.
Descripción: Puede alcanzar hasta 25 metros de altura y, al igual que las restantes especies de abetos, los estróbilos son erectos y disponen de escamas caducas. Las hojas (1) son agudas, miden 2 o 3 cm de longitud, y unos 2 mm de anchura, a veces son pectinadas, otras elevadas, grisáceas en su página superior y, al caer, como en todas las especies de abetos, dejan una cicatriz circular en la rama. Posee flores masculinas de color amarillo verdecino, con tintes rosados, y flores femeninas de color verde claro; los conos o piñas miden de 5 a 10 cm de longitud, al principio de color verde oliva, y en la madurez violáceo oscuro. La corteza es de color gris negruzco; en los ejemplares jóvenes está provista de vejigas resiníferas que contienen una oleoresina amarillenta que se espesa con el tiempo. Se utiliza en técnicas de microscopía y ópticas bajo el nombre de bálsamo del Canadá.
Propagación: Al igual que en las restantes especies del género *Abies,* la forma más comúnmente utilizada de propagación es el empleo de semillas. Conviene recoger las piñas a finales del otoño y conservarlas secas.
Condiciones de cultivo: Se trata de una especie rústica y soporta perfectamente los climas fríos; numerosas variedades son bastante decorativas.

3 ABETO GRIEGO
Abies cephalonica

Familia: Pináceas

Etimología: El nombre específico procede del de la isla de Cefalonia.

Hábitat: Esta especie está presente en todas las elevaciones de Grecia y del Peloponeso, hasta los límites con Albania, en la isla de Cefalonia y de Eubea.

Descripción: Especie muy decorativa, con porte piramidal; raras veces supera los 25 m de altura, posee ramas verticiladas regulares y ramitas, muy próximas entre sí, de color negruzco brillante, glabras. Las hojas miden de 2 a 3 cm de longitud, terminan en una punta aguda, punzante, su cara superior es de color verde brillante, mientras que la cara inferior presenta dos bandas blancas plateadas, formadas por los estomas, separadas por la nerviación principal de color verde. Los estróbilos o piñas son erectos, miden de 15 a 20 cm de longitud, de forma algo ahusada y de color marronáceo. La corteza es de color gris oscuro, lisa en estado juvenil, mientras que se agrieta en forma de placas alargadas en los ejemplares de edad. Dentro de los abetos, esta especie es de la que presenta el follaje más denso y tolera mejor los calores estivales.

Propagación: Todas las especies pertenecientes al género *Abies* se reproducen mediante semilla, a veces por injerto. Cuando a la primavera siguiente al otoño en el que se ha procedido a la recogida, los conos se deshacen, las semillas triangulares deben sembrarse en semilleros lo más pronto posible.

Condiciones de cultivo: Tolera los terrenos calcáreos y también, en cierta medida, los climas bastante áridos.

4 ABETO DEL CÁUCASO
Abies nordmanniana

Familia: Pináceas

Etimología: El nombre específico procede del botánico alemán Nordmann, y no de la región de Normandía, donde precisamente falta esta especie.

Hábitat: Especie nativa del Cáucaso occidental y de Armenia, en regiones situadas entre 400 y 2000 metros, donde forma grandes bosques.

Descripción: Especie muy decorativa que puede alcanzar 30 m y excepcionalmente 50 m en su ambiente natural; el follaje adopta una forma piramidal casi perfecta, de color verde oscuro brillante. Las ramificaciones de los ejemplares jóvenes son pubescentes; la corteza de la planta en estado juvenil es grisácea, lisa y delgada; en cambio, tosca y agrietada en los ejemplares de edad. Las hojas, de 2 a 3 cm de largo, están dispuestas en forma de cepillo y poseen un ápice obtuso y emarginado, nunca punzante. Los estróbilos, cilindrocónicos, de color violáceo oscuro, son muy resinosos, con escamas anchas con la punta reflexa; pueden medir más de 15 cm de longitud.

Propagación: Como todos los abetos, se reproducen mediante semillas que se hacen germinar en semilleros; según la regla común a todo el género, la plántula, apenas brota, debe trasplantarse sin demora; esta especie a veces puede también propagarse por injerto.

Condiciones de cultivo: Esta especie es más resistente a la sequedad que los restantes abetos, como por ejemplo el abeto blanco, y su germinación tardía la hace idónea para aquellas regiones sometidas a heladas primaverales.

5 PINSAPO
Abies pinsapo

Familia: Pináceas
Etimología: Curiosamente, el nombre específico deriva del nombre castellano propio de la especie.
Hábitat: Esta especie es indígena de una reducida región de España meridional, serranías de Estepina y de las Nievas, a altitudes situadas entre 1100 y 1800 metros, donde forma bosques poco densos.
Descripción: A pesar de alcanzar 25 m de altura, es un árbol tosco, carente de elegancia, con las ramas dispuestas horizontalmente y con ramitas rojizas insertas en ángulo recto, de forma que constituyen una pequeña cruz. La corteza es de color gris oscuro; las hojas (1) miden de 10 a 15 mm, son de color verde ceniza y se insertan alrededor de la rama. Los estróbilos (2), erectos, cilíndricos, convergentes en el ápice, miden de 10 a 15 cm, pueden presentarse en solitario o bien reunirse en grupos de dos o más; su color es violáceo oscuro. Esta especie de abeto se distingue de las restantes por las hojas aciculares cortas y repartidas a lo largo de toda la rama; en particular se distingue de la especie *A. cephalonica* porque ésta presenta acículas más largas y puntiagudas, y no se distribuyen a lo largo de la rama; además posee canales resiníferos marginales.
Propagación: Al igual que las restantes especies de abetos, por semillas.
Condiciones de cultivo: La especie se cultiva también en climas templados, de forma que los ejemplares cultivados superan a los espontáneos. Existen distintas variedades, como por ejemplo *fastigiata* y *pendula;* otras se distinguen por el color de las hojas, como por ejemplo *argentea* y *aurea.*

6 KAURI
Agathis australis

Familia: Araucariáceas
Etimología: El nombre deriva de la palabra griega *agathís,* ovillo, a causa de que las escamas de los conos se embrican en tal forma que adoptan el aspecto de un conjunto de fibras arrolladas.
Hábitat: Especie originaria de Nueva Zelanda.
Descripción: Especie perenne, que a primera vista puede confundirse con un latifolio, ya que su pertenencia a las Gimnospermas no es aparente; puede alcanzar 90 y más metros de altura, con el tronco recto y de color gris. Las hojas jóvenes son lineooblongas, de color rosado o bronceado; las adultas, de forma oval, son de color verde brillante y aparecen esparcidas sobre las ramificaciones secundarias, alcanzando unos cinco centímetros de longitud. Las flores unisexuales aparecen en la axila de las hojas sésiles, las masculinas en amentos solitarios y las femeninas sobre estróbilos casi globulosos, de unos 8 cm de diámetro, con una semilla única y grande situada en la base de cada escama. De esta especie, que anteriormente recibía el nombre genérico de *Dammara* de acuerdo con la denominación malaya de una de las especies, se extrae la resina que constituye la goma dammara o kauri, empleada como barniz. La especie *Agathis robusta*, australiana, es muy parecida pero menos delicada.
Propagación: Mediante semillas o bien por esqueje a partir de ramificaciones jóvenes, y si es posible obteniéndolos con tocón.
Condiciones de cultivo: Sólo prospera en climas benignos; los ejemplares adultos pueden soportar fríos esporádicos.

7 ARAUCARIA
Araucaria araucana

Familia: Araucariáceas

Etimología: El nombre procede del de una tribu india, los araucanos, que poblaban los territorios en los que esta especie es espontánea.

Hábitat: Nativa de la vertiente occidental de los Andes, en Chile.

Descripción: Especie perenne, que alcanza hasta 30 m de altura, porte piramidal, ramificaciones verticiladas, generalmente en número de cinco por nudo. Al principio adoptan una posición horizontal y finalmente las ramas tienen posición ascendente. Las ramificaciones secundarias, erectas en la fase juvenil, poseen una notable longitud en los individuos adultos. Las hojas (1) son rígidas, ovadoacuminadas, muy imbricadas y cubren por completo las ramificaciones; miden unos 5 cm de longitud. Las plantas son dioicas, con flores masculinas apicales y solitarias; las femeninas se reúnen en inflorescencias globosas (2) a partir de las que se desarrollan los estróbilos leñosos que miden aproximadamente 20 cm de diámetro, con una semilla bastante grande situada en la base de cada escama. Los indígenas utilizaban las semillas cocidas como alimento. Para que tenga lugar la fecundáción es necesario que dos ejemplares de sexo opuesto estén bastante próximos; la fructificación es poco frecuente en los países europeos.

Propagación: Mediante semillas, en invernadero, a finales del invierno.

Condiciones de cultivo: A pesar de que se trata de una especie muy rústica y resistente al hielo en estado adulto, las plantas requieren climas húmedos y terrenos frescos. Conviene protegerla del frío intenso durante los primeros dos o tres años.

8 ARAUCARIA
Araucaria bidwilli

Familia: Araucariáceas

Etimología: El nombre específico recuerda al naturalista inglés John C. Bidwill (1815-1853).

Hábitat: Especie nativa de Queensland, en Australia, donde se denomina *bunya-bunya.*

Descripción: Esta conífera, con aspecto cónico y globoso, puede alcanzar hasta 50 m de altura en los lugares de origen, pero adopta un aspecto majestuoso en los climas benignos y húmedos, que le son convenientes, incluso en cultivo. La especie es muy graciosa en esfadio juvenil, y con el tiempo se hace menos ornamental, con gran parte del tronco desnudo y las ramificaciones más bajas dirigidas hacia arriba. Las ramificaciones secundarias aparecen sobre dos filas opuestas, alternas y soportan a las hojas sobre dos líneas laterales; éstas son de color verde brillante, miden casi dos centímetros de longitud, son lanceoladoacuminadas, muy puntiagudas en el ápice y con las nerviaciones paralelas y situadas en depresión. Las flores son unisexuales: las masculinas se reúnen en amentos, y las femeninas en estróbilos globosos que miden hasta 25 cm de longitud, los cuales, una vez realizada la fecundación, son portadores en cada escama de una semilla única alada, comestible.

Propagación: Mediante semillas; por esqueje a partir de ramas jóvenes y también mediante vástagos basales.

Condiciones de cultivo: No tolera las heladas, a menos de que sean esporádicas y se trate de ejemplares adultos.

9 ARAUCARIA EXCELSA
Araucaria excelsa

Familia: Araucariáceas

Etimología: El nombre específico deriva del término latino *excelsus,* grande, debido tanto a su porte noble como a la altura que alcanza en su ambiente natural.

Hábitat: Especie endémica de la isla de Norfolk, situada al este de Australia.

Descripción: Esta planta, a pesar de que los ejemplares jóvenes puedan mantenerse en macetas y utilizarse en la decoración interior, con un aspecto semejante a pequeños abetos, en su ambiente natural es un gran árbol que puede alcanzar hasta 60 m, con porte erecto y tronco grueso y robusto del que se destacan las ramificaciones dispuestas horizontalmente, verticiladas de modo regular de forma que el aspecto del follaje es piramidal. Las hojas (1) aparecen bajo dos formas distintas: las de las ramificaciones más jóvenes son de color verde claro, y no son puntiagudas, mientras que las hojas de las ramificaciones más viejas son más cortas, están imbricadas y poseen un ápice rígido. Las flores (2) son unisexuales y las femeninas dan lugar a estróbilos esferoidales, de unos 10 cm de longitud y 11 cm de anchura, con una semilla única en cada escama, grande y alada. El tronco de esta especie se utiliza en la construcción naval.

Propagación: Mediante semillas, pero dado que el crecimiento es muy lento se utilizan también esquejes apicales; los vástagos laterales que sustituyen al ápice en la planta madre pueden servir para esquejes ulteriores.

Condiciones de cultivo: No toleran las heladas.

---

10 CEDRO AFRICANO
Cedrus atlantica

Familia: Pináceas

Etimología: El nombre deriva del término latino *cedrus* y del griego *kédros,* referentes a un árbol no bien identificado, probablemente una especie del género *Juniperus.*

Hábitat: Es originario de las regiones montañosas de Argelia y de Marruecos, pero algunos autores sostienen que en épocas remotas es posible que el cedro poblase Europa en estado espontáneo. De todas formas fue introducido en Europa en 1827.

Descripción: El cedro puede alcanzar 50 m de altura y el tronco 1,5 m de diámetro; posee una copa con la cima netamente erecta. La corteza es grisácea, lisa y brillante hasta la edad de unos 25 años; después se agrieta con la formación de escamas de pequeñas dimensiones. Las hojas (1), aciculares, cortas y rígidas, aplanadas y arqueadas, son de color verdeazulado, y se reúnen en grupos. Los conos o estróbilos (2), rechonchos y erectos, excavados en el ápice, al principio son de tonalidad verdeamarillenta y a continuación adoptan un color violáceo púrpura, conteniendo semillas con un ala de 2 cm de longitud. Esta especie proporciona una madera muy buena para ser trabajada, cuyo intenso olor aleja a los insectos. Se trata de una especie forestal de gran importancia; existen además dos variedades con follaje más ornamental: *glauca* y *aurea.*

Propagación: Sólo mediante semillas, una vez perfectamente maduras.

Condiciones de cultivo: En sus lugares de origen vegeta sobre terrenos calcáreos, pero se adapta también a condiciones más áridas. Resiste bastante bien la contaminación; prospera en climas suaves y con ambiente húmedo.

11 CEDRO DEL HIMALAYA
Cedrus deodara

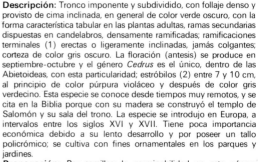

Familia: Pináceas

Etimología: El nombre específico deriva del sánscrito *devadara*, árbol de los dioses, debido a las conexiones de la especie con los objetos sagrados y por la veneración de la que era objeto a causa de su majestuosidad y de la incorruptibilidad de su madera.

Hábitat: Especie nativa del Himalaya, Afganistán y Belucistán, entre 1100 y 4000 metros de altura.

Descripción: Alcanza los 50 metros y posee follaje piramidal, con la cima inclinada a partir de una cierta edad; las ramas principales son por lo general horizontales y gráciles, con vástagos terminales colgantes. Las hojas (1), aciculares, miden entre 2,5 y 5 cm de longitud, y son delicadas. Los conos (2) miden entre 7 y 12 cm, son cónicos, redondeados en la extremidad, pero nunca con el ápice excavado, al principio de color violáceo y después de tonalidad más oscura, están cubiertos de escamas con el dorso liso. Su maduración es bianual. Esta especie se distingue de los restantes cedros por poseer hojas largas y blandas, por sus ramas principales colgantes y por los estróbilos que jamás están excavados en el ápice. La especie se utiliza en Asia para la construcción de templos y la escultura de ídolos. En el antiguo Egipto se usaba para la construcción de los sarcófagos de las momias. Sus hojas largas y las ramificaciones recientes colgantes hacen que sea una especie muy ornamental.

Propagación: Mediante semillas, como los restantes cedros.

Condiciones de cultivo: Las temperaturas de Europa Central son demasiado bajas para permitir su cultivo; en los países mediterráneos, por su rápido crecimiento y su adaptabilidad, ha encontrado amplia difusión.

12 CEDRO DEL LÍBANO
Cedrus libani

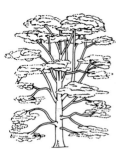

Familia: Pináceas

Etimología: El atributo específico está relacionado con su país de origen.

Hábitat: Esta especie puebla actualmente, con efectivos muy reducidos, las cadenas montañosas del Líbano, aproximadamente a 2000 m de altitud, entre Trípoli y Beirut. Existen bosques de una cierta importancia en Cilicia y en los montes Tauro.

Descripción: Tronco imponente y subdividido, con follaje denso y provisto de cima inclinada, en general de color verde oscuro, con la forma característica tabular en las plantas adultas, ramas secundarias dispuestas en candelabros, densamente ramificadas; ramificaciones terminales (1) erectas o ligeramente inclinadas, jamás colgantes; corteza de color gris oscuro. La floración (antesis) se produce en septiembre-octubre y el género *Cedrus* es el único, dentro de las Abietoideas, con esta particularidad; estróbilos (2) entre 7 y 10 cm, al principio de color púrpura violáceo y después de color gris verdecino. Esta especie se conoce desde tiempos muy remotos, y se cita en la Biblia porque con su madera se construyó el templo de Salomón y su sala del trono. La especie se introdujo en Europa, a intervalos entre los siglos XVI y XVII. Tiene poca importancia económica debido a su lento desarrollo y por poseer un tallo policrómico; se cultiva con fines ornamentales en los parques y jardines.

Propagación: Por semillas; la germinabilidad en este género alcanza valores entre 70 y 80 %; la capacidad germinativa dura dos años.

Condiciones de cultivo: Climas benignos y sin heladas.

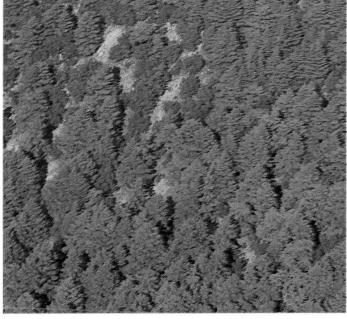

13 CIPRÉS DE LAWSON
Chamaecyparis lawsoniana

Familia: Cupresáceas

Etimología: El nombre genérico es de procedencia griega y hace referencia a su semejanza con el verdadero ciprés, lo que ha merecido su nombre común.

Descripción: Este árbol, que alcanza alturas de 50 metros y diámetros entre 120-180 cm, posee un denso follaje de forma cónica, cuya belleza mereció su introducción en Europa por parte de W. Murrai y su nombre específico está dedicado al botánico Lawson. Su aspecto es muy semejante al del ciprés, hasta tal punto que algunos autores lo han considerado como una sección de este último género; se distingue, sin embargo, por sus ramificaciones aplanadas, mientras que en el ciprés son cilíndricas o cuadrangulares; sobre ellas se insertan las hojas (1), en forma de escama, de bordes enteros. Los estróbilos (2), globosos y pequeños (8-10 mm), glaucos al principio, de color rojo oscuro al alcanzar, en el espacio de un año, la madurez, aceptan en cada una de sus escamas, de una a cuatro semillas provistas de dos anchas alas laterales. Esta especie es muy utilizada para la construcción de setos o hileras.

Propagación: Mediante semillas, directamente sobre el terreno, cuando lo permiten las condiciones ambientales; esta variedad se multiplica por injerto o esqueje, que debe efectuarse en primavera. Esta práctica reviste particular importancia con el fin de que la especie conserve durante toda su vida los caracteres juveniles.

Condiciones de cultivo: Prefiere los terrenos profundos, no soporta los saltos térmicos, padece los vientos secos y la excesiva insolación.

14 SUGI
Cryptomeria japonica

Familia: Taxodiáceas

Etimología: El nombre procede del griego *criptós,* escondido, y *méros,* parte, debido al hecho de que los órganos florales no son fácilmente distinguibles.

Hábitat: Especie procedente del Japón, forma amplios bosques al norte de Hondo y en China sudoriental. Fue introducida en Europa en 1844.

Descripción: Este árbol puede alcanzar 50 m de altura, copa piramidal, tronco recto y delgado, protegido por una corteza de color rojo oscuro, fibrosa, que se divide en largas estrías; las ramificaciones, gráciles, al principio verdes y después rojizas, son a veces deciduas. Las hojas (1), dispuestas en espiral, persisten a menudo durante cinco años; miden de 1 a 2 cm y poseen, aproximadamente, una sección cuadrangular; son de color verde brillante y a principios de otoño adoptan, debido a la presencia de pigmentos protectores contra el frío, una coloración roja oscura que conservan hasta la primavera siguiente. Los estróbilos (3), globosos, son terminales, maduran al primer año y permanecen sobre el árbol durante muchos meses después de la diseminación. En (2) puede observarse un grupo de flores.

Propagación: Mediante semillas, puestas a germinar en un semillero, o también por esqueje de unos 10 cm, que debe ponerse a enraizar en condiciones frías.

Condiciones de cultivo: Para que la especie alcance un buen desarrollo requiere terrenos ligeros, profundos y fértiles y atmósfera húmeda; teme las heladas.

15 CIPRÉS DE ARIZONA
Cupressus arizonica

Familia: Cupresáceas
Etimología: El nombre latino deriva a su vez del nombre griego portador de la raíz de un nombre semítico. No obstante, el botánico Muillefert atribuye el término *kuparissos* en recuerdo de un joven griego portador de este nombre, transformado por Apolo en un ciprés.
Hábitat: Especie procedente de las montañas de Arizona y de Nuevo México septentrional, en alturas entre 1300 y 2400 metros.
Descripción: Este árbol alcanza como máximo 20 m, es de porte esbelto, y copa densa constituida por ramas cortas cubiertas por una corteza de color rojizo oscuro. Las hojas (1), escamiformes y ovadas, miden unos 2 mm, son de color gris azulado y glandulosas; pueden emitir exudaciones de resina blanca y, si se queman, desprenden un olor desagradable. Los estróbilos (2), subglobulosos, miden entre 0,5 y 2 cm de diámetro, son pedunculares y están reunidos en grupos; su coloración es rojiza oscura, pero con pelusa glaucescente, formados por 6-8 escamas mucronadas y maduran al segundo año; no obstante, permanecen largo tiempo sobre la planta. Las semillas son alargadas y están provistas de ala estrecha. Esta especie se diferencia de los restantes cipreses por el color azulado del follaje y el olor desagradable.
Propagación: Mediante semillas; los brotes deben protegerse, al menos en su primer año, de los fríos excesivos.
Condiciones de cultivo: Especie xerófila; prefiere los terrenos calcáreos, pero se adapta también a los silíceos. Es muy utilizada en los jardines.

---

16 CIPRÉS DE CALIFORNIA
Cupressus macrocarpa

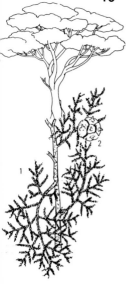

Familia: Cupresáceas
Etimología: El nombre específico alude al tamaño de los frutos.
Hábitat: Esta especie vive en una reducida área situada en las proximidades de Monterrey.
Descripción: Es un árbol que alcanza 25 m de altura, posee una recia corteza de color rojizo oscuro que se convierte en gris claro en los individuos viejos, fragmentándose en escamas delgadas. La copa puede presentarse en diversas formas, que algunos autores individualizan en variedades como *lambertiana*, con cima ancha, *fascigiata*, con cima más estrecha, *guadalupensis*, propia de la isla del mismo nombre y que se caracteriza porque su corteza se fragmenta en escamas muy débiles, *farallonensis*, procedente de la isla Farallones, con follaje glauco. Las hojas (1), escuamiformes, adheridas a las ramas, de color verde claro en la especie típica, son triangulares y desprenden un olor aromático. Los estróbilos (2) están formados por 10-12 escamas poligonales, angulosas y mucronadas; su color es al principio verde, después gris oscuro verdecino, algo brillante, y finalmente violáceo oscuro. Las semillas son aladas, con pequeñas glándulas resinosas. Es un árbol bastante ornamental y puede utilizarse como cortavientos. Se diferencia del ciprés común por poseer hojas más grandes, y de los restantes cipreses por los estróbilos de mayor tamaño y por las ramas dispuestas oblicuamente al tallo.
Propagación: Mediante semillas; es una especie de crecimiento muy rápido.
Condiciones de cultivo: No soporta los fríos intensos, es partidario de la humedad atmosférica e indiferente a la naturaleza del suelo.

17 CIPRÉS MEDITERRÁNEO
Cupressus sempervirens

Familia: Cupresáceas
Etimología: El nombre específico indica la persistencia del follaje que adopta un aspecto característico de color verde oscuro.
Hábitat: Crece espontáneo en las regiones del Mediterráneo oriental.
Descripción: Árbol de 20-30 m de altura, con follaje muy variable; entre las variedades más típicas hay que citar a las de follaje extendido *(horizontalis)* y la de follaje piramidal *(stricta),* denominadas erróneamente ciprés femenino y ciprés masculino. Es una planta muy longeva, con tronco erecto, corteza de color gris oscuro, fibrosa y alistada en sentido longitudinal. La madera, debido a su incorruptibilidad, se usaba antiguamente para la fabricación de cajas en las que conservar objetos preciosos. Las hojas (1), escuamiformes, se disponen como tejas sobre las ramificaciones, son de color verde oscuro y poseen glándulas resiníferas. Mediante destilación se obtiene el aceite de ciprés utilizado en la industria farmacéutica. Esta especie es monoica, posee por tanto flores masculinas y femeninas sobre un mismo individuo. El fruto (2) globoso, denominado gálbulo, mide 3-4 cm de diámetro y está constituido por 8-14 escamas leñosas en forma de escudo.
Propagación: Se propaga mediante semillas.
Condiciones de cultivo: Planta termófila resistente a la sequía, se adapta a los terrenos de todo tipo y naturaleza; vive desde el nivel del mar hasta altura de 700-800 m según la latitud.

18 CICA
Cycas revoluta

Familia: Cicadáceas
Etimología: El nombre deriva de la palabra griega *kykas,* utilizado por Teofrasto para denominar a un tipo de palmera no identificado.
Hábitat: Especie procedente de Asia oriental, desde el sur del Japón hasta Java.
Descripción: A pesar de que su aspecto sea muy semejante a una palmera, este pequeño árbol de crecimiento lento, que alcanza unos 3,5 m de altura en condiciones óptimas, no pertenece a la familia Palmas, sino a una clase entre las más antiguas tanto que, salvo el género *Ginkyo,* las Cicadáceas son las únicas todavía vivientes, todas las restantes componentes de la clase se conocen en estado fósil. Esta especie tiene un crecimiento muy lento y desarrolla un tronco rugoso debido a la persistencia de las bases de las hojas caídas; el tronco central se rodea de numerosos brotes. Las hojas (1) llegan a medir 2 m de longitud, son curvas, pennadas, con numerosos segmentos delgados, rígidos, con el extremo muy agudo, y que forman una gran corona en el ápice del tallo. La especie es dioica, con flores (2) muy simples: las masculinas, parecidas a estróbilos, están formadas por escamas, portadoras de los sacos polínicos; las femeninas, en forma de una gran roseta de hojas carpelares, con los óvulos dispuestos en la parte inferior, están protegidos de una densa lanilla.
Propagación: Mediante semillas o a través de los brotes basales.
Condiciones de cultivo: Muy rústicas; resisten al hielo.

19 GINGKO
Ginkyo biloba

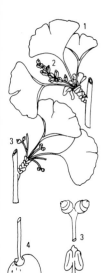

Familia: Gingkoáceas

Etimología: El nombre procede del término japonés *gin-kyo*, usado ya en el siglo XVII que ha servido para el nombre genérico de este árbol.

Hábitat: Esta especie es nativa de China, donde han sido hallados numerosos fósiles procedentes de la era Mesozoica. Si la especie ha sobrevivido hasta la actualidad se ha debido a los cuidados practicados por los monasterios chinos, ya que consideraban al gingko como árbol sagrado.

Descripción: Árbol de hoja caduca, dioico, alcanza los 40 m de altura, provisto de corteza rojiza y de porte grácil, especialmente en los ejemplares masculinos, mientras que los femeninos poseen un follaje más denso. Las hojas (1), flabeladas, presentan el borde superior irregularmente dentada y divididas en el centro por una profunda incisión que las fragmenta en los lóbulos; poseen abundantísima nerviación y son de tonalidad verde brillante, pero se vuelven completamente amarillas antes de la caída. Los elementos reproductores son insignificantes: los masculinos (2) están reunidos en amentos y los femeninos (3), pedunculados, nacen en la axila de la bráctea escuamiforme; a continuación aparece un falso fruto, en forma de drupa (4), con el pericarpio carnoso y maloliente.

Propagación: Mediante semillas, o bien por esqueje a partir de ramas jóvenes, o por injerto si quiere evitarse a los ejemplares femeninos. Son necesarios unos 30 años para que el ejemplar alcance 10 m de altura.

Condiciones de cultivo: Es una especie muy adaptable, ya que soporta indiferentemente casi cualquier tipo de clima.

---

20 ENEBRO
Juniperus communis

Familia: Cupresáceas

Etimología: El nombre genérico ha conservado su denominación latina.

Hábitat: Esta especie tiene una ditribución geográfica amplísima, en casi todo el hemisferio norte, desde zonas situadas a nivel del mar hasta altitudes de 3750 m.

Descripción: Se trata de una especie con aspecto de mata por lo común, pero que puede llegar a alcanzar hasta 10 m de altura, pero el tronco no rebasa nunca los 10 cm de diámetro. Las ramificaciones presentan sección triangular, la corteza es al principio lisa y brillante y más adelante de color gris oscuro. Las hojas (1), aciculares y punzantes, miden de 10 a 14 mm, y son de color verde glauco. Las flores (2) femeninas, globosas, presentan varias escamas estériles inferiores y 3 escamas fértiles superiores; estas últimas, después de la fecundación, engruesan y crecen formando un cuerpecillo redondo y carnoso que simula a un verdadero fruto (3) y por ello se denomina impropiamente bayas cuando en realidad se trata de estróbilos. Al principio son de color verde, y después negro violáceo, con maduración bienal en los climas mediterráneos y trienal en los templados; estos frutos contienen tres semillas triangulares. Estos estróbilos resinosos y aromáticos sirven para preparar el aceite de enebro, medicinal, y aromatizar a las ginebras. También se emplean para aromatizar algunas carnes, como por ejemplo la procedente de caza.

Propagación: Mediante semillas; el enebro es una especie de crecimiento lento.

Condiciones de cultivo: Rústica; esta especie se adapta a todos los terrenos.

21 CADA
Juniperus oxycedrus

Familia: Cupresáceas
Etimología: El nombre específico procede de la palabra griega *oxýs*, punzante, y *cédros*, que indicaba a un árbol determinado, probablemente un enebro.
Hábitat: Se trata de una especie mediterránea; su distribución incluye España, Portugal y la isla de Madera, en el Atlántico, a través de Argelia; sus límites orientales se sitúan en Crimea y en el Cáucaso.
Descripción: Alcanza a duras penas los 8 m de altura; las hojas (1), aciculares y verticiladas, son de tonalidad glauca y presenta dos líneas blanquecinas de estomas en la página inferior, y son de color completamente verde en la superior. Esta especie es muy semejante al enebro, del que se distingue por el estróbilo (2), generalmente de mayor tamaño y de color rojizo al alcanzar la madurez, pero a veces está cubierto de un estrato de velo que le hace adoptar una tonalidad rojiza azulada; encierra 2 o 3 semillas. La cada es un elemento característico de la vegetación mediterránea, especialmente la subespecie *macrocarpa*, que debido al tamaño de sus frutos se denomina en algunas regiones de Italia "enebro regordete". Su madera es compacta, dura, resistente y resinosa.
Propagación: Todas las especies de enebro se multiplican mediante semillas obtenidas de frutos que se han dejado secar por espacio de 18 meses; algunas especies se multiplican por esquejes obtenidos a finales del verano.
Condiciones de cultivo: No soporta los climas demasiado rigurosos; resiste las condiciones de sequedad y se adapta también a los suelos calcáreos o yesosos.

22 CEDRO ROJO DE VIRGINIA
Juniperus virginiana

Familia: Cupresáceas
Etimología: El nombre específico recuerda a la región de origen.
Hábitat: Ocupa, en Norteamérica, un área bastante extensa: desde la bahía de Hudson y la región de los Grandes Lagos, a Florida y Texas.
Descripción: Generalmente se trata de una especie de tamaño medio que en las condiciones óptimas puede alcanzar unos 30 m de altura; posee raíces profundas, copa muy tupida y corteza de color rojo oscuro. Existen dos tipos de hojas (1): unas son aciculares, con más de un centímetro de longitud, y otras son escuamiformes, opuestas e imbricadas. Estas últimas son las que suelen persistir en los ejemplares adultos, pero no es infrecuente hallar individuos de una cierta edad provistos con el tipo juvenil de hojas. En (2) pueden observarse unos estróbilos. Esta especie de enebro, denominada erróneamente cedro, produce una clase de madera muy apreciada para la fabricación de lápices, para revestimientos de suelos y para los usos normales en carpintería. Además, puede fabricarse con su madera, al igual que en el caso del ciprés, cajones para ropa, con la doble ventaja de protegerla del ataque de los insectos y conferirle también un agradable olor. Además, de su madera se extrae el aceite de cedro, usado con fines medicinales y en perfumería.
Propagación: Mediante semillas, como sucede en las restantes especies del mismo género.
Condiciones de cultivo: Al igual que casi todas las Coníferas, es una especie de lento crecimiento. Es rústica y se desarrolla sobre variados tipos de terreno.

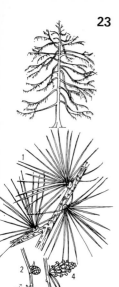

23 ALERCE EUROPEO
Larix decidua

Familia: Pináceas

Etimología: El nombre recuerda al utilizado por los latinos para describir al alerce europeo.

Hábitat: Es una especie espontánea en las montañas de Europa Central.

Descripción: Esta conífera, una de las pocas especies de hoja caduca, es un árbol de gran porte con tronco erecto, cuya corteza, al principio lisa, se engrosa con la edad y se fragmenta en una serie de placas, de color gris en su cara externa, y rojizas internamente. Puede alcanzar 40 m de altura, con un diámetro del tronco superior a 1,5 m. La madera es compacta, con el duramen rojizo y fuertemente impregnado de resina. Se utiliza en aquellas construcciones que requieren garantía de durabilidad. Las ramificaciones son verticiladas, y las secundarias, colgantes. Las hojas (1), insertas en grupos de 30-40, miden unos 3 cm, adoptan antes de caer una hermosa tonalidad amarilla dorada. Las inflorescencias, masculinas y femeninas, están situadas sobre un mismo tallo: las masculinas (2), son rojizas y están rodeadas de escamas; las femeninas (3) son solitarias, en forma de pequeños conos erectos de color amarillento oscuro con escamas acuminadas. En (4) puede observarse un cono o estróbilo.

Propagación: Mediante semillas.

Condiciones de cultivo: Zonas montañosas, hasta 2000 m de altitud; o bien climas y terrenos húmedos y frescos, incluso a bajas latitudes, como sucede en Inglaterra. La especie sufre frecuentes ataques de un hongo que produce una enfermedad conocida con el nombre de cáncer del alerce.

24 FALSA SEQUOIA
Metasequoia glyptostroboides

Familia: Taxodiáceas

Etimología: El nombre deriva del griego *metá,* próximo, y *sequoia,* por la semejanza con esta especie, lo que hace que se incluya en la misma familia.

Hábitat: Esta especie, hallada en estado fósil en Japón en 1941, fue encontrada viviente en China central, en las proximidades del río Yangtsé poco tiempo después, e introducida rápidamente en América y Europa.

Descripción: Este árbol de hoja caduca, que en sus lugares de origen alcanza hasta 30 m de altura, evidentemente es de tamaño mucho menor al ser cultivado, puesto que su cultivo se ha iniciado muy recientemente; no obstante, se dispone ya de ejemplares que superan los 15 m. Es de porte piramidal y regular, con ramificaciones dispuestas casi horizontalmente; la corteza es grisácea, y se separa en una serie de estrías. El tronco de los ejemplares más grandes es incluso estriado y rojizo. Los folíolos (1), lineares, de color verde, adoptan un color leonado antes de desprenderse a finales del otoño, después de pasar por una tonalidad amarilla clara. Las flores son unisexuales; las femeninas producen conos (2) globosos, verdes, ligeramente angulares, solitarios y provistos de un pedúnculo largo. Las ramificaciones secundarias también se pierden con las hojas, pero persisten en su axila las yemas del siguiente ciclo vegetativo.

Propagación: Mediante semillas o por esquejes semileñosos.

Condiciones de cultivo: Especie rústica, pero requiere mucha humedad.

25 ABETO ROJO
Picea abies

Familia: Pináceas
Etimología: El nombre genérico procede del latín *pix*, resina, debido a la ingente cantidad de resina que producen algunas especies de piceas.
Hábitat: Esta especie posee una amplia área de distribución: desde Escandinavia hasta los Balcanes y Alpes, a alturas comprendidas entre 1000 y 2300 m.
Descripción: Suele confundirse a este género con los abetos, y se emplea normalmente como árbol de Navidad. Se diferencia de los verdaderos abetos por poseer la hoja con sección tetragonal en lugar de aplanada (1), por los estróbilos (4) colgantes en lugar de erectos y porque éstos, después de perder las semillas, se desprende enteros del árbol en lugar de descomponerse en el momento de la diseminación, como ocurre en los abetos. El abeto rojo, denominado tambien picea de Noruega, es un árbol de grandes dimensiones, con la copa de color verde oscuro provista de horcaduras regulares; en conjunto presenta un perfil triangular. La corteza es de color rojizo, lo que le ha valido el nombre vulgar; se divide en escamas. Dentro de las piceas existen los denominados árboles de resonancia, en una faja dispuesta desde los Cárpatos a los montes Bohemios, y también hasta los Alpes orientales. Esta variedad, por sus características particulares, es apreciada para la construcción de las cajas armónicas de los violines. En el esquema, flores masculinas (2) y flores femeninas (3).
Propagación: Por semillas.
Condiciones de cultivo: Al ser una especie montana, malvive en la llanura, sufre la sequía y está sujeta a enfermedades.

26 ABETO DE SERVIA
Picea omorica

Familia: Pináceas
Etimología: El nombre científico deriva del nombre local utilizado en Servia.
Hábitat: Vive en alturas comprendidas entre los 600 y 1400 m en el sudoeste de la antigua Servia y en el oeste de Bulgaria; puede formar bosques uniespecíficos.
Descripción: Esta especie puede alcanzar, en su área de origen, 35 m de altura y una circunferencia de 1,20 m; la copa es típicamente estrecha y apuntada; la corteza es de color marrón oscuro, las ramificaciones, cortas en relación al tronco, son colgantes y las ramificaciones secundarias, de color rojizo, están cubiertas por una pubescencia negra. Las hojas (1) son más o menos aplanadas, con el ápice obtuso, de color verde brillante en la cara superior y grisáceas en la inferior, donde se observa la presencia de dos líneas estomáticas. En (2) puede observarse un estróbilo. Carece de importancia como especie forestal dado su lento crecimiento, pero se utiliza en jardinería con fines ornamentales debido a la elegancia de sus hojas, blanquecinas en la cara inferior. La especie se descubrió en los Balcanes en 1832, y se introdujo en los países de clima templado.
Propagación: Mediante semillas.
Condiciones de cultivo: Es una especie bastante rústica; prefiere los terrenos calcáreos.

27 PICEA
Picea pungens

Familia: Pináceas
Etimología: El nombre específico alude al ápice puntiagudo de las hojas.
Hábitat: Vive entre los 1800 y 3000 m de altitud, en las montañas Rocosas del sudeste de los Estados Unidos de América.
Descripción: Puede alcanzar los 35 m de altura y una circunferencia de más de 2,5 m; posee copa ancha, corteza de color gris oscuro y los brotes jóvenes, fuertes, resistentes, son al principio de tonalidad verdeazulada, y posteriormente anaranjada, pero siempre glabros, carácter que distingue a esta especie de *Picea omorica*. Las hojas (1), rígidas y punzantes, poco abundantes y curvadas, son de color verdeazulado, y si se estrujan desprenden un olor agradable. Los estróbilos, cilíndricos, miden de 4 a 10 cm de longitud, y presentan escamas rómbicas plisadas longitudinalmente; en edad juvenil presentan una coloración verde rojiza que se transforma en marrón brillante al alcanzar la madurez. Las variedades que se caracterizan por una acentuación de la tonalidad azulada de las hojas son de pequeña talla.
Propagación: Mediante semillas, sembradas en marzo en invernadero frío y en abril al aire libre. Los estróbilos se recogen antes de que se abran y se mantienen en lugar seco y caliente.
Condiciones de cultivo: Esta especie es muy resistente al hielo, se desarrolla perfectamente en los terrenos muy húmedos e incluso en los pantanosos.

28 CEMBRO
Pinus cembra

Familia: Pináceas
Etimología: El nombre genérico procede del latín *pinus* que deriva del sánscrito *pitu* a través del griego *pitus*.
Hábitat: Su área de distribución se divide en dos sectores distantes entre sí: uno europeo, en los Alpes y Cárpatos, y otro asiático, en los Urales y en el norte del Japón.
Descripción: Esta especie es la única conífera europea con área de distribución extensa y con las hojas (1) de sección triangular; éstas son bastante rígidas y de color verdeazulado oscuro, y se disponen agrupadas en conjuntos de cinco. El follaje es poco denso, con ramas que alcanzan el suelo en fase juvenil; posteriormente, el cembro adopta un aspecto más globoso. Su crecimiento es muy lento y la madurez sexual no se alcanza hasta los cuarenta años de edad. Puesto que puede vivir en alta montaña, sobre terrenos pedregosos y en ambiente poco propicio, posee raíces muy desarrolladas que se internan entre las fisuras de las rocas, con lo que fijan sólidamente el ejemplar al suelo. Las semillas, grandes, no aladas, son comestibles y las urracas las aprecian en grado sumo. El leño, con albura blanquecina y duramen de color amarillo oscuro, posee numerosísimos nudos de color marrón oscuro que se diseminan sobre un fondo claro. Su madera es de fácil trabajo, y es utilizada en labores artesanales de talla, para la construcción de muebles rústicos y de modelos de fundición. En (2) un estróbilo y en (3) flores femeninas.
Propagación: Mediante semillas.
Condiciones de cultivo: Esta especie es indiferente a la naturaleza del sustrato.

29 PINO DEL HIMALAYA
Pinus excelsa

Familia: Pináceas
Etimología: El nombre específico alude al aspecto elegante de este gran árbol.
Hábitat: Puebla las regiones entre 1600 y 4000 m de altura, al sudesde del Himalaya hasta Afganistán, Birmania y Yunnán.
Descripción: Debido a sus largas hojas (1), de 12 a 15 cm de longitud, en parte colgantes y de color azul plateado, y por sus largos estróbilos pedunculados y pendientes, el pino de Himalaya es una hermosa especie muy decorativa. Alcanza 25-50 m de altura, la corteza es de color gris marronáceo que se separa en pequeñas placas; las ramificaciones juveniles son al principio de color grisáceo y pruinosas, después de color gris verdecino brillante, y finalmente oscuras al alcanzar la madurez. Las hojas, muy delicadas, se reúnen en grupos de a cinco. Las flores masculinas, reunidas en amentos, aparecen en mayo; las femeninas disponen de escamas amarillas bordeadas de color rojo y aparecen en la extremidad de las ramificaciones en el mes de abril. Los estróbilos (2), en grupos de 2 o 3, de 15 a 25 cm de longitud, al madurar liberan las semillas que poseen una gran ala. El tronco, que proporciona resina de buena calidad, es muy utilizado, en los países de origen de la especie, en construcción y carpintería.
Propagación: Mediante semillas.
Condiciones de cultivo: Prefiere los climas benignos, con un alto nivel de humedad atmosférica; esta especie es prácticamente indiferente a la composición del suelo.

30 PINO DE ALEPO
Pinus halepensis

Familia: Pináceas
Etimología: El nombre específico deriva del de la antigua ciudad siria.
Hábitat: Esta especie puebla la región mediterránea, en la que ha sido cultivada desde época inmemorial.
Descripción: Pino de no mucha envergadura, tallo grueso, tortuoso y con la corteza al principio de color gris ceniza para adquirir finalmente una tonalidad marrón rojiza. No suele ser muy longevo (entre 150 y 20 años), follaje poco tupido, de color verde más claro que las restantes especies de pinos mediterráneos; posee también la característica de tener la copa dividida en varias orlas. Ello se debe a la disposición de las ramas sobre las ramificaciones principales y a la disposición de las hojas en la extremidad. Los estróbilos o piñas (2) son ovadocónicas, miden de 6 a 12 cm, y contienen semillas muy pequeñas. Las hojas (1), aciculares, se reúnen en número de dos y raras veces tres. El tronco está constituido por albura de color claro y duramen de color marrón rojizo, y es resistente y durable. Gracias a esta propiedad, el pino de alepo se ha utilizado en la construcción naval, como por ejemplo en las históricas naves romanas de Nemi, para la construcción de palafitos y palas. En su corteza abundan los taninos, que pueden utilizarse en el curtido de pieles; los pescadores los utilizan asimismo para teñir sus redes de pesca.
Propagación: Por siembra directa o en semilleros en otoño.
Condiciones de cultivo: Esta especie se adapta a toda clase de terrenos. Es exigente con el calor y la luz; soporta la sequía.

31 PINO MONTANO
Pinus montana

Familia: Pináceas
Etimología: El nombre específico alude a su distribución montana.
Hábitat: Especie montana europea, desde los Pirineos a los Balcanes.
Descripción: Bajo este nombre específico se incluyen cuatro subespecies *(P. rotundata, P. uncinata, P. plumillo* y *P. mugo)*, que salvo en el primer caso pueden considerarse también como verdaderas especies. El pino montano tiene porte distinto según las diferentes subespecies, desde postrado a erecto, con todas las formas intermedias de transición. El pino montano *(Pinus montana-mugo,* como lo clasifican muchos autores) es el más pequeño de todos los pinos europeos, con ramas flexibles y tendidas, verticiladas, con los ápices vueltos hacia arriba. Las hojas, lineadas, de color verde oscuro, pero glaucas y punzantes, se reúnen en grupos de 2, a veces de 3. Este pino tiene una importante función protectora en las zonas de alta montaña, donde contribuye a la consolidación de las masas de nieve mediante sus largas ramas e impedir de este modo la formación de avalanchas. La madera, dura y fuerte, pesada y compacta, es poco utilizable debido a las modestas dimensiones de los ejemplares. En la fotografía, el pino montano es el que se observa en primer plano.
Propagación: Mediante semillas.
Condiciones de cultivo: Es una especie muy resistente a las condiciones difíciles de la alta montaña; constituye un auténtico baluarte vivo frente al viento y la nieve.

32 PINO NEGRAL
Pinus nigra

Familia: Pináceas
Etimología: El nombre científico alude al color del follaje.
Hábitat: El área de distribución de esta especie es discontínua, separada irregularmente en islas: desde España hasta Crimea, desde Asia Menor hasta Austria, y desde Argelia a Marruecos.
Descripción: En su acepción más amplia, el pino negral es un árbol que puede alcanzar hasta 40 m de altura, muy longevo y resinoso, con tronco bastante recto, follaje denso y ramas verticiladas, dispuestas horizontalmente. La corteza, de color gris negruzco, se hiende y divide, en los árboles de más edad, en grandes placas grisáceas. Las hojas (1), lineadas, acuminadas, miden de 8 a 18 cm de longitud, y se reúnen en haces de dos, de color verde oscuro. Los estróbilos (4), ovados y cónicos, se disponen solitarios o en grupos de 2 o 4. En (2) flores masculinas y en (3) flores femeninas. Esta descripción se adapta a la del *Pinus nigra* utilizado en sentido general, pero con este nombre se agrupan a una serie de pequeñas especies y razas geográficas; su morfología está determinada por el porte, la ecología y el área de distribución. Por lo tanto, pueden diferenciarse cuatro especies dentro del pino negral: *P. clusiana, P. laricio, P. nigricans* y *P. pallasiana,* y muchas subespecies.
Propagación: Mediante semillas, que son pequeñas y están provistas de una larga ala.
Condiciones de cultivo: Se trata de pinos exigentes de una buena iluminación superior, y en cambio toleran la densidad lateral de otros ejemplares.

33 PINO MARÍTIMO
Pinus pinaster

Familia: Pináceas

Etimología: El nombre específico deriva del latín, en forma peyorativa con respecto al pino doméstico.

Hábitat: Su distribución está limitada al Mediterráneo occidental y se continúa por la costa atlántica francesa.

Descripción: Árbol no muy longevo, con tallo recto o a veces curvado en forma de abanico; puede alcanzar 20-30 m de altura y 1 m de diámetro. El follaje es de color verde oscuro, de forma piramidal en la fase juvenil y con el andar de los años adquiere una forma más o menos extendida. La corteza, hendida por fisuras profundas, muestra en el interior un color rojo oscuro, y en el exterior marrón violáceo. Las hojas (1), acuminadas y de unos 20 cm de longitud, son de color verde más o menos brillante, y se reúnen en grupos de a dos que se hacen más próximos hacia la extremidad de las ramificaciones. Las piñas o conos (2), reunidos en grupos de dos o más alrededor de un tallo, miden unos 10-20 cm de longitud. Al principio son de color verde y adquieren después una tonalidad rojo brillante. Por su frugalidad, por la facilidad de sus gruesas raíces en fijarse rápidamente en los arenales de la costa y por su resistencia a las condiciones salobres, esta especie de pino desarrolla una importante acción colonizadora del litoral al constituir una faja de protección a las restantes pinedas formadas por el pino piñonero.

Propagación: Exclusivamente mediante semillas.

Condiciones de cultivo: Prefiere los terrenos silíceos decididamente ácidos; ama la luz y teme los grandes fríos invernales.

---

34 PINO PINONERO
Pinus pinea

Familia: Pináceas

Etimología: El nombre científico alude a la producción de piñones comestibles.

Hábitat: La especie es nativa de las regiones mediterráneas septentrionales y orientales, y se conoce desde la antigüedad.

Descripción: Se trata de un árbol majestuoso, que alcanza los 25 m de altura, con follaje globular en el estadio juvenil, y con la copa dispuesta en forma de sombrilla o paraguas en edad adulta. La corteza es de color gris oscuro, y se divide en placas separadas por una serie de fisuras, que se desprenden periódicamente dejando una mancha de color marrón claro. Las largas hojas (2), aciculares, nacen apareadas por una vaina basal; las flores masculinas, extraordinariamente pequeñas, se reúnen en amentos y producen una gran cantidad de polen. Los estróbilos, denominados comúnmente piñas (1), son solitarios, están formados por escamas leñosas, entre las que se disponen las semillas, cubiertas por un polvo negruzco, grandes, revestidas de una cáscara leñosa, mientras que la parte interna, que contiene el embrión, es comestible. La maduración de las semillas dura tres años; transcurrido este tiempo, la escama se abre y las semillas caen al suelo antes de que se desprenda la piña, que persiste en el árbol.

Propagación: Mediante semillas; el trasplante no debe realizarse nunca con la raíz desnuda. Esta especie puede presentar una notable longevidad: hasta 250 años.

Condiciones de cultivo: Terrenos frescos, no calcáreos; posición soleada; no tolera las heladas por debajo de —12°C y menos si son prolongadas.

35 PINO DE WEYMOUTH
Pinus strobus

Familia: Pináceas

Etimología: Voz latina utilizada para indicar a un árbol resinífero. El nombre específico resalta los caracteres de los estróbilos.

Hábitat: Esta especie ocupa una extensa región del sudeste del Canadá y del nordeste de los Estados Unidos.

Descripción: Se trata de un árbol de gran porte que alcanza y rebasa los 40 m de altura; en las plantas aisladas posee un follaje de forma cónica, con las ramas que llegan hasta el suelo. En los bosques se desarrolla en altura, pero en los ejemplares de edad, unos dos tercios del tronco están prácticamente desnudos. Las jóvenes ramas están al principio cubiertas de pelusilla, después se hacen glabras y adoptan un color marrón anaranjado al transcurrir su primer invierno. Posee hojas (1) que miden 10-15 cm de longitud, de color verdeazulado, flexibles, reunidas en grupos de cinco. Los estróbilos (4) miden entre 20 y 25 cm, están ligeramente curvados, son pendientes al llegar a la madurez y en septiembre liberan las semillas, pero las piñas permanecen en el árbol hasta la próxima primavera. En (2), flores femeninas y en (3), flores masculinas. Este pino fue introducido en Europa, y según algunos autores reintroducido en 1705, ya que es muy adecuado para su empleo con fines ornamentales.

Propagación: Mediante semillas; de forma espontánea en la estación adecuada.

Condiciones de cultivo: Es uno de los pinos que requieren menos luz, y resiste un determinado nivel de sombra. Padece frecuentes ataques de la roya vesiculosa.

36 PODOCARPO
Podocarpus neriifolius

Familia: Podocarpáceas

Etimología: El nombre genérico procede del griego *podós,* pie, y *karpós,* fruto, debido al rabillo carnoso del fruto.

Hábitat: Esta especie es nativa de la región himalaya, pero con variedades que se extienden hasta la isla de Sonda.

Descripción: Se trata de un árbol grande, de hoja perenne, que alcanza hasta 15-20 m de altura, con tronco robusto, muy ramificado, y con la copa dilatada. Las hojas (1), escasas, son a veces verticiladas, pero siempre se insertan de forma apretada, especialmente sobre las ramificaciones secundarias. Son lanceoladoacuminadas, atenuadas en la base, pecíolo corto y nerviación central, de color verde oscuro brillante y no es infrecuente que sean de color más claro e incluso traslúcidas en los bordes; en la madurez pueden llegar a ser ligeramente falcadas, en el momento en el que alcanzan más de 10 cm de longitud. Las flores (2) son unisexuales, sésiles, casi siempre solitarias; las masculinas se reúnen ocasionalmente en amentos de color marronáceo; las femeninas, de tonalidad verdosa, provistas de un pedúnculo suculento, originan una semilla desnuda que madura al cabo de dos años, con concrescencias carnosas, ovoides, de color verde sobre un pedúnculo de tonalidad oscura de aproximadamente 1 cm de diámetro (3).

Propagación: Mediante semillas; la multiplicación por esqueje es muy difícil.

Condiciones de cultivo: Especie semirrústica; el individuo adulto tolera heladas esporádicas, pero prefiere los terrenos frescos.

37 ABETO DE DOUGLAS
Pseudotsuga menziesii

Familia: Pináceas

Etimología: Deriva del griego *pseudés,* falso, y de *Tsuga,* por la semejanza que muestra con este género. El nombre común obedece a la circunstancia de que esta especie estuvo adscrita al género *Abies* y dedicada al botánico David Douglas (1798-1834), el mayor de todos los exploradores botánicos, que sobre 1827 envió las primeras semillas de esta especie a Europa.

Hábitat: La especie es originaria de la parte occidental de Norteamérica donde forma grandes bosques, incluso a elevadas altitudes, y cuya distribución alcanza al Canadá.

Descripción: Se trata de uno de los árboles mayores del mundo, que puede llegar a alcanzar hasta 100 m de altura, con tronco recto y cilíndrico, corteza al principio grisácea y lisa, muy resinífera, y que con la edad adquiere una tonalidad rojo oscura y se cuartea en placas irregulares. Las ramas, pubescentes en estado juvenil, presentan yemas marrón de tonalidad rojiza y hojas (1) blandas, de unos 3 cm de longitud, que desprenden intenso perfume de resina. Los estróbilos son colgantes y ovoides, solitarios, terminales, con brácteas trífidas de color claro que resaltan entre las escamas oscuras. En (2), flores femeninas, y en (3), flores masculinas. Produce el árbol una madera de óptima calidad, en cantidad económicamente muy importante debido a su gran velocidad de desarrollo.

Propagación: Mediante semillas.

Condiciones de cultivo: Especie muy adaptable, prefiere no obstante los terrenos frescos y profundos; es de fácil trasplante.

---

38 SEQUOIA
Sequaiodendron giganteum

Familia: Taxodiáceas

Etimología: El nombre genérico deriva del género *Sequoia,* género al que anteriormente estuvo adscrita esta especie, y del griego *déndron,* árbol.

Hábitat: Puebla la especie una área reducida de California central.

Descripción: Se trata de uno de los árboles más altos y longevos de todas las especies actuales; el tronco puede alcanzar 96 m de altura y la edad de muchos ejemplares oscila entre 2000 y 3500 años, lo que no ha sido posible determinar con precisión, ya que nunca ningún ejemplar ha muerto a causa de la edad, sino que ha sido debido a accidentes. El aspecto del árbol es piramidal, tronco grueso con la corteza de color rojo marronáceo, fibrosa, y las ramificaciones se sitúan en lo alto encorvadas hacia abajo, en una especie de corona en la extremidad del gigantesco tronco desnudo. Las yemas nacen a partir de las hojas (1) persistentes, escamosas, acuminadas, largas hasta unos 6 mm. Las flores masculinas están reunidas en amentos axilares y terminales, y las femeninas en amentos apicales, formadas por escamas espiraladas cada una de ellas con 4-7 óvulos en la base; los estróbilos (2), ovoides, maduran en dos años y son erectos en fase juvenil y colgantes en la madurez.

Propagación: Mediante semillas.

Condiciones de cultivo: A pesar de la reducida área de origen, esta especie medra en climas semejantes, frescos y húmedos. Fue introducida en Inglaterra en 1853 y es muy adaptable.

39 SEQUOIA
Sequoia sempervirens

Familia: Taxodiáceas
Etimología: El nombre recuerda a George Gist, un mestizo indio llamado Sequoiah, de la tribu de los cheroques, que vivió entre 1770 y 1843 e inventó el primer alfabeto que posibilitó la escritura a su grupo étnico.
Hábitat: Especie nativa de California y Oregón.
Descripción: Se considera como uno de los árboles más altos, si no el más. Puede alcanzar hasta 110 m y dispone de tronco erecto. La corteza es de color marrón rojizo, esponjosa, está surcada de fisuras profundas, y a ella debe el nombre común anglosajón *(redwood)*, madera roja. Su porte es delgado, la copa estrecha, irregularmente piramidal, las hojas (1) son pequeñas, aciculares y están dispuestas en hileras en espiral y poseen tres canales resiníferos. Las flores (2) aparecen en el ápice de las ramitas, en otoño, y se abren en primavera. Las femeninas están formadas por 15-20 escamas agudas que se convierten en pequeños estróbilos (3) leñosos de color marrón rojizo, provistos de 4-5 semillas por escama, que tardan en madurar aproximadamente un año. La madera, resistente y de fácil trabajo, ha sido tan utilizada que ha situado a la especie al borde de la desaparición.
Propagación: Mediante semillas; sin embargo, aparecen vástagos junto a la base cortada y también en los nudos separados del tronco. Se multiplica también por esqueje, pero en invernaderos.
Condiciones de cultivo: Clima bastante benigno, en terrenos frescos.

40 CIPRÉS DE LOS PANTANOS
Taxodium distichum

Familia: Taxodiáceas
Etimología: El nombre genérico deriva del griego *táxos,* tejo, y *éidos,* semejanza, debido al aspecto de las hojas que recuerdan al de algunas especies de *Taxus.*
Hábitat: Especie originaria del sur de los Estados Unidos, donde crece en zonas pantanosas y a lo largo de los cursos de agua, desde Mississippi a Florida.
Descripción: Esta conífera de hoja caduca, que alcanza hasta 40 m de altura, y de porte claramente piramidal en fase juvenil, asume no obstante al alcanzar la madurez un aspecto más desordenado y aplastado. La corteza, de color marrón rojizo, presenta largas hendiduras poco profundas; el tronco, en zonas pantanosas, desarrolla una base dilatada y acanalada, con formación de una serie de contrafuertes y extrañas protuberancias radicales que emergen del nivel de fango y agua y sirven para suministrar aire a las raíces; estas formaciones se denominan neumatóforos. Las hojas (1) son lineadas y agudas, miden aproximadamente 1 cm, pectinadas, de color verde claro, y antes de perderse en otoño adoptan una coloración que pasa del ocre al marrón; las ramificaciones secundarias alternas caen junto con las hojas. Las flores unisexuales masculinas y femeninas están dispuestas sobre el mismo pie: las masculinas en racimos ramificados y colgantes, y las femeninas en pequeños estróbilos (2).
Propagación: Mediante semillas o esqueje en sustrato saturado de agua.
Condiciones de cultivo: Ambiente bastante rústico; tolera también las heladas.

41 TEJO
Taxus baccata

Familia: Taxáceas

Etimología: El nombre coincide con el latino.

Hábitat: El área de distribución de esta especie se extiende desde Europa septentrional hasta el norte de África y, en Asia, al Cáucaso.

Descripción: Conífera de hoja perenne, dioica, que puede alcanzar 10-15 m de altura, con la corteza de color rojizo, al principio lisa, que después, con la edad, se hiende en parte haciéndose más o menos arrugada. Es una especie de gran longevidad, pero sin embargo no puede conocerse exactamente la edad de los ejemplares debido a que la madera no forma anillos anuales y con el tiempo el duramen se destruye dejando vacío el centro. Se han hallado fósiles del Terciario y existen ejemplares de unos 1500 años de edad. La copa es irregular, globosa, las ramificaciones bajas; las hojas (1), lineadas, falciformes, de color verde oscuro superiormente, se insertan en espiral. Las flores masculinas (2) de reúnen en amentos y producen verdaderas nubes de polen; las femeninas dan lugar a un arilo provisto de una sola semilla (3), al principio de color verde y después de color rojo brillante. Las hojas y las semillas son muy venenosas, mientras que la pulpa del arilo es inocua y la consumen numerosas aves.

Propagación: Mediante semillas; el crecimiento del árbol es lentísimo.

Condiciones de cultivo: Lugares frescos y húmedos, sobre terrenos calcáreos; el tejo se utiliza, convenientemente podado, para la formación de grandes setos, y ha estado ampliamente empleado en el arte de ebanistería.

42 TUYA
Thuja occidentalis

Familia: Cupresáceas

Etimología: El nombre genérico procede del griego *thyón* o *thía*, árbol productor de resina o incienso, ya que su resina se quemaba como incienso en las ceremonias religiosas.

Hábitat: Esta especie habita las regiones del sur del Canadá y nordeste de los Estados Unidos, desde Nueva Escocia hasta el norte de Carolina.

Descripción: Es un árbol que suele alcanzar 18-20 m de altura, con copa piramidal en fase juvenil, y después se hace irregular; tallo denso, subdividido en dos o tres troncos a partir ya de la base, ramificaciones horizontales curvadas hacia arriba y ramificaciones secundarias colgantes. Las hojas, de color verde opaco en la cara superior y verdeamarillento en la inferior, son pequeñas, escuamiformes, sobrepuestas y persistentes. Los estróbilos, ovoides, reagrupados en número variable, están formados por 5-6 pares de escamas, no mucronadas, de las que sólo dos pares son fértiles; posee semillas aladas. El follaje, compacto, desprende un olor aromático por la presencia de un aceite venenoso que tiene actividad abortiva. El leño, blando y ligero, se ha utilizado en construcción y también para la extracción del llamado aceite de cedro, utilizado con fines medicinales.

Propagación: Mediante semillas; se multiplica también por esqueje.

Condiciones de cultivo: Se adapta sobre diversos tipos de terrenos, preferiblemente si son calcáreos, y la especie resiste bien a la sequía, las temperaturas bajas y a la contaminación.

43 ÁRBOL DE LA VIDA
Thuja orientalis

Familia: Cupresáceas

Etimología: Esta especie se denomina también *Biota orientalis*, que deriva del griego *bios*, árbol de la vida; no se sabe si este calificativo se aplica por el hecho de que esta especie es capaz de soportar todo tipo de poda o bien porque se empleaba para curar el escorbuto.

Hábitat: La especie es originaria de Manchuria y Corea, pero se cultiva en todos los países asiáticos.

Descripción: Se trata de un árbol de reducidas dimensiones, ya que no supera los 12 m; todas las ramificaciones son erectas, y las primeras incluso no son más largas que el diámetro del tronco. La corteza es delgada y roja marronácea; las hojas (1), persistentes, escuamiformes y opuestas, son más pequeñas que las de las otras especies (1,5 mm) y carecen de glándulas. Los estróbilos (2), ovoidales y carnosos, son al principio de color verdeazulado y después marrón rojizo, están formados por 6-8 escamas gruesas, provistas de un largo mucrón curvado, que encierra a 1 o 2 semillas carentes de alas. Se distingue de las restantes especies del género *Thuja* por disponer de los rámulos foliares verticalmente, por ser más pequeños, con las hojas desprovistas de glándulas y con depresión media, y porque sus semillas no son aladas. Se conocen numerosas variedades hortícolas.

Propagación: Mediante semillas o esquejes.

Condiciones de cultivo: Se trata de una especie de gran adaptabilidad edáfica, prefiere los terrenos silíceos, resistente a la sequía y teme, como todas las *Thuja*, la acumulación de agua en las raíces.

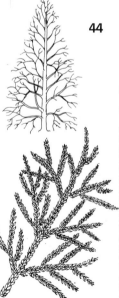

44 FALSA TUYA
Thujopsis dolobrata

Familia: Cupresáceas

Etimología: El nombre deriva de la semejanza de esta especie con el género *Thuja*.

Hábitat: La especie es originaria de Japón, donde crece desde el nivel del mar hasta 1800 m de altura.

Descripción: Es la única especie del género. Posee un tronco dividido ya a partir de la base, y que no supera los 20 m de altura; las ramas pueden ser horizontales o erectas y las ramificaciones secundarias, siempre aplastadas, poseen la cara inferior de color blanquecino. La delgada corteza es de color rojo marronáceo, pero al envejecer tiende hacia al color grisáceo. Las hojas son opuestas, decusadas y de color verde brillante en la cara superior mientras presentan manchas blanquecinas en la página inferior. Los estróbilos, globosos, están compuestos por 6-10 escamas cuneiformes, acartonadas o leñosas, y mucronadas; cada escama protege a 3-5 pequeñas semillas ovoidales. La madera, de color blancoamarillento, apenas teñida de color rosa, es ligera, fuerte y duradera y se emplea en construcción civil y naval. Esta especie se distingue del género *Thuja* por sus hojas más anchas y manchas claras mayores en la cara inferior, y por el fruto desgarbado con umbón prominente.

Propagación: Por semillas, pero no es especie de gran germinabilidad; las variedades se obtienen por injerto sobre *Thuja orientalis*.

Condiciones de cultivo: Ambiente bastante rústico; necesita no obstante una cierta humedad ambiental.

45 TORREYA
Torreya californica

Familia: Taxáceas

Etimología: El nombre fue adjudicado en honor al botánico americano John Torrey (1796-1873).

Hábitat: Especie indígena de California.

Descripción: Árbol de gran porte, hoja perenne, que supera los 20 m de altura; la corteza es de color gris oscuro y las ramificaciones se disponen de modo bastante abierto; las ramificaciones secundarias son colgantes. Las hojas (1), lineadas, miden hasta 8 cm, se insertan en líneas espiraladas sobre las ramas, pero debido a la distorsión del corto pecíolo aplastado, aparecen en disposición dística. Son de color verde oscuro, brillantes en la página superior, con dos bandas amarillentas en el envés, y desprenden un olor desagradable si se estrujan. Las flores son unisexuales; las masculinas se reúnen en pequeños estróbilos axilares; las femeninas consisten en un óvulo solitario, con una base escamosa. Los frutos (2) son parecidos a drupas de forma oblonga oval, y consisten en una semilla con una envuelta dura rodeada de un arilo carnoso, de color verde claro con estriaciones de color rojo violáceo.

Propagación: Mediante semillas; por esqueje semileñoso, en cuyo caso la planta crece muy lentamente, y por injerto, en general sobre pies de *Cephalotaxus.*

Condiciones de cultivo: Los ejemplares jóvenes no toleran las heladas y los adultos sólo las soportan cuando son esporádicas y no prolongadas.

46 ABETO ORIENTAL
Tsuga canadensis

Familia: Pináceas

Etimología: El nombre genérico deriva de la palabra japonesa utilizada para describir a la especie asiática.

Hábitat: Esta especie es nativa de Norteamérica.

Descripción: Conífera de hoja perenne que alcanza 20-35 m de altura; al llegar a la madurez el tronco está dividido a partir de la misma base; la madera, blanda, carece de valor práctico, pero en cambio la corteza contiene abundantes cantidades de taninos y se utiliza para el curtido de pieles. Las ramificaciones son dispersas, y a menudo no verticiladas, con las ramas delgadas; las ramificaciones jóvenes son pubescentes. Las hojas (1) son de color glauco, con dos líneas estomáticas blanquecinas en el envés, miden de 10 a 20 mm, en general dísticas y poseen un conducto resinífero central; por otro lado, toda la planta es muy resinosa. Las flores son unisexuales; las masculinas están reunidas en amentos globosos, y las femeninas son terminales, a base de escamas, portadora cada una de ellas de dos óvulos en la base. Los estróbilos (2) son pequeños, colgantes, con escamas persistentes y semillas aladas. Soporta bien las podas e incluso se utiliza más como seto que como árbol. Existen distintas variedades, entre las que *pendula*, con porte semejante al sauce llorón, es muy bella.

Propagación: Mediante semillas en primavera, o por esqueje del leño maduro a finales del verano.

Condiciones de cultivo: Ambiente muy rústico; no tolera los fuertes calores estivales.

47 NUEZ DE BETEL O ARECA
Areca catechu

Familia: Palmas
Etimología: Deriva del nombre vulgar utilizado por los indígenas de Malabar, en la India sudoccidental.
Hábitat: Posee una amplia zona de distribución, que se extiende desde Asia meridional a la Polinesia, a través del archipiélago malayo.
Descripción: Palma delgada, con estípite erecto y bastante delgado, solitario, que en las zonas de origen alcanza 10-30 m de altura y está rematado por una corona de grandes hojas, de unos 2 m de longitud, pennadas, con segmentos bastante grandes, de color verde oscuro, glabras e irregularmente dentadas en el ápice, con pecíolo inerme. Algunas de las hojas externas son colgantes, pero el porte general es erecto. Las flores son unisexuales y se reúnen en una inflorescencia en espádice ramificada, que nace por debajo la copa foliar e incluso está separada de ella. Las flores femeninas (2) son solitarias y se hallan dispuestas en la base de las ramificaciones, están rodeadas de flores masculinas, perfumadas, más pequeñas y blancas. El fruto (3) es una baya ovoide, anaranjada, que mide unos 5 cm, cuyas semillas, rodeadas por un revestimiento blando, contienen una sustancia colorante. En todos los países orientales, estas semillas, junto con el cáliz y envueltas con hojas de *Piper betle,* se utilizan como bolos para mascar y proporcionan una ligera embriaguez.
Propagación: Por semillas.
Condiciones de cultivo: Ambiente exclusivamente tropical

---

48 BRAHEA
Brahea dulcis

Familia: Palmas
Etimología: El nombre recuerda a Tycho Brahe, astrónomo danés (1546-1601).
Hábitat: Especie originaria de México.
Descripción: El estípite, recto, alcanza 6 m y su parte superior está por lo general cubierta por la base de las hojas secas, mientras que su porción baja es lisa, señalada sólo anularmente por las cicatrices dejadas por las hojas al caer. Emite retoños basales, por lo que varios estípites aparecen juntos, coronados por un haz de hojas (1) muy numeroso, palmadas, casi circulares, divididas profundamente en unos 50 segmentos delgados, incluso con ligeros filamentos; las hojas se sostienen mediante pecíolos planos o convexos, con los bordes de color pálido, fibrosos en la base envainante, provistos de pequeños dentículos dirigidos hacia abajo. Las flores (2) son hermafroditas, rodeadas de una pelusilla blanquecina, se reúnen en espádices ramificados que pueden superar los 2 m de longitud, colgantes entre las hojas más bajas. Los frutos (3) miden poco más de 1 cm, son ovoides, amarillos, suculentos y comestibles.
Propagación: Mediante semillas.
Condiciones de cultivo: La especie prospera en climas templados, aunque soporta heladas esporádicas. El sustrato debe ser humífero, pero arenoso, y la humedad, tanto en el suelo como en la atmósfera, alta.

49 BUTIA
Butia capitata

Familia: Palmas
Etimología: El nombre procede del que es de uso común en Brasil.
Hábitat: Especie originaria de Brasil, Uruguay y Argentina.
Descripción: Esta especie estuvo anteriormente incluida dentro del género *Cocos*, de la que se separó con el nombre de *C. australis*, nombre con el que todavía suele denominarse en ambientes comerciales. El estípite, marcado con las cicatrices de las hojas caídas, es cilíndrico y alcanza unos 5 m de altura, está provisto de una corona de largas hojas que pueden llegar a medir 3-4 m de longitud, las externas decididamente colgantes y las internas semierectas, dando con ello la falsa impresión de un follaje amplio. Las hojas son pennadas, están divididas en segmentos lineares y glaucescentes bastante rígidos, de color blanquecino en el envés, con la base del raquis envainante y fibrosa. Las flores son unisexuales, con la inflorescencia en espádice, y las femeninas producen unos frutos que son drupas anaranjadas, del tamaño del huevo de una paloma, con pulpa dulce y comestible, y semillas oleaginosas.
Propagación: Mediante semillas.
Condiciones de cultivo: Especie semirrústica; requiere sin embargo humedad ambiental. En fase adulta tolera las heladas, a condición de que no sean demasiado largas ni intensas.

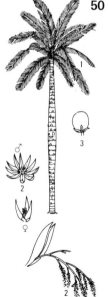

50 PALMERA DE LOS ANDES
Ceroxylon andicola

Familia: Palmas
Etimología: Deriva de las raíces griegas *keros*, cera, y *xylon*, árbol, lo que significa "árbol de la cera" y corresponde a la realidad. El nombre le fue dado por los célebres botánicos y exploradores Humboldt y Bompland, que introdujeron este nombre genérico en 1807 al publicar su libro "Plantas equinotiales".
Hábitat: La especie vive en la cordillera andina central, hasta alturas de 3000 m.
Descripción: Posee un estípite altísimo, de hasta 30-40 m, que puede alcanzar 1-2 m de circunferencia, rodeado por cicatrices foliares y cubierto de un revestimiento céreo que trasuda, en especial en los puntos de inserción de las hojas y cuela a lo largo de todo el tronco cubriéndolo de una capa grisácea que le proporciona el aspecto de una columna marmórea. Las hojas (1) miden hasta 4 m de longitud, son pennadas, con segmentos acuminados, de color verde oscuro por encima y blanquecino por debajo; el espádice (2) florido forma un hermoso racimo de color amarillo oro. Los frutos (3), bayas monospermas, grandes como canicas, al madurar adquieren un hermoso color púrpura. La cera producida por esta palmera difícilmente se encuentra en el mercado europeo, debido a que su producción es absorbida por el consumo local de los países sudamericanos.
Propagación: Mediante semillas, que germinan con relativa facilidad.
Condiciones de cultivo: Prefiere los ambientes moderadamente cálidos y húmedos.

51 COCOTERO
Cocos nucifera

Familia: Palmas

Etimología: Parece ser que el nombre deriva de la palabra portuguesa *coco,* simio, y metafóricamente bocaza, a causa de las tres perforaciones del fruto que recuerdan una cara.

Hábitat: Especie muy extendida y cultivada desde hace siglos en todos los países tropicales, sin embargo, muchos autores suponen un origen indomalayo.

Descripción: Esta palmera posee un estípite bastante delgado y flexible, que puede alcanzar 30-40 m, señalado anularmente por las cicatrices de las hojas caídas, y dispone en el ápice, en forma de corona, hojas (1) muy grandes y pennadas, de 3-4 m de longitud, que forman un haz apical. Las flores (2), reunidas en inflorescencias en espádice, bracteadas, son unisexuales; las femeninas se disponen en la base, son en general solitarias y formadas por seis tépalos envolventes, mientras que las masculinas, muy numerosas, se sitúan en la parte superior de las ramas. El fruto (3) es la denominada nuez de coco, que en realidad es una gran drupa que contiene un líquido azucarado que al madurar se hace carnoso y que una vez seco constituye la denominada copra, de la que se extraen grasas y aceites. Toda la planta en conjunto tiene gran importancia económica, bien por el fruto o la madera; también los brotes, denominados palmitos, se utilizan en alimentación.

Propagación: El cocotero se multiplica mediante semillas; en la naturaleza se disemina fácilmente, ya que el fruto puede ser transportado por las corrientes marinas.

Condiciones de cultivo: Sólo en ambientes tropicales o subtropicales.

---

52 CIRTOSTAQUIS
Cyrtostachys renda

Familia: Palmas

Etimología: El nombre deriva del griego *kyrtós,* curvado y *stáchys,* espiga, a causa de la forma curvada de la inflorescencia.

Hábitat: Especie originaria de Sumatra.

Descripción: Esta palma posee estípite inerme, erecto y delgado, a veces amacollado, puede alcanzar 10 m de altura. Las hojas que coronan el estípite en forma de un haz apical son pennadas, con segmentos lineares o ensiformes, generalmente obtusos en el ápice, a veces bífidos. El color de la página inferior es grisácea, y el raquis y la base de las hojas son rojizos. El espádice puede llegar a medir más de un metro, con ramificaciones casi alternas, que miden unos 40 cm. Las flores son unisexuales, reunidas sobre el mismo espádice, y los frutos, pequeños y ovoides. En su ápice permanece el estigma que es persistente.

Propagación: Mediante semillas.

Condiciones de cultivo: Ambientes tropicales, en clima cálido y húmedo; en invernaderos calientes pueden mantenerse ejemplares de pequeño tamaño.

53 PALMERA DEL ACEITE
Elaeis guineensis

Familia: Palmas
Etimología: El nombre deriva del griego *élaion*, aceite, en referencia al aceite que se obtiene del fruto.
Hábitat: África tropical, occidental y central.
Descripción: Estípite robusto que alcanza los 20 m. de altura, marcado anularmente por las cicatrizaciones de las bases de las hojas desprendidas, coronado por un gran haz apical de hojas (1), que miden 2-5 m de longitud, están provistas de pecíolo espinoso y formadas por numerosos segmentos lineolanceolados y acuminados; las hojas externas son extroflexas, y las internas erectas, lo que hace que la copa adopte un aspecto casi globoso. Las flores (2) son unisexuales y están situadas sobre inflorescencias separadas; las masculinas inmersas en fosetas con el ápice espinoso, las femeninas en espádices con pedúnculos bastante gruesos, espinosos en el ápice y tan próximos que al madurar forman una masa globoide densa de frutos, de la que emergen las puntas espinosas. Los frutos (3) aparecen en número de 200-300, y son drupas que miden 4 cm de longitud, con arilo rojo o negruzco, carnoso, que rodea a un cuerpo negro muy duro que a su vez contiene la semilla blanca y mantecosa. De los frutos se extrae un aceite utilizado en alimentación y para la fabricación de jabones, y de las semillas una manteca blanquecina que se utiliza localmente con fines culinarios.
Propagación: Mediante semillas.
Condiciones de cultivo: Ambiente tropical.

54 PALMERA AZUL
Erythea armata

Familia: Palmas
Etimología: Este nombre los griegos lo atribuían a una de las hespérides, hija de la Noche y del dragón Ladón, habitantes de una isla situada en el extremo occidental del océano. Este nombre fue dado a la especie por el botánico Watson en 1880, cuando la descubrió en una exploración botánica realizada en la isla Guadalupe.
Hábitat: México y Baja California.
Descripción: Se trata de grandes árboles con tallo desnudo terminado en un haz de hojas redondeadas en conjunto y subdivididas en 40-50 segmentos de color verdeazulado plateado; el pecíolo está provisto de fuertes espinas que merecen el atributo específico de la planta. Los espádices están muy desarrollados y las flores, bisexuales y sésiles, se reúnen en pequeños grupos de tres. El fruto es más o menos globoso y se asemeja al de *Erythea edulis*, pero, a diferencia de lo que sucede en esta última especie, no es comestible. La palmera azul es una especie elegante y decorativa, y a los atributos estéticos une su resistencia que permite su utilización, con fines ornamentales, en los climas templados en los que los mínimos invernales sólo raramente se sitúen por debajo de los 0°C, y a condición de que se disponga en una posición soleada y en un sustrato seco. Esta palma es de gran efecto estético y fue introducida en los jardines europeos a finales del siglo XIX, inmediatamente después de su descubrimiento.
Propagación: Mediante semillas.
Condiciones de cultivo: Ambiente subtropical.

55   EUTERPE
Euterpe edulis

Familia: Palmas

Etimología: En general se piensa que el nombre deriva del de la musa Euterpe, relacionada con la música y la poesía lírica, y debe probablemente su origen a la voz griega *euterpés*, de donde procede también el nombre de la musa, que significa agradable, que seduce con dulzura.

Hábitat: Originaria de Brasil.

Descripción: Estípite flexuoso y delgado, de 20-30 m de altura, coronado por un haz plumoso de hojas extroflexas, a menudo solitario, pero con frecuencia reunido también en densos grupos. Las hojas (1) son envainantes, inermes, con largos pecíolos y segmentos lineares que pueden disponerse incluso en número de 60-80 a cada lado del raquis, colgantes y que miden unos 3 m. Las flores, pequeñas, blancas y sésiles se sitúan en los huecos de los espádices ramificados; los pequeños frutos (2), semejantes a un guisante, son de color púrpura; las semillas, maceradas en agua, producen un brebaje consumido localmente y que se denomina "assaí", y la planta toma también el nombre vernáculo de palmera assai. La planta pertenece al grupo de las denominadas palmeras col, de las que se consumen los jóvenes brotes, bien sea cocidos o bien en forma de ensalada.

Propagación: Mediante semillas que germinan relativamente en poco tiempo.

Condiciones de cultivo: Ambiente tropical; los jóvenes ejemplares se mantienen en invernadero.

56   KENTIA
Howeia fosteriana

Familia: Palmas

Etimología: La especie se conoce también, incorrectamente, como *Howea;* el nombre deriva de su lugar de origen, la isla de Lord Howe, al este de Australia, donde la especie es endémica.

Hábitat: En su lugar de origen, sólo se conocen dos especies de este género.

Descripción: Esta elegante palmera está, sin duda, entre las más conocidas, dado que los ejemplares jóvenes se utilizan usualmente como planta decorativa de interior, pero en su país de origen y al cultivarse en condiciones climáticas semejantes, pueden alcanzar los 20 m de altura. Posee estípite robusto, marcado anularmente por las bases de las hojas caducas (1). La copa, apical, está formada por largas hojas (2) que se hacen más o menos grandes con la madurez de la planta, sostenidas por débiles y largos pecíolos; son pennadas, con segmentos coriáceos bastante anchos. Las flores se reúnen en espádices que aparecen entre las bases de las hojas opuestas y son unisexuales; las masculinas presentan sépalos redondos. Los frutos (3) son drupas parecidas a aceitunas, de color amarillo verdecino, y aparecen en grandes racimos que maduran aproximadamente al cabo de seis años después de la primera floración.

Propagación: Mediante semillas, obtenidas por importación, ya que esta especie fructifica casi exclusivamente en su país de origen.

Condiciones de cultivo: Los ejemplares jóvenes pueden cultivarse en maceta, como planta de interior. En verano deben mantenerse al aire libre.

57 PALMERA "DUM"
Hyphaene thebaica

Familia: Palmas
Etimología: El nombre deriva del griego *ypháino,* trenzado, debido a las fibras del fruto.
Hábitat: Especie originaria del Alto Egipto, Sudán y Kenia.
Descripción: Esta palmera es prácticamente la única que posee tallos ramificados; puede alcanzar 15 m de altura. Las ramificaciones son dicotómicas, bifurcadas y cada una de ellas lleva en el extremo una roseta de hojas en abanico, no muy grandes, con pequeñas espinas, y segmentos agudos. Las más externas son decididamente colgantes. Los estípites son delgados y lisos, sólo parcialmente recubiertos por las bases de las hojas caídas. Su porte general es francamente distinto del de las restantes palmeras. Las flores son unisexuales, y producen unos frutos, drupas amarillo anaranjadas, comestibles y perfumadas.
Propagación: A pesar de los estípites ramificados, esta especie se reproduce en general mediante semillas, en sustrato arenoso y con un nivel bastante alto de calor.
Condiciones de cultivo: Esta especie sólo puede cultivarse en sus países de origen y en las restantes regiones de África tropical; los ejemplares jóvenes sólo raras veces se mantienen en invernaderos debido a que su debilidad les hace poco decorativos.

58 PALMERA DE CHILE
Jubaea chilensis

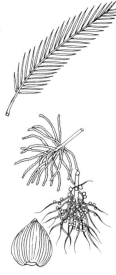

Familia: Palmas
Etimología: El nombre recuerda al rey Giuba de Numidia, que vivió en el siglo I a. de C.
Hábitat: Esta especie es originaria de Chile.
Descripción: Este género es monotípico, ya que sólo comprende a esta especie, conocida también con el nombre de *J. spectabilis.* Alcanza 25 m, e incluso alturas superiores; posee estípite robusto, cubierto por las bases de las hojas ya secas, y sostiene en el ápice una gran corona de largas hojas pennadas con segmentos lineolanceolados, rígidos y con la base envainante. Las hojas más internas son erectas, y las externas colgantes. La inflorescencia es una espádice, con flores unisexuales, que produce los frutos parecidos a pequeñas nueces de coco, tanto que los indígenas los denominan coquitos. La particularidad de la planta es trasudar un líquido azucarado por las lesiones del tronco y esta secreción continúa mientras el tallo se mantiene vivo. De una planta adulta puede obtenerse, en tres meses, unos 400 litros de jarabe. En los países de origen, este líquido se hierve y se obtiene una melaza denominada miel de palma; por fermentación se prepara una bebida alcohólica.
Propagación: Mediante semillas.
Condiciones de cultivo: Especie semirrústica; tolera heladas esporádicas una vez adulta, pero sólo medra en climas benignos.

59 LATANIA
Livistona australis

Familia: Palmas

Etimología: El nombre recuerda a Patrick Murray, barón de Livingstone, que ya antes de 1680 disponía de un jardín muy rico en plantas raras y que se convirtió en el núcleo del futuro jardín botánico de Edimburgo.

Hábitat: Especie originaria de Australia.

Descripción: Palmera delicada que puede alcanzar y superar los 20 m de altura; el estípite está señalado anularmente por las cicatrices de las bases de las hojas caducas. En estadio juvenil está completamente recubierta por las bases y por fibras marronáceas. Las grandes hojas palmadas, coriáceas y delicadas que coronan el ápice son casi orbiculares y superan el metro de diámetro; están divididas en dos partes distintas, con delgados segmentos verdes, plisados, y con la nerviación central amarillenta, con la punta acuminada que puede ser entera o bien estar dividida en dos partes. El pecíolo está provisto de grandes espinas curvas. Las flores están reunidas en largos espádices erectos que se hacen pedunculados cuando, una vez realizada la fecundación, aparecen los frutos, que son oblongos, amarillos o marronáceos.

Propagación: Mediante semillas.

Condiciones de cultivo: Especie semirrústica; tolera temperaturas próximas a 0°C, pero a condición de que sean esporádicas y no prolongadas.

---

60 SAGÚ
Metroxylon sago

Familia: Palmas

Etimología: Procede del griego *métro*, médula de los árboles, *xýlon*, madera, debido a la gran parte interna medular.

Hábitat: Especie originaria del archipiélago malayo.

Descripción: Estas palmeras son a menudo cespitosas y presentan múltiples estípites que alcanzan aproximadamente 12 m de altura y un diámetro de 70 cm. Las grandes hojas (1) suberectas, pennadas, con segmentos lineares y acuminados, opuestas, pueden medir hasta 6 m de longitud. Las flores (2), polígamas o monoicas, están dispuestas sobre grandes espádices ramificados que forman una especie de tirso ensanchado; los frutos (3) son drupas semiglobosas o elípticas, que miden unos 3 cm, con una sola semilla, revestidos de escamas imbricadas y emplean varios años antes de alcanzar la completa maduración. Los estípites mueren después de la fructificación, pero la raíz permite la aparición de nuevos brotes. La médula se utiliza como fécula y se extrae de la planta antes de la floración. La fécula que se extrae constituye el sagú que es un elemento de importancia fundamental en la alimentación indígena.

Propagación: Mediante semillas.

Condiciones de cultivo: La especie sólo se cultiva en los trópicos, en su área natural de difusión.

61 PALMERA CANARIA
Phoenix canariensis

Familia: Palmas

Etimología: El nombre genérico corresponde a una voz muy antigua, citada ya por Teofrasto; probablemente fueron los fenicios los primeros en dar a conocer este árbol a los griegos.

Hábitat: El nombre específico indica su origen, y es en efecto uno de los endemismos de las islas Canarias, actualmente extendido a otras regiones mediante cultivo.

Descripción: Es la palmera más conocida de todas las que se utilizan con finalidad ornamental, ya que en fase juvenil puede mantenerse en una maceta, mientras que en estado adulto suele decorar a los jardines de la región mediterránea. Es un árbol vigoroso que puede alcanzar los 20 m de altura; posee hojas pennadas (1) de 5 a 7 m, con segmentos muy acuminados que en la parte basal pueden transformarse en grandes espinas geminadas en el punto de inserción. Los espádices (2) están sostenidos por largos pedúnculos de 1 m y más de longitud, curvados. Los frutos, de unos 2 cm de largo, tienen forma ovoideglobosa y con envoltura amarilla, con tendencia rojiza. Difiere de la especie *P. dactylifera* por poseer un tallo más tosco y por los segmentos foliares más anchos y rígidos, de color verde brillante.

Propagación: Se reproduce mediante semillas, pero en los países tropicales, con el fin de conservar las características útiles, se recurre a la multiplicación por vástagos o retoños basales.

Condiciones de cultivo: Templado cálido o bastante suave.

---

62 PALMERA COMÚN
Phoenix dactylifera

Familia: Palmas

Etimología: El nombre de la especie se debe a la presencia de los frutos comestibles, los dátiles.

Hábitat: Especie originaria de Asia occidental y del norte de África.

Descripción: Esta palmera, cuyo estípite está cubierto ya a partir de la base por las hojas desecadas, puede alcanzar los 30 m de altura; se la confunde a menudo con *P. canariensis*, más tosca y decorativa. Es además la única especie del género que produce frutos comestibles, los dátiles. Las hojas (1) son pennadas, ascendentes, arcuadas, glaucas, con segmentos lineoacuminados y con pequeñas espinas; forman una corona terminal. La planta es dioica; las inflorescencias están encerradas en una espata, sobre un espádice ramificado, y la polinización, generalmente artificial en la práctica comercial, se realiza sacudiendo la inflorescencia masculina en la espata de la femenina. Las flores (2) son incospicuas; el fruto (3) es una baya cuyo pericarpio, carnoso y azucarado, constituye ya parte comestible. Esta palmera puede emitir una serie de vástagos basales, pero el estípite nunca está ramificado.

Propagación: Mediante semillas o a través de los vástagos basales.

Condiciones de cultivo: Se trata de una especie de fácil cultivo; requiere sin embargo calor y humedad en las raíces. La temperatura alta y la exposición a pleno sol con requisitos fundamentales. Los híbridos son muy frecuentes.

63 PALMERA DEL SENEGAL
Phoenix reclinata

Familia: Palmas
Etimología: El atributo de la especie se debe al tallo que se hace serpenteante en los ejemplares adultos.
Hábitat: Especie propia del África tropical, en especial de Senegal.
Descripción: Esta palmera, que puede alcanzar 8 m de altura, con estípite delgado y flexuoso, emite fácilmente numerosos retoños basales y si no se apartan, forma múltiples tallos; el tallo principal permanece más bajo. La corona de hojas situada en el ápice es muy incurvada; las hojas (1) son pennadas, de color verde brillante, con segmentos rígidos dispuestos sobre doble fila, acuminados y punzantes. El segmento central es bífido, los inferiores son espinosos, y los más bajos, extraordinariamente modificados, se reducen a una larga espina. Esta especie es dioica, con flores (2) unisexuales situadas sobre pies distintos, reunidas en racimo. Se han intentado numerosas hibridaciones con otras especies, y sólo unas pocas lo han sido con éxito, especialmente en la Riviera francoitaliana donde el género halla unas condiciones climáticas muy semejantes a las de su país de origen. Los frutos (3) de la especie tipo son pequeños y rojos, pero los de algunos cruzamientos son de color negro.
Propagación: Mediante semillas.
Condiciones de cultivo: Climas tropicales y subtropicales, comprendidos aquéllos de clima benigno en el que el frío es esporádico y jamás muy intenso.

64 PALMERA REAL
Roystonea regia

Familia: Palmas
Etimología: El nombre genérico recuerda al general Roy Stone (1836-1905) que condujo al ejército norteamericano en Puerto Rico. El nombre antiguo de la especie fue el de *Oreodoxa*, y como tal todavía se la conoce.
Hábitat: La palmera posee una amplia área de distribución, desde Florida hasta la zona septentrional de Sudamérica.
Descripción: Esta robusta planta alcanza alturas de 30 y más metros, con estípite liso y erecto, que a veces presenta un engrosamiento por encima del punto central, pero este carácter distinto puede también faltar. Las hojas (1) forman un copete terminal: están graciosamente curvadas y son extroflexas, inermes, pennadas, con un número par de folíolos insertos sobre el raquis en dos hileras opuestas. El pecíolo es semicilíndrico, envainante, inerme y la hoja entera puede alcanzar la longitud de 3-6 m. Las flores están reunidas en espádices, con ramificaciones colgantes, son pequeñas y de color blanco; los frutos (2) son de color violeta negruzco, globosos u oblongos y la semilla es bastante pequeña.
Propagación: Mediante semillas.
Condiciones de cultivo: Ambiente tropical y subtropical, en climas cálidos y húmedos.

65 SABAL
Sabal palmetto

Familia: Palmas
Etimología: El nombre deriva probablemente del que se utiliza en Sudamérica.
Hábitat: La especie crece espontánea en los Estados Unidos, parte meridional, en Carolina y Florida, y se extiende a las Indias Occidentales.
Descripción: Esta especie puede alcanzar una altura de 20-25 m, posee estípite erecto, robusto, casi siempre cubierto de las bases persistentes de las hojas y entrecruzado por las pequeñas vainas de las hojas desecadas. El ápice está coronado por un gran topete de hojas (1) pennatífidas con largos segmentos lineares que son parcialmente extroflexos; el largo pecíolo envainante es erecto en las hojas centrales, curvados hacia fuera en las hojas externas. Los segmentos son filamentosos en el borde, de color verde en la cara superior, grisáceos en la página inferior, profundamente hendidos en el centro. Las flores (2), pequeñas y blanquecinas, nacen sobre largos espádices ramificados y extendidos, más cortos que las hojas; los frutos (3), desarrollados a partir de estas flores, son drupas, de color negro al alcanzar la madurez, de aproximadamente 1 cm de longitud. Antes de la unificación de los Estados del norte y del sur, *S. palmetto* era el emblema de Carolina del Sur y figuraba en su bandera.
Propagación: Mediante semillas o por los retoños basales.
Condiciones de cultivo: Terrenos muy fértiles y perfectamente irrigados, en climas muy suaves; en estado adulto resisten fríos esporádicos.

---

66 PALMITO TEXANO
Sabal texana

Familia; Palmas
Etimología: El atributo específico obedece a su lugar de origen.
Hábitat: Especie endémica de la región meridional de Texas.
Descripción: Esta palmera es un árbol de aspecto bastante robusto, que alcanza 15 y más metros de altura, con un diámetro del estípite de unos 45 cm, externamente de color rojo marronáceo. Es una de las especies más elegantes de todas las que componen el género, a pesar de que las bases de las hojas desecadas o incluso la misma hoja permanecen durante largo tiempo unidas al estípite. La copa que corona el ápice es densa y redondeada; las hojas (1) poseen un largo pecíolo rojizo y son flabeliformes, con láminas costatopalmadas, profundamente hendidas, de hasta un metro de anchura, con segmentos acuminados, pendientes y parcialmente rotáceos, ligeramente filamentosos en el borde. Las flores (2), perfumadas, hermafroditas, nacen en inflorescencias que generalmente superan en longitud a las hojas, muy ramificadas; a continuación aparecen los frutos (3), globosos y negruzcos, drupáceos, con micrípilo prominente.
Propagación: Mediante semillas.
Condiciones de cultivo: Climas suaves y terrenos humíferos.

67 PALMITO ELEVADO
Trachycarpus fortunei

Familia: Palmas
Etimología: El nombre deriva del griego *trachýs,* rudo, tosco, y *karpós,* fruto, debido a la morfología de los frutos de algunas de las especies.
Hábitat: Especie originaria de China.
Descripción: Esta palmera posee un estípite robusto, cubierto por las vainas de las viejas hojas y de largas fibras de color marrón oscuro, que hacen que parezca pubescente; las hojas, que forman una gran corona apical, poseen un largo pecíolo inerme y la lámina, orbicular, está dividida en numerosos segmentos ensiformes de color verde oscuro. Las flores aparecen en numerosos y largos espádices ramificados con numerosas brácteas parecidas a espatas; pueden ser unisexuales o hermafroditas, dispuestas sobre la misma planta. Son pequeñas, con tres sépalos y tres pétalos, y dan lugar a frutos drupáceos, globoides y reniformes, con un profundo surco, azulados.
Propagación: Mediante semillas.
Condiciones de cultivo: Esta palmera es una de las más resistentes al frío, tolerando incluso temperaturas por debajo de 0°C cuando es adulta. Los jóvenes ejemplares deben ser protegidos en invierno, en invernaderos fríos, en los climas menos adecuados.

---

68 WASHINGTONIA
Washingtonia filifera

Familia: Palmas
Etimología: La planta recibió este nombre genérico en honor a George Washington.
Hábitat: La especie es originaria de California y Arizona.
Descripción: Esta palma, que puede alcanzar 10-12 m de altura, posee estípite cilíndrico, erecto, ensanchado en la base, cubierto en parte por las hojas secas que, al caer, dejan la señal sobre la corteza, de forma que queda estriada anularmente. Las hojas (1) poseen largos pecíolos y están armadas con espinas finas; al principio son erectas y luego se incurvan. Los segmentos lineares se disponen en forma de abanico y sus márgenes presentan un cierto número de fibras filiformes. Las inflorescencias son espádices ramificados en forma de tirso, con las ramas delgadas y flexibles; las brácteas son membranosas y glabras. Las pequeñas flores, blancas e insignificantes, dan lugar a los frutos (2), que consisten en una drupa de color negro, con una semilla oscura, ligeramente aplastada.
Propagación: Mediante semillas, pero son de germinación lenta; como sucede en todos los componentes de la familia, el crecimiento está muy lejos de ser rápido.
Condiciones de cultivo: La especie crece en los climas suaves, a pesar de que puede soportar situaciones por debajo de cero, a condición de que las heladas sean esporádicas y no prolongadas. En los jardines, en los que el clima lo permite, se utiliza incluso para flanquear los paseos.

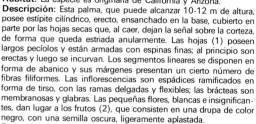

LATIFOLIOS ORNAMENTALES Y LEÑOSOS

69 ESPINILLO
Acacia horrida

Familia: Leguminosas
Etimología: El nombre específico indica la peligrosidad de las espinas de este árbol, propio de la estepa o de la sabana arbolada.
Hábitat: Regiones áridas de África septentrional y central.
Descripción: El tallo puede alcanzar 4-7 m, posee ramificaciones espinosas escasas, formando una copa bastante regular y globosa. Las hojas (1), alternas, están formadas de 3-7 pínulas, compuestas a su vez de 10 pares de folíolos lineales agudos y de color verde pálido, algo glaucescentes. Las estípulas, transformadas en espinas, están separadas, son robustas, blancas y muy acuminadas, miden de 3 a 6 cm. Las flores (2), aromáticas y amarillas, se disponen en cabezuelas y plumosas bastante grandes, reunidas en la axila de las hojas; florecen en julio-agosto. Los frutos (3) son grandes legumbres oblongas, negruzcas y algo estranguladas y contiene 3-5 semillas. Esta especie muestra en su ambiente original una gran capacidad de adaptación a los climas áridos y secos. Su aspecto es muy semejante al de **A. cavenia,** pero se distingue fácilmente por sus largas espinas blancas, muy evidentes sobre todo en los ejemplares jóvenes. En algunas regiones con escasas precipitaciones, como por ejemplo el sur de Italia, se cultiva como especie hortícola por su abundante floración estival.
Propagación: Mediante semillas y por acodo.
Condiciones de cultivo: Es una especie bastante indiferente a la clase de suelo; resiste la sequía.

70 ARCE MENOR
Acer campestre

Familia: Aceráceas
Etimología: El nombre conserva su raíz latina.
Hábitat: Esta especie presenta una amplia zona de distribución, que se extiende por el norte de Inglaterra, sur de Suecia y Rusia, y comprende gran parte de Europa, alcanzando además Asia occidental.
Descripción: Es una especie que puede alcanzar 15-20 m de altura, posee tronco retorcido y follaje globoso; la corteza, de color gris oscuro, está fisurada en placas rectangulares. Las hojas (1), no muy grandes, son palmadas con 3-5 lóbulos, de los que el central puede ser, a su vez, trilobulado; son de color verde oscuro en la cara superior, más pálidas y pubescentes por debajo, y de consistencia casi coriácea. En otoño, antes de su caída, pasan del color amarillo al rojo. Las flores son de color verde amarillento y se reúnen en racimos erectos. El fruto (2) es una disámara característica y parecida a las palas de la hélice de un helicóptero. Es uno de los ejemplos más evidentes que sirven para ilustrar cómo la naturaleza, antes que el hombre, había producido una serie de invenciones que eran indispensables para conseguir la propagación de las especies y para la colonización sobre un territorio cada vez más amplio. Las sámaras del arce menor poseen alas abiertas horizontalmente; no se estrechan en la base y son algo ensanchadas en el ápice; miden 2-4 cm.
Propagación: Mediante semillas en semillero.
Condiciones de cultivo: La especie es frecuente en terrenos calcáreos.

71 ARCE DE MONTPELLIER
Acer monspessulanum

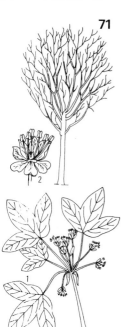

Familia: Aceráceas

Etimología: El nombre específico atribuye este arce a la zona de Montpellier, ciudad de Francia meridional.

Hábitat: La especie es propia de Europa meridional, desde la península ibérica a Asia Menor y África septentrional.

Descripción: Esta especie alcanza 6-7 m, con la copa ancha y dispersa, corteza de color gris amarillento, al principio lisa y más adelante fisurada longitudinalmente; las ramificaciones jóvenes, delgadas y glabras, son de color oscuro. Las hojas (1), las más pequeñas de todos los arces europeos, son glabras, de color verde brillante en la cara superior, opacas en el envés, coriáceas y formadas característicamente por tres lóbulos obtusos. Las flores (2), pequeñas, de color amarillo verdecino, polígamas, se reúnen en corimbos terminales que aparecen antes que las hojas. La infrutescencia es colgante; es una disámara glabra con alas casi paralelas, de 2-3 cm, constrictas en la base. La madera es la más dura y compacta de todos los arces europeos, de color rojizo; es poco utilizada. Ya que la especie prefiere los terrenos secos y pedregosos, calcáreos, esta especie se utiliza para repoblar los terrenos secos y rocosos. Puede cultivarse también como sostén de la vid o como especie ornamental en parques y jardines.

Propagación: Mediante semillas.

Condiciones de cultivo: Es una especie muy amante de la luz, y soporta bastante bien la sequedad.

---

72 NEGUNDO
Acer negundo

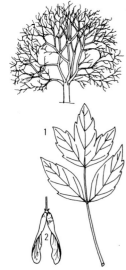

Familia: Aráceas

Etimología: El nombre específico procede del sánscrito y bengalí *nurgundi*, palabra utilizada para designar a un árbol que presenta hojas compuestas parecidas a las de un negundo.

Hábitat: Especie originaria, en su forma típica, de Norteamérica.

Descripción: Esta especie alcanza 15-20 m, con las ramificaciones jóvenes verdes y glabras. Las hojas (1), compuestas de 3-5 folíolos ovadoacuminados, con grandes denticiones, presentan el folíolo terminal trilobulado. Las flores, de color verde amarillento, se presentan en sexos separados y aparecen antes que las hojas. Los frutos (2) son, como en todos los representantes del género, sámaras geminadas que forman entre sí un ángulo agudo y en las que el ala se presenta generalmente curvada con la cavidad dirigida hacia el eje central. Este árbol, muy rústico, fue importado a Europa en 1688; en principio carecía de estructura interesante y de coloración vivaz. Se han cultivado distintas variedades por la belleza del follaje, en parques y jardines, como *variegatum,* con las hojas ampliamente bordeadas por una banda blanca que hace que su follaje sea muy ornamental. Su utilización, en especial en la especie tipo, puede ser como cortaviento; al practicar incisiones en el tronco puede extraerse un líquido azucarado, semejante al de la especie *A. saccharum.*

Propagación: Mediante semillas; la forma variegada puede multiplicarse también por injerto sobre la especie tipo.

Condiciones de cultivo: Climas templados a condición de que sean húmedos.

73 ACIRÓN
Acer opalus

Familia: Aceráceas

Etimología: El nombre específico procede probablemente de la voz *opulus,* antiguo nombre latino de una especie de arce que ha estado asignada con el nombre específico de *Viburnum opulus,* por la semejanza de sus hojas con las del arce.

Hábitat: Esta especie es originaria de los países del Mediterráneo occidental.

Descripción: En general mide 10-15 m, pero puede alcanzar excepcionalmente 23 m, con el tronco retorcido y la copa amplia y redondeada. Las hojas (1) simples, palmadas, con la lámina tan ancha como larga, cordadas en la base, muestran 3-5 lóbulos subagudos en el ápice, de color verde oscuro, brillantes en la cara superior y opacos en la inferior; son de consistencia coriácea, disponen de un pecíolo que mide 2-5 cm y enrojecen en otoño. Las flores (2), polígamas, de color blanco verdecino, se reúnen en corimbos terminales colgantes y aparecen antes que las hojas, en abril-mayo. Los frutos (3), sostenidos por un largo pedúnculo, son disámaras colgantes, las alas forman un ángulo recto y están ensanchadas en la parte mediana. El leño, de color blanco rosado, con brillo céreo, es compacto, resistente y muy apreciado para la elaboración de muebles, revestimientos de valor y para construcción de instrumentos musicales. Esta especie se utiliza también para bordear las carreteras o para repoblación de suelos calcáreos ondulados.

Propagación: Mediante semillas.

Condiciones de cultivo: Esta especie es partidaria de los terrenos básicos y los climas templados.

---

74 ARCE JAPONÉS
Acer palmatum

Familia: Aceráceas

Etimología: El nombre específico describe la forma de las hojas que recuerda a la de la palma de la mano con los dedos separados.

Hábitat: Su área originaria incluye China, Corea y Japón.

Descripción: Árbol de 5-8 m de altura, con la copa en forma de cúpula, ramificaciones secundarias pequeñas, pecíolos y pedúnculos glabros. Las hojas (1), de extraordinaria elegancia, muestran 5-9 lóbulos o divisiones que a su vez pueden ser oblongoacuminados, doblemente serrados o incisos, pero siempre con los pecíolos glabros. Si se quiere en un jardín conjugar la elegancia del porte con una coloración brillante, que pueda variar según la estación, debe pensarse en un arce japonés, ya que en la primavera presenta un follaje con colores difuminados, del verde al rojo, mientras que en otoño luce sus colores más encendidos. Las flores, reunidas en corimbos paucifloros, son erectas y de color rosa púrpura. Los frutos (2) son disámaras que forman un ángulo obtuso. Puesto que existen muchas variedades, los especialistas han intentado mezclar los dos caracteres variables, es decir, el color y el diseño de las hojas. La especie *A. japonicum* es muy parecida, pero se distingue por presentar el pecíolo cubierto de un fino tomento.

Propagación: Mediante semillas, pero si quiere mantenerse constante la característica del follaje, es necesario recurrir al esqueje.

Condiciones de cultivo: Terrenos fértiles, humíferos y frescos.

75 ARCE SECO
Acer platanoides

Familia: Aceráceas
Etimología: El nombre específico indica que esta especie presenta un follaje semejante al del platanero, pero se trata sólo de una semejanza y en realidad no existe ninguna posibilidad de confusión.
Hábitat: Esta especie presenta una vasta área de distribución, desde los Pirineos a los Urales y Cáucaso, y desde Escandinavia y Finlandia hasta Grecia e Italia central.
Descripción: Árbol que puede alcanzar hasta 25 m de altura, muy semejante al falso plátano, con el que se confunde, pero que sin embargo se diferencia por la corteza finamente hendida longitudinalmente, que no se separa en placas, y por las hojas (1) simples y caducas, pero con incisiones poco profundas y abiertas, de color verde en ambas caras y sostenidas por un pecíolo rojizo que emite un látex al ser arrancado de la ramificación. El follaje se tiñe en otoño de color rojo vivo. En (2), las flores. El fruto es una disámara de color amarillo verdecino cuando está madura, presenta carpelos aplastados y amplios, muy separados y no estrechados en la base. La madera, pesada y homogénea, compacta, es menos blanca y brillante que la del arce menor y por lo tanto menos apreciada. Las hojas se emplean como forraje y pajaza.
Propagación: Mediante semillas en octubre.
Condiciones de cultivo: Entre todos los arces europeos, el arce seco es el más exigente con respecto a las condiciones del terreno, que debe ser fresco y profundo.

---

76 FALSO PLÁTANO
Acer pseudoplatanus

Familia: Aceráceas
Etimología: El nombre específico alude a la posibilidad de que sus hojas, dada la semejanza, puedan confundirse con las del platanero.
Hábitat: Esta especie presenta amplia distribución, desde los Pirineos al Cáucaso y Persia; es propia de los bosques montanos.
Descripción: Puede alcanzar hasta 40 m, es la especie más longeva de todas las que componen el género, con tronco recto y ramas erectas que forman una copa amplia y regular, corteza gris y lisa que pronto se fisura en una serie de escamas. Hojas (1) simples, opuestas, caducas, con cinco lóbulos agudos desigualmente dentados, separados por ángulos agudos, de color verde oscuro en la cara superior y glaucas en la inferior, donde se presenta una serie de pelusilla a lo largo de la nerviación. Las hojas varían mucho de dimensión y en la profundidad de los lóbulos, en relación a la edad y al vigor de las ramificaciones; están siempre sostenidas por largos pecíolos que al romperse no emiten látex. Los frutos (2) son disámaras con alas separadas en V; están reunidos en racimos provistos de pedúnculos cortos, verdes, a veces con tonalidades rojas; aparecen en abundancia cuando el árbol rebasa los veinte años de edad. La madera, de color blanco amarillento, tiene un aspecto brillante y se emplea en la producción de muebles de calidad y para revestimiento.
Propagación: Mediante semillas. Si se corta, rebrota con vigor.
Condiciones de cultivo: Requiere suelos fértiles, frescos y profundos.

77 ARCE ROJO
Acer rubrum

Familia: Aceráceas
Etimología: El nombre específico alude al color del follaje.
Hábitat: Su área de distribución comprende la parte oriental de Canadá y de los Estados Unidos, desde Terranova a Florida, Minnesota y Texas al oeste, extendiéndose más hacia el sur en transición con la especie *A. saccharum.*
Descripción: Este árbol alcanza 25-30 m de altura; la corteza, de tonalidad clara, permanece durante mucho tiempo lisa. El tronco es alto y columnar, las ramificaciones están muy juntas y son bastante erectas, lo que en conjunto proporciona a la copa una forma oval. Las jóvenes ramas son glabras, las yemas pequeñas y de color rojo verdecino; las hojas (1), muy pecioladas, presentan 3-5 lóbulos ovales triangulares, con el borde crenulado, y muestran la página inferior de color glauco. Las flores son de color rojo escarlata, algunas veces amarillentas, y se agrupan en corimbos. Los frutos (2), también de color rojo, constituyen disámaras características, peciolados, con la parte que encierra a la semilla engrosada y las alas forman entre sí un ángulo agudo. Este arce, parecido a *A. saccharum,* se diferencia por el color rojo de las flores y de los pecíolos foliares, y por los lóbulos de las hojas separados por un ángulo más agudo. Además, su desarrollo es más rígido y su floración precoz; en otoño adquiere unas tonalidades cromáticas que varían entre el amarillo y el rojo.
Propagación: Mediante semillas.
Condiciones de cultivo: Especie rústica; prefiere los terrenos frescos y húmedos.

78 BAOBAB
Adansonia digitata

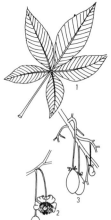

Familia: Bombáceas
Etimología: El nombre recuerda al botánico francés Michel Adanson (1727-1806) que vivió seis años en Senegal y escribió un libro acerca de la historia natural de este país.
Hábitat: Especie nativa del África tropical.
Descripción: Este característico árbol de la flora africana no alcanza una altura excesiva, y mide al máximo 12 m, pero su tronco es probablemente el más ancho de todas las especies vivientes y alcanza un diámetro de hasta 10 m. Las hojas (1), palmadas, presentan tres folíolos en fase juvenil, y de 5 a 7 en el estadio adulto; forman una copa poco densa, con las ramas escasas y separadas. El tronco contiene una madera esponjosa, impregnada de agua, sin cercos anuales, que permite al árbol resistir la sequedad. La gruesa corteza grisácea contiene una fibra muy resistente que sirve para la fabricación de papel y cordajes. Las flores son blanquecinas (2), grandes, colgantes y solitarias, sostenidas por largos pedúnculos; al cabo de poco tiempo, los pétalos se doblan hacia fuera, cerrándose sobre sí mismos y ponen al manifiesto las anteras purpúreas de los numerosos estambres. Los frutos (3), oblongos y leñosos, pueden medir 30 cm, pesan varios kilogramos y contienen una pulpa harinosa y ácida que los nativos consumen y utilizan para producir bebidas refrescantes semejantes a limonadas.
Propagación: Mediante semillas.
Condiciones de cultivo: Climas muy cálidos y áridos.

79 AILANTO O ÁRBOL DE LOS DIOSES
Ailanthus altissima

Familia: Simarubáceas

Etimología: El nombre procede de su denominación indígena en las islas Molucas, *ailanto,* que significa árbol que puede alcanzar el cielo.

Hábitat: Especie originaria de China y de las islas Molucas, naturalizada en América y en Europa, donde fue introducida en 1751 por el misionero jesuita Incarville.

Descripción: Árbol alto, de hoja caduca, con tronco erecto, corteza casi completamente lisa y grisácea, madera blanca y compacta, aunque ligera. El leño y la corteza contienen taninos y otras sustancias astringentes. La ramificación es muy laxa, y las ramificaciones secundarias juveniles están cubiertas por tomento amarillento. Las hojas (1) son alternas, imparipinnadas, compuestas de 13-15 folíolos lanceoladoacuminados, carecen de estípula, pero presentan en la base glándulas odorosas que emanan un desagradable olor si se rompe la hoja, al igual que las flores. La planta es polígama, con flores pequeñas, de color amarillo verdecino, unisexuales masculinas o hermafroditas, con cinco pétalos; las bisexuales presentan pistilo central con 5-6 carpelos y 10 estambres, de los que cinco son más cortos. Las inflorescencias son largas y densas panículas. El fruto (2) es una sámara alada y rojiza.

Propagación: Mediante semillas o por retoños basales, que aparecen con gran facilidad; esta especie es de fácil diseminación y puede hacerse infestante.

Condiciones de cultivo: El ailanto es una especie muy rústica y adaptable.

80 ALISO COMÚN
Alnus glutinosa

Familia: Betuláceas

Etimología: El género ha conservado el nombre latino originario.

Hábitat: Esta especie se extiende por Europa hasta Siberia, Asia occidental y África septentrional, a lo largo de los cursos de las aguas, con orillas pantanosas o rocosas.

Descripción: Se trata de una especie que alcanza 20-30 m; posee tronco erecto, ramificaciones escasas y muy separadas, que forman una copa alta y cónica. La corteza, de color oscuro y rugosa, se fisura en una serie de escamas delgadas y verticales con la edad. Las hojas (1), simples, obovadas, con los bordes irregularmente dentados, son de color verde oscuro en su cara superior y de una tonalidad más clara por debajo. Las flores unisexuales se reúnen en amentos; las masculinas (3), cilíndricas y colgantes, se desarrollan con anterioridad a la aparición de las hojas; las femeninas (2) son ovales y erectas. Después de la fecundación, la inflorescencia femenina se transforma en una infrutescencia pedunculada en forma de pequeño estróbilo, del que, al llegar la madurez, surgen los pequeños aquenios alados. La madera, homogénea y oscura, se endurece en contacto con el agua y si se mantiene permanentemente sumergida adquiere una notable resistencia, tanto que ha sido utilizada para la construcción de palafitos y obras hidráulicas, mientras que se altera fácilmente si está expuesta al aire. La madera del aliso es un combustible de mediocre calidad, quema sin humo y su carbón se utiliza en la preparación de la pólvora negra.

Propagación: Mediante semillas en primavera o por esqueje.

Condiciones de cultivo: Vive en terrenos inundados o arcillosos.

81 ALISO DE AMÉRICA
Alnus incana

Familia: Betuláceas

Etimología: El nombre específico significa canoso, y alude a la tomentosidad de las jóvenes ramificaciones y de los pedúnculos de las hojas.

Hábitat: Especie boreal y montana, vive en las regiones de Europa centroseptentrional, en Asia y Norteamérica.

Descripción: Árbol de 10-20 m de altura, algo más bajo que el aliso común, provisto de corteza lisa y brillante, de color gris claro, al contrario de la corteza del aliso común, que es oscura y rugosa. Las hojas (1) son simples, y disponen de un pecíolo con estípula tomentosa; son de forma ovadoelíptica, cordadas en la base, y con los bordes doble y muy finamente dentados; son de color verde oscuro y glabras en la cara superior, y gris blanquecinas y pubescentes por debajo, nunca viscosas, al contrario de lo que ocurre con las hojas del aliso que merece el nombre específico de *glutinosa* por la viscosidad de las jóvenes hojas. Las flores, unisexuales, se reúnen en amentos; las masculinas, largas y colgantes, aparecen con anterioridad a las hojas, mientras que las femeninas son más cortas, carecen de pedúnculo y se reúnen en grupos de 2-5. Los frutos (2) son extraordinariamente pequeños, y se reúnen en infrutescencias en forma de estróbilo, con escama lignificada.

Propagación: Mediante semillas, brotes radicales y también por esqueje, a pesar de que el porcentaje de éstos que enraizan no es muy alto.

Condiciones de cultivo: Prefiere los ambientes húmedos, pero rehúsa los sustratos en los que el agua se estanca; resiste bien el frío.

82 ARALIA
Aralia elata

Familia: Araliáceas

Etimología: El nombre genérico deriva de la voz francocanadiense *aralie,* término con el que se mandó una especie de este género desde América al botánico Gui Fagon (1638-1718), pero la explicación no parece merecer toda la confianza.

Hábitat: La especie es espontánea del Extremo Oriente.

Descripción: Este árbol, que puede alcanzar 15 m de altura, posee tronco ligeramente espinoso que se ramifica ya a partir de la base, punto en el que emite numerosos vástagos que sirven sucesivamente para su renovación. Las hojas son compuestas, miden más de un metro de longitud, generalmente son inermes, con folíolos dentados, ovadoacuminados, de color oscuro, generalmente pubescentes en la lámina inferior y casi completamente sésiles. Las flores son pequeñas, blanquecinas, reunidas en inflorescencias en umbela o tirso; a partir de las inflorescencias se producen unos frutos, que son drupas parecidas a pequeñas bayas, de color negro. Es una especie de crecimiento rápido; existen distintas variedades, entre ellas una con hojas glabras y espinosas, y otra *variegata,* más delicada, con los folíolos emarginados de color blanco.

Propagación: Mediante semillas, en primavera; mediante retoños radicales y esquejes radiculares; es más difícil conseguir la multiplicación a través de esquejes leñosos semimaduros, en invernadero.

Condiciones de cultivo: Especie semirrústica; propia de suelos arcillosos.

83 ABEDUL DEL PAPEL
Betula papyrifera

Familia: Betuláceas

Etimología: La denominación genérica del término celta *betu*, árbol.

Hábitat: Su área de distribución se extiende, en América septentrional, desde Alaska al norte hasta Pensilvania y Montana al sur.

Descripción: Este árbol mide 20-30 m de altura, con corteza extraordinariamente blanca que se desprende en trozos muy anchos; los indios de Norteamérica la recolectaban con cuidado para extenderla sobre sus canoas, por ello en algunos lugares se la denomina abedul de las canoas. Las ramas jóvenes son al principio pubescentes; las hojas (1) ovaloacuminadas, están tosca y doblemente serradas, son pubescentes a lo largo de la nerviación de la página inferior y están sostenidas por un pecíolo también pubescente. Las flores son unisexuales: las masculinas (2) se reúnen en amentos cilíndricos y colgantes, las femeninas, reunidas también en aumentos, son sin embargo más pequeñas y erectas. Los frutos se agrupan en una infrutescencia cilíndrica que se desarticula al alcanzar la madurez, liberando pequeñas sámaras provistas de una ala membranosa. El aceite de abedul, que se extrae de la corteza, es un líquido que contiene silicato de metilo, y se utiliza como antirreumático y antipirético.

Propagación: Mediante semillas.

Condiciones de cultivo: Especie bastante rústica; requiere climas frescos, pero requiere luz y las exposiciones umbrías le perjudican.

84 ABEDUL
Betula pendula

Familia: Betuláceas

Etimología: El nombre específico hace referencia a las características de las jóvenes ramas que son colgantes.

Hábitat: Vive en Europa y Asia Menor.

Descripción: Esta especie puede alcanzar hasta 30 m de altura y 70 cm de diámetro; la copa es muy ligera, ovoide, con las ramas separadas, flexibles, dirigidas hacia arriba y las ramificaciones secundarias colgantes que confieren a la totalidad del follaje un aspecto elegante. La corteza, lisa, es de color blanco plateado a causa de los granos de betulina que se disponen en su parte más externa, y está adornada de largas lenticelas horizontales. Las hojas (1) simples, romboidales, puntiagudas, doblemente dentadas de color verde claro y glabras. La madera, de color blanco amarillento y homogénea, se utiliza para la fabricación de esquíes, zócalos, trabajos de torneado y para la obtención de celulosa; además se utiliza como madera para la combustión dado su elevado poder calorífico. Las hojas contienen un principio colorante amarillo y la savia azucarada que se extrae mediante incisiones en el tronco, una vez fermentada, produce un licor alcohólico denominado cerveza de abedul. En (2) inflorescencia masculina y en (3), femenina; (4), fruto.

Propagación: Mediante semillas al inicio de la primavera.

Condiciones de cultivo: Terrenos sueltos y aireados; resiste un cierto grado de humedad; prefiere los climas frescos y exige iluminación intensa.

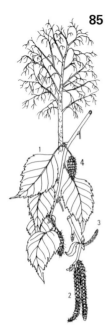

85 ABEDUL PUBESCENTE
Betula pubescens

Familia: Betuláceas

Etimología: El nombre específico alude al hecho de que las jóvenes ramificaciones están cubiertas por una fina pelusilla.

Hábitat: Su área de distribución se extiende más hacia al norte que la de *B. pendula,* sobrepasando al norte el círculo polar ártico.

Descripción: Este abedul, conjuntamente con *B. pendula,* forma parte del grupo de las *B. alba,* que anteriormente eran consideradas como una especie única. El abedul pubescente se diferencia del abedul común por su porte, porque las ramas jóvenes son más grandes y nunca colgantes, ya que la corteza juvenil es de color blanco grisáceo y amarillento, pero nunca plateada, y por el hecho de que las hojas (1), con el extremo menos acentuado, están cubiertas por una fina pelusilla en la página inferior y en el pecíolo; carece completamente de glándulas resinosas y es muy pubescente. En (2) amento masculino, (3) flores femeninas y (4) fruto. A diferencia de *B. pendula,* es una especie exigente con respecto a sus requerimientos hídricos. En los climas húmedos, el abedul pubescente se encuentra indiferentemente sobre cualquier tipo de sustrato, pero cuando la humedad ambiental es baja, se desarrolla sólo sobre terrenos pantanosos y turbosos. La madera se utiliza para torneado y contrachapado. Es además muy idónea para la obtención de celulosa. Su carbón vegetal produce el negro de humo, utilizado en estampaciones.

Propagación: Mediante semillas, que sólo deben hundirse ligeramente en el suelo y regarse.

Condiciones de cultivo: Ambiente templado frío; soporta los terrenos pantanosos.

86 BRAQUIQUITO
Brachychiton acerifolium

Familia: Esterculiáceas

Etimología: El nombre deriva del griego *brachýs,* corto, y *chitón,* túnica, debido a las escamas imbricadas.

Hábitat: Especie nativa de Nueva Gales del Sur y Queensland, en Australia.

Descripción: Es un árbol de aspecto respetable, ya que en sus lugares de origen puede alcanzar y sobrepasar los 10 m de altura; se cultiva en especial por la forma original de su follaje y sus vistosas flores de color rojo. Las hojas (1), provistas de largo pecíolo, están compuestas de 5-7 lóbulos profundos, de 20-55 cm, oblongos y lanceolados. Las flores nacen en racimos y son apétalas, pero sin embargo están provistas de un cáliz muy vistoso que mide aproximadamente 2 cm, campaniforme y con grandes lóbulos acuminados, abiertos y doblados hacia fuera, en cuyo centro se dispone la columna de estambres, con unos 10 elementos, unidos al pistilo. Los frutos (2) son grandes folículos provistos de largo pedúnculo, glabros y dehiscentes.

Propagación: Mediante semillas o por esqueje semileñoso en invernadero.

Condiciones de cultivo: Ambiente tropical y subtropical; los jóvenes ejemplares pueden cultivarse en invernadero cálido.

87 CARPE
Carpinus betulus

Familia: Coriláceas
Etimología: El nombre deriva de la palabra celta *carr,* madera y *pen,* cabeza, es decir, leño adecuado para construir yugos de bueyes.
Hábitat: La especie muestra una amplia área de distribución en Europa Central, desde Suecia meridional a Italia, de los Pirineos al Cáucaso.
Descripción: Este árbol alcanza los 20 m, con copa densa, ovaloalargada, tallo erecto y acanalado, corteza lisa de color gris cenizo, parecida a la de la haya. Las hojas (1), simples y alternas, son ovales y oblongas, acuminadas en el ápice, provistas de pecíolo corto y bordes doble y densamente dentados; son de color verde en su cara superior, y de tonalidad más clara en la inferior, y están atravesadas por 10-15 pares de nervios. Las flores, unisexuales, se reúnen en amentos, los masculinos (2) cilíndricos, laxos y colgantes, los femeninos (3), más cortos, se sitúan en el ápice de los brotes terminales. El fruto es un aquenio de forma ovoide, de color verde y surcado de varias líneas, acompañado de una amplia bráctea, papirácea y trilobular. Puesto que persisten sobre la planta una vez producida la caída las hojas, ello permite distinguir al carpe de la haya, de aspecto muy semejante, pero filogenéticamente muy alejada. El carpe se utiliza para la repoblación de los bordes de las carreteras y, puesto que soporta perfectamente las podas, para la construcción de setos.
Propagación: Mediante semillas, brotes radicales o propágulos.
Condiciones de cultivo: Prefiere los terrenos blandos y profundos y las laderas secas y soleadas.

88 NUEZ DE AMÉRICA
Carya ovata

Familia: Juglandáceas
Etimología: El nombre deriva del griego *kárya,* voz utilizada para indicar al nogal, y *káryon,* utilizado en referencia a todos los frutos de forma análoga a una nuez.
Hábitat: América septentrional.
Descripción: Este árbol puede alcanzar 25-30 m. El tallo es recto, las ramas son erectas e irregulares, la copa estrecha; la corteza es de color gris claro y al alcanzar el árbol su plena madurez, para lo que necesita unos 30-40 años, comienza a desgajarse en pedazos con los bordes doblados; quizá pueda ello representar una adaptación evolutiva con el fin de mantener alejados a los animales amantes de su fruto, ya que las estrías de la corteza, rígidas, deben suponer para estos animales un firme obstáculo. Las hojas (1), compuestas, presentan cinco folíolos acuminados, pubescentes y glandulosos en fase juvenil, pero al final son glabros con el folíolo terminal mayor que los restantes. Las flores son unisexuales: las masculinas (2) se reúnen en amentos pubescentes, colgantes, agrupados en grupos de tres y con una forma característica en tridente; las femeninas se disponen en la extremidad de las ramificaciones jóvenes. Los frutos (3), provistos de semilla blanca y comestible, son aplastados y angulosos.
Propagación: Mediante semillas.
Condiciones de cultivo: Es una especie rústica, y prefiere los terrenos de consistencia media.

89 PINO DE PARÍS
Casuarina equisetifolia

Familia: Casuarináceas

Etimología: El nombre fue introducido por Linné, en 1759, en relación al casuario, la famosa ave australiana, y en particular con respecto a su plumaje, que guarda una cierta semejanza a las ramas desprovistas de hojas de esta especie.

Hábitat: Australia, Borneo y Sumatra, hasta el extremo meridional de la península india y Madagascar.

Descripción: Se trata de un árbol que mide 25-30 m de altura, provisto de una corteza que se divide en bandas longitudinales. Desde lejos, sus delgadas ramas de color verde lo confunden con las acículas de los pinos; sin embargo, al analizarlo detenidamente se descubre que las ramificaciones son articuladas y acanaladas en sentido longitudinal, y que son portadoras de pequeñísimas hojas escuamiformes, dispuestas de modo verticilado en los nudos. Las flores son unisexuales, las masculinas (1) reunidas en largas espigas, las femeninas son más fácilmente individualizables al disponerse en glomérulos de casi 1 cm de diámetro. Después de la fecundación, las brácteas que acompañan a las flores femeninas, se sueldan hasta formar una envoltura leñosa a las semillas; la formación espiralada que las encierra se mantiene sobre el árbol, donde destaca por su color marronáceo. En este momento su aspecto recuerda al de una piña, por lo que la especie ha merecido también el nombre de pino australiano.

Propagación: Mediante semillas o por esquejes a partir de las ramificaciones jóvenes.

Condiciones de cultivo: Climas templados; la especie es bastante indiferente a la naturaleza del sustrato.

90 CECROPIA
Cecropia palmata

Familia: Moráceas

Etimología: Nombre genérico procedente de Cecrope, divinidad venerada en la antigua Atenas, personificación de los animales sagrados nacidos de la tierra.

Hábitat: Indias occidentales.

Descripción: Tronco delgado y solitario, que alcanza una altura de 10 m, con escasas ramificaciones dispuestas en el ápice, casi horizontales y que son portadoras, en la extremidad, de grandes hojas palmadolobuladas, de color blanco, tomentosas en el envés. El tallo y las ramas están vacíos a nivel de los nudos: en estas cavidades, algunas hormigas de la especie *Atzeca instabilis* alimentan las larvas que introducen al excavar el punto de inserción del pecíolo; la hospitalidad de la planta se recompensa con la defensa que estas hormigas hacen frente a la especie *Atta discigera*, las temibles hormigas cortahojas provistas de poderosas mandíbulas. La simbiosis es completa ya que las hormigas se alimentan con unas formaciones especiales, denominadas corpúsculos de Müller, que se desarrollan en la base de los pecíolos. Las yemas y las hojas de esta especie suponen la dieta casi exclusiva de determinadas especies de tartígrados americanos que probablemente no podrían sobrevivir sin la presencia de *Cecropia*. La planta es de crecimiento rápido y es una especie pionera en los claros, comprendiendo aquellas áreas que han estado sometidas a un incendio reciente.

Propagación: Mediante semillas o esquejes.

Condiciones de cultivo: Países tropicales, húmedos y cálidos.

91 ÁRBOL DE LAS TROMPETAS
Cecropia peltata

Familia: Moráceas

Etimología: El atributo específico alude a la forma de las hojas, peltadolobuladas.

Hábitat: Especie indígena de América tropical.

Descripción: Es un árbol que puede alcanzar la altura de 15 m, con un diámetro máximo del tronco de 50 cm; los tallos y las ramas son huecos, hasta tal punto que algunas tribus americanas cortaban piezas de un par de metros de longitud y las utilizaban como conducto para el agua o como medio de comunicación a distancia; de ahí que en Haití reciba el nombre de árbol de las trompetas. Las hojas son grandes (1), con siete a nueve lóbulos, tomentosas en la página superior, y glabras y de color blanco brillante en la inferior, tanto que brillan como espejuelos al ser movidas por la brisa. El leño, indiferenciado, blanquecino al principio, amarillento y oscuro al envejecer, muestra textura tosca, y es difícil de pulir; se deteriora en contacto con el suelo, pero es muy adecuado para los remaches; en los países de origen se utiliza para encender el fuego mediante fricción. Su jugo, bastante cáustico, se emplea a veces para elaborar una especie de caucho.

Propagación: Mediante semillas o por esquejes de madera semimadura.

Condiciones de cultivo: Su cultivo prácticamente no se realiza; medra sólo en los bosques pluviales.

92 ALMEZ
Celtis australis

Familia: Ulmáceas

Etimología: El nombre corresponde al que los griegos daban a un árbol desconocido y que Linné adoptó para este género.

Hábitat: Especie espontánea en toda la región mediterránea.

Descripción: Se trata de un árbol de hoja caduca que puede alcanzar 25 m de altura, posee tronco robusto y follaje globoso; el leño, bastante ligero, se utiliza para la construcción de pequeños objetos de talla. Las ramas jóvenes son pubescentes; la corteza del tronco y de las ramas más viejas es lisa y grisácea. Las hojas (1), son ovalolanceoladas, muy acuminadas, provistas de un pecíolo corto y con los bordes dentados, toscas en la cara superior, pubescentes en la inferior. Las flores (2), que aparecen en primavera, son pequeñas e insignificantes, de color verde, y dan lugar a los frutos (3), que son drupas que maduran en otoño, de color violáceo oscuro en la madurez, dulces y comestibles, pero que en realidad sólo consumen las aves. Las hojas predominan.

Propagación: Se reproduce mediante semillas en otoño y se multiplica por retoños basales, esquejes o acodo.

Condiciones de cultivo: Especie bastante rústica, se adapta también a los terrenos áridos y prefiere no obstante los calcáreos, pero no tolera las heladas demasiado intensas y prolongadas.

93 CERCIDIFILO
Cercidiphyllum japonicum

Familia: Cecidifiláceas
Etimología: El nombre deriva de *Cercis* y de la voz griega *phýllon*, hoja, debido a la semejanza de las hojas con las de algunas especies del género *Cercis*.
Hábitat: Especie originaria del Japón.
Descripción: Árbol de hoja caduca, a menudo policórmico, que alcanza una altura variable entre 10 y 25 m de acuerdo con el grado de idoneidad del ambiente; su porte es bastante piramidal, con ramificaciones delgadas y glabras, dispuestas casi horizontalmente al llegar la madurez, y colgantes en las formas juveniles. Las hojas (1) acorazonadas, opuestas, con pecíolos rojizos, poseen nerviación palmada, forma casi circular y en otoño, antes de caer, asumen hermosísimas tonalidades que pueden variar desde el rosa oscuro al blanco marfil. Las flores son unisexuales, muy pequeñas, solitarias y aparecen antes que las hojas; apétalas, las masculinas (2) son casi sésiles y las femeninas (3) poseen un breve pedúnculo y dan lugar al desarrollo de una pequeña silicua que contiene numerosas semillas. Existe en China occidental una variedad mucho mayor y con tallo único.
Propagación: Mediante semillas a finales de invierno; por acodo o esqueje semileñoso en verano.
Condiciones de cultivo: Al ser una especie rústica, tolera los fríos intensos y los terrenos calcáreos; no teme la sequía.

94 COCULO
Cocculus laurifolius

Familia: Menispermáceas
Etimología: Del griego *kókkos*, baya, por la forma de los frutos.
Hábitat: Especie nativa de Asia centrooriental, en la región himalaya.
Descripción: Árbol perenne que puede alcanzar 5-8 m, con copa ancha, porte esférico, muy espeso. Las hojas (1) son brillantes, de color verde, oblongolanceoladas, acuminadas en el ápice y atenuadas en la base, con tres nerviaciones muy aparentes que las caracterizan y que han hecho que en el lenguaje hortícola se denomine a esta especie, erróneamente, *Laurus trinervia*. Las hojas son alternas, enteras, provistas de pecíolo corto y se insertan muy próximas en las ramificaciones. Las flores (2) son pequeñas, incospicuas, amarillentas, reunidas en inflorescencias racimosas; las plantas son dioicas, por lo que la fructificación sólo es posible en presencia de dos ejemplares de sexo distinto. Los frutos son drupáceos. La corteza contiene un alcaloide. Esta planta soporta sin inconveniente la poda, por lo que es posible cultivarla también en forma de arbusto o para la formación de setos.
Propagación: Mediante semillas, esqueje o acodo.
Condiciones de cultivo: Especie semirrústica, no tolera las heladas a menos de que sean muy limitadas y esporádicas. Es una especie muy adecuada para los climas suaves.

95 ESPANTALOBOS
Colutea arborescens

Familia: Leguminosas

Etimología: El nombre deriva de la voz griega *koloitía*, utilizada por Teofrasto para denominar a esta planta en su obra "Historia plantarum".

Hábitat: Especie originaria de Europa meridional y del norte de África.

Descripción: Pequeño árbol policórmico, de hoja caduca, que alcanza 3-5 m de altura, con porte erecto y aspecto de mata particularmente en el estadio juvenil; todos los órganos de esta especie son muy ricos en taninos. Las hojas (1) son imparipinnadas, con 9-13 folíolos elípticos, mucronados, ligeramente pubescentes en su cara inferior. Las flores son bastante grandes, papilionadas, con el cáliz cubierto de pelos negruzcos y la corola con el vexilo erecto, amarillo, reunidas en racimos axilares paucifloros. Dan lugar al fruto (2) muy característico, formado por una legumbre membranosa, que contiene bastantes semillas; se hincha y adopta un aspecto vesicular, con paredes casi transparentes, adelgazado en la parte apical que es dehiscente.

Propagación: Mediante semillas en primavera, o bien por multiplicación mediante esqueje de leño maduro, que debe realizarse en otoño y sobre arena. El crecimiento de la planta es bastante rápido.

Condiciones de cultivo: Especie semirrústica, tolera sólo las heladas esporádicas; prefiere los ambientes secos y la posición soleada. El trasplante debe siempre realizarse en terrón y nunca con la raíz desnuda.

---

96 ÁRBOL DE LAS PELUCAS
Cotinus coggyria

Familia: Anacardiáceas

Etimología: El nombre genérico deriva del griego *cótinos* y del homónimo latino con el que se indicaba a un árbol no bien identificado.

Hábitat: Europa meridional, China central e Himalaya.

Descripción: Alcanza como máximo 5 m de altura, tiene hojas (1) enteras simples, que en general no miden más de 7 cm, ovales, glabras en la página superior y también en la inferior, y en otoño adquieren una tonalidad roja oscura, casi violácea. Las flores (2), hermafroditas o unisexuales, presentan pétalos de color amarillo verdoso, que se pierden precozmente; están reunidas en una inflorescencia en espiga, con pedúnculos filiformes, ramificados y lanuginosos. Los frutos, pequeñas drupas ovales de color rojo pardusco y brillantes debido a que son glabras, son hermosos pero venenosos, y cuelgan en otoño de unos pedúnculos frutíferos cubiertos de tomento; ello proporciona a todo el árbol un aspecto plumoso que ha merecido su nombre vulgar. Por esta razón se le cultiva también como especie ornamental en los jardines, lo mismo que la variedad *atropurpurea*, con hojas e inflorescencias de color rojo púrpura. Las hojas de la planta tipo proporcionan un tanino utilizado en el curtido de pieles valiosas. El leño, con albura blanca y duramen de color amarillo rojizo veteado de marrón, es susceptible de ser bellamente pulido, pero sólo sirve para la fabricación de pequeños objetos.

Propagación: Mediante semillas; división de los brotes o por esqueje.

Condiciones de cultivo: Climas templados, indiferente al tipo de sustrato.

97 CALABAZA DE BOSQUE
Couroupita guianensis

Familia: Lecitidáceas
Etimología: Deriva del nombre indígena; se conoce también con el nombre vulgar de árbol de las balas de cañón.
Hábitat: Especie originaria de Guayana, pero extendida por toda la América Central.
Descripción: Gran árbol, de leño blando y ligero, que puede superar los 15 m de altura; las hojas son caducas, obovadas, provistas de un pecíolo corto y dispuestas sobre ramas espinosas, no frutíferas, en la parte apical del tronco. Las flores, céreas y perfumadas, presentan seis pétalos, de color rosa en el interior y amarillo anaranjado en el exterior, con un gran disco estaminal y nectarífero en el centro. Las flores nacen a partir de racimos insertos directamente en el tronco, o sobre ramas ensortijadas que nacen de la gruesa corteza, de color claro y con estrías marronáceas, en la parte más baja del tallo. A las flores siguen grandes frutos globosos, marronáceos, leñosos e indehiscentes, que maduran al cabo de dieciocho meses pero que no se desprenden hasta el año siguiente, momento en el que se separan con fuertes y estruendosos choques. La pulpa madura desprende un olor muy desagradable; la cáscara la utilizan los indígenas para la construcción de variados utensilios.
Propagación: Mediante semillas; sin embargo, esta especie germina difícilmente.
Condiciones de cultivo: Especie exclusivamente tropical.

98 MAJUELO
Crataegus oxyacantha

Familia: Rosáceas
Etimología: Del griego *krátaigos*, palabra utilizada para designar esta especie.
Hábitat: Vive en Europa, norte de África y Asia oriental.
Descripción: Pequeño árbol que mide como máximo 5 m de altura, con ramificaciones provistas de acúleos y glabras, de color marrón rojizo. Las hojas (1), glabras también, son alternas, simples, con 3-5 lóbulos obtusos en la mitad apical con márgenes irregularmente dentados, de color verde brillante en la cara superior, verde glauco por debajo. En primavera el árbol se cubre de flores blancas, hermafroditas, reunidas en corimbos terminales, erectas, provistas de pedúnculos glabros; la corola está formada por 5 pétalos subcirculares, casi sin uña. Los frutos (2) son drupas redondas y de color rojo al alcanzar la madurez, con una pequeña área hundida en el ápice, de forma circular, rodeada de los restos de las lacinias del cáliz; las semillas están en número de 2 o 3. Existen noticias de esta planta desde tiempos prehistóricos, al utilizar algunas poblaciones sus frutos con finalidad alimentaria; citada por Teofrasto y Dioscórides, en la segunda mitad del siglo XIX se descubrieron sus propiedades antiespasmódicas y sedantes particularmente en los trastornos cardíacos o de origen nervioso. Es muy semejante a la subespecie *monogyna* que presenta las hojas profundamente lobadas, pedúnculos tomentosos y presencia en el fruto de una semilla única. Existen variedades que se utilizan con fines puramente ornamentales.
Propagación: Mediante semillas, pero tardan dos años en germinar.
Condiciones de cultivo: Especie muy poco exigente; teme no obstante los excesos de humedad.

99 CUNONIA
Cunonia capensis

Familia: Cunoniáceas
Etimología: El nombre recuerda a John Christian Cuno, naturalista holandés de la segunda mitad del siglo XVII.
Hábitat: Especie originaria de Sudáfrica.
Descripción: Esta especie, que en sus lugares de origen alcanza 6-10 m de altura, posee hojas perennes, pennadas y coriáceas, con dos o tres pares de folíolos oblongos y lanceolados, brillantes, con los márgenes aserrados y los pecíolos de color rojizo. Las flores, blancas, se hallan dispuestas en apretados racimos axilares, semejantes aparentemente a espigas; son pequeñas, con el tubo calicino corto, cinco pétalos y 10 estambres muy prominentes. El fruto es una cápsula coriácea. Dado que esta especie se ramifica ya a partir de la base, puede cultivarse como arbusto y utilizada en forma de pequeños ejemplares puede constituir un motivo ornamental también en ambientes de interior no muy caldeados.
Propagación: Mediante esqueje de leños semimaduros.
Condiciones de cultivo: Se trata de una especie de fácil cultivo en terrenos turbosos y arenosos; teme la humedad excesiva y requiere un sistema eficaz de drenado; debe protegerse frente a las heladas.

100 CIRILA
Cyrilla racemiflora

Familia: Ciriláceas
Etimología: El nombre fue adjudicado por Linné en honor a Domenici Cirillo (1737-1799), médico y botánico napolitano ajusticiado por los Borbones a causa de sus ideas liberales.
Hábitat: Especie originaria de un área relativamente reducida, desde Florida a Carolina del Norte, mientras que hacia el sur alcanza Brasil y las Indias Occidentales.
Descripción: Árbol de 5 a 10 m de altura, hojas alternas (1), enteras, lanceoladas, glabras; en su región de origen y en las zonas cálidas se comporta como una especie perenne, mientras que en otros lugares es de hoja caduca. En verano produce pequeñas flores bisexuales, blancas, reunidas en racimos (2) en los puntos terminales de las ramificaciones de edad y en la base de las del mismo año; en otoño, las hojas toman colores vivaces que varían entre el anaranjado y escarlata. A pesar de que no presenta dificultades especiales de adaptación, no es una planta de frecuente cultivo a pesar de que fue introducida en Europa a comienzos del siglo XIX. Es una especie meliflua.
Propagación: Mediante semillas, pero también por esqueje, con fragmentos de ramificación de 10 cm de longitud, que deben ponerse a enraizar en un ambiente frío.
Condiciones de cultivo: Requiere sustratos no calcáreos, húmedos y algo sombreados.

101 DALBERGIA
Dalbergia sissoo

Familia: Leguminosas

Etimología: El nombre fue adjudicado en honor a los hermanos Nils y Carl Dalberg, que vivieron en el siglo XVIII, suecos; el primero fue un afamado botánico y el segundo exploró Surinam.

Hábitat: Especie nativa de la India, actualmente introducida en todos los países tropicales.

Descripción: Es un árbol de gran talla, que en los ambientes que le son propios puede superar los 20 m de altura; su madera, elástica, duradera, de fácil trabajo, es muy apreciada y se emplea en aquellos casos en los que la construcción requiera resistencia frente a factores adversos, como ocurre con las construcciones navales. Las hojas (1) son imparipinnadas, provistas de cinco folíolos, alternas y pecioladas, muy acuminadas, pubescentes en la superficie inferior. Las flores (2) son blancas, se reúnen en pequeñas espigas, papilionadas; el fruto es una legumbre. Este árbol, además de ser ornamental por la posesión de una gran copa que arranca en un nivel muy bajo del tronco, está repartido en todas las regiones tropicales y subtropicales, debido sobre todo a la importancia económica de su madera. Es además una especie de crecimiento rápido.

Propagación: Mediante semillas o por esqueje de leño semimaduro.

Condiciones de cultivo: Ambiente tropical y subtropical; no tolera los climas fríos, pero soporta sin dificultad los sustratos arenosos y también, en cierta medida, áridos.

102 FALSO LAUREL
Daphniphyllum macropodum

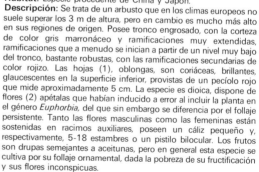

Familia: Dafnifiláceas

Etimología: El nombre genérico deriva del griego *dáphne,* laurel, y *phýllon,* hoja, debido a la semejanza de las hojas de esta especie con las del laurel.

Hábitat: Especie procedente de China y Japón.

Descripción: Se trata de un arbusto que en los climas europeos no suele superar los 3 m de altura, pero en cambio es mucho más alto en sus regiones de origen. Posee tronco engrosado, con la corteza de color gris marronáceo y ramificaciones muy extendidas, ramificaciones que a menudo se inician a partir de un nivel muy bajo del tronco, bastante robustas, con las ramificaciones secundarias de color rojizo. Las hojas (1), oblongas, son coriáceas, brillantes, glaucescentes en la superficie inferior, provistas de un pecíolo rojo que mide aproximadamente 5 cm. La especie es dioica, dispone de flores (2) apétalas que habían inducido a error al incluir la planta en el género *Euphorbia,* del que sin embargo se diferencia por el follaje persistente. Tanto las flores masculinas como las femeninas están sostenidas en racimos auxiliares, poseen un cáliz pequeño y, respectivamente, 5-18 estambres o un pistilo bilocular. Los frutos son drupas semejantes a aceitunas, pero en general esta especie se cultiva por su follaje ornamental, dada la pobreza de su fructificación y sus flores inconspicuas.

Propagación: Mediante semillas, si puede disponerse de ellas; puede también multiplicarse mediante esqueje de leño maduro, bajo cristal, en verano.

Condiciones de cultivo: Especie semirrústica; tolera los terrenos calcáreos. El crecimiento es lento.

103 ÁRBOL DEL ÉBANO
Diospyros ebenum

Familia: Ebenáceas
Etimología: Deriva del griego *dióspyros,* palabra compuesta de *díos,* divino, y *pyrós,* trigo, en alusión a los frutos comestibles de algunas especies del mismo género (el palosanto, por ejemplo). El nombre específico procede tamboén del griego *ébenos,* pero es de raíz egipcia.
Hábitat: Vive en Ceilán, Malasia, India e Indochina.
Descripción: Árbol muy alto sobre todo en Ceilán; los ejemplares de Indochina son más diminutos. Posee corteza de color gris, hojas (1) alternas provistas de pecíolos muy cortos, de forma ovadooblonga, coriáceas, enteras y brillantes. Las flores (2, 3) son sésiles, axilares y solitarias, y el fruto (4) es una baya oval. La madera es de color negro, pesada, dura hasta el punto de impedir la penetración de un clavo, de grano muy fino y susceptible de ser admirablemente pulida. Su color, tomado como símbolo del negro, se debe a un pigmento que empapa los haces y penetra en el parénquima. Madera muy valiosa, se destina sólo a trabajos de ebanistería para objetos de lujo y marquetería; se utiliza también en la fabricación de instrumentos musicales como flautas, clarinetes y teclas de piano. Bajo la denominación comercial de ébano se incluye a varias especies del género *Diospyros;* además se imita mediante la tinción de color negro de otras maderas de grano fino, como por ejemplo la del peral.
Propagación: Mediante semillas, que deben enterrarse profundamente.
Condiciones de cultivo: Ambientes tropicales.

104 DISANTO
Disanthus cercidifolius

Familia: Hamamelidáceas
Etimología: Deriva del griego *dis,* dos, y *ánthos,* debido al hecho de que las flores nacen apareadas.
Hábitat: Especie procedente de las zonas montañosas del Japón central.
Descripción: Arbusto de hoja caduca que alcanza los 3 m, a menudo policórmico, que compone la única especie del género. A pesar de las flores (2), que nacen apareadas y connatas, opuestas sobre pedúnculos erectos, la planta se cultiva en especial por su elegante follaje, no muy distinto al de *Cercidiphyllum,* con hojas (1) alternas provistas de largo pedúnculo, enteras, casi acorazonadas, glaucescentes en la página superior, más pálidas en la inferior, de unos 10 cm de longitud frecuentemente, que en otoño, antes de caer, asumen colores esplendorosos que varían entre el rojo y anaranjado. Las flores son de color violeta oscuro, con el cáliz dividido en 5 segmentos y 5 pétalos delgados, muy separados; los 5 estambres son más cortos que los sépalos. El fruto es una cápsula dehiscente con varias semillas brillantes y de color negro en cada lóbulo.
Propagación: Mediante semillas, que tardan dos o tres años en germinar, o bien por injerto sobre *Hamamelis,* obtenidos mediante semillas.
Condiciones de cultivo: Condiciones bastante rústicas; requiere sin embargo terrenos turbosos y ligeros.

105 EUCALIPTO
Eucalyptus camaldulensis

Familia: Mirtáceas

Etimología: El nombre deriva del griego *éu*, bueno, y *kalyptós*, cubierto; en efecto, el botón floral está cubierto por un opérculo de consistencia leñosa.

Hábitat: Especie originaria de Australia, pero naturalizada en Europa donde fue introducida, con el nombre de *E. rostrata*, a pricipios del siglo XIX.

Descripción: Este árbol de gran tamaño, que los anglosajones denominan *red gum* a causa del color de la savia resinosa que trasuda a través del tronco, puede alcanzar más de 60 m de altura en las regiones de origen, pero lo más común es que oscile entre 30 y 40. La corteza de los troncos adultos es grisácea; al ser persistente se cuartea en una serie de delgadas estrías; la corteza de los ejemplares jóvenes es rojiza. Las hojas (1) jóvenes son ovadas, pero luego se transforman en hojas largas, lanceoladas y acuminadas. El cáliz, leñoso, es semiesférico, mientras que el opérculo es cónico; los estambres son de color blanco. La madera es resistente, de color rojizo; a pesar de que no es muy dura, es difícil trabajarla una vez seca. Las flores (2) son muy visitadas por las abejas, y por tanto muy melíferas. En (3), frutos.

Propagación: Mediante semillas.

Condiciones de cultivo: Especie rústica; tolera un cierto grado de salinidad en el suelo.

106 EUCALIPTO ROJO
Eucalyptus ficifolia

Familia: Mirtáceas

Etimología: El nombre específico significa literalmente "con hojas parecidas al higo". Es lógico pensar que el autor del nombre, barón F. von Müller (1825-1896), al escribir la obra "Eucalyptographia" se refiriera, dado el ambiente original, a un *Ficus* de la misma región, quizás *Ficus rubiginosa* var. *australis*.

Hábitat: Especie originaria de Australia.

Descripción: Árbol de 8-15 m de altura, corteza oscura y agrietada, a veces acanalada. Las hojas (1), ovadas en la fase juvenil, son en edad adulta más alargadas, ovales y lanceoladas, coriáceas, de color verde oscuro con nerviación central más pálida. Las flores nacen en espiga y son grandes, con el opérculo casi totalmente plano. Las semillas que posteriormente aparecen son rojas, con las anteras de color rojo oscuro. El fruto (3) es urceolado y leñoso, con las semillas de color rojo oscuro, aladas unilateralmente. El árbol carece de importancia económica y se cultiva únicamente como especie ornamental dada la masa de sus vistosas flores.

Propagación: Mediante semillas, pero ello es de resultado inseguro; también por injerto, a fin de mantener inalterado el color de las flores.

Condiciones de cultivo: Especie apenas semirrústica; su cultivo no es recomendable fuera de la zona de los agrios. El crecimiento de la especie es lento.

107 EUCALIPTO COMÚN
Eucalyptus globulus

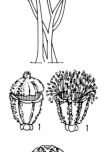

Familia: Mirtáceas
Etimología: El nombre específico significa redondeado, a causa del opérculo hemiesférico.
Hábitat: Especie originaria de Australia.
Descripción: Árbol de hoja perenne que alcanza 40 y más metros de altura, con corteza caduca que se desprende en forma de largas estrías, dejando al tronco con abigarramientos de color gris plateado; su madera se emplea en especial para la obtención de celulosa. Las hojas jóvenes son redondas, sésiles y opuestas, mientras que en la madurez se hacen lanceoladas, pecioladas, alternas y aromáticas. Las flores (1) son solitarias, a veces reunidas en grupos de dos o tres, están provistas de pecíolo corto, y consisten en un cáliz piramidal invertido y un opérculo que se desprende al alcanzar la madurez, formado por cuatro pétalos soldados entre sí. Al perderse el opérculo, sobresalen los numerosos estambres y el estilo, de color blanco y amarillento, con aspecto plumoso. La floración se produce en otoño y a la primavera siguiente tiene lugar la maduración de los frutos (2) que consisten en cápsulas angulares, provistas de semillas muy abundantes y pequeñas.
Propagación: Mediante semillas; la germinación se produce en quince días y el crecimiento de esta especie es muy rápido.
Condiciones de cultivo: El eucalipto se cultiva en aquellos lugares en los que el frío no es muy intenso, dado que la especie no es muy resistente a las bajas temperaturas.

108 HAYA AMERICANA
Fagus grandifolia

Familia: Fagáceas
Etimología: El nombre procede del que los romanos utilizaban para denominar al haya y deriva del griego *faghéin,* comer; en efecto, sus frutos son comestibles y los cerdos disfrutan extraordinariamente con su consumo.
Hábitat: Esta especie, que vive en la región oriental de los Estados Unidos, es equivalente, en América, al *Fagus sylvatica* europeo.
Descripción: Árbol que alcanza 25-35 m de altura, raras veces los 40 m, provisto de copa piramidal y tronco poderoso; emite retoños radicales. Su corteza es delgada, de color gris azulado, lo que le convierte en una especie atractiva incluso cuando está desprovista de hojas (1), las cuales son, como en todas las hayas, caducas y alternas; su forma es ovadooblonga, con la extremidad acuminada, de tamaño intermedio, y con los bordes toscamente dentados. Al principio están cubiertas de pelusilla, pero con el tiempo adquieren una tonalidad verde azulada en la cara superior y verde más pálida en la inferior; sus hojas son más grandes y estrechas que las del haya. Los frutos son nueces de forma trígona, pericarpio rojizo y contenidos en número de 1 a 3 en el interior de un involucro, que recibe el nombre de cúpula, que se abre en cuatro valvas leñosas cubiertas de largas espinas; distintas especies de animales consumen estos frutos, pero no está muy alejado el tiempo en que el hombre también lo consumía.
Propagación: Mediante semillas y vástagos.
Condiciones de cultivo: Esta especie prefiere los terrenos ligeros y perfectamente drenados.

109 HAYA
Fagus sylvatica

Familia: Fagáceas
Hábitat: Es la especie forestal predominante en Europa central.
Descripción: Es un árbol que alcanza hasta 30 m de altura; posee copa densa, amplia, oval, corteza de color gris ceniza claro con estriaciones horizontales, e incluso manchas blanquecinas debidas a líquenes. Su madera, ampliamente utilizada en carpintería, encuentra también aplicaciones por su forma y color ligeramente rosado. Las hojas (1), ovales o elípticas, son enteras o ligeramente dentadas; en otoño adquieren una tonalidad amarillo marronácea o bien rojo oscura y a veces persisten hasta el final del invierno siguiente. Las flores presentan sexos separados; mientras que las masculinas (2) se agrupan en amentos esféricos pedunculares, las femeninas (3) se reúnen a pares dentro de un involucro denominado cúpula. Al madurar, la cúpula encierra dos nueces (4).
Propagación: Se reproduce bien por semillas o bien por vía agámica; esta última se basa en la capacidad de emitir vástagos basales, para lo que la haya está particularmente dispuesta.
Condiciones de cultivo: Prefiere los terrenos ligeros, bien drenados y posiblemente calcáreos, situados a una altitud variable según el lugar, entre 700 y 2000 m.

110 ARALIA
Fatsia japonica

Familia: Araliáceas
Etimología: El nombre procede de la latinización de la palabra japonesa utilizada para designar esta especie.
Hábitat: Originaria del Japón.
Descripción: Esta planta, que estamos habituados a considerarla si no como una planta de apartamento, al menos de interior, y que en los climas suaves se convierte en un arbusto, en sus regiones de origen constituye un pequeño árbol policórmico que alcanza 3-4 m de altura, de porte matoso e incluso ramificado a partir de la base. Las hojas (1) son verde brillantes, palmatolobuladas, sostenidas por largos pecíolos. Las flores (2), inconspicuas, de color blanco, presentan un pequeño cáliz, corola precozmente caduca y se reúnen en espigas compuestas de umbelas globosas; las inflorescencias son apicales. Una vez realizada la fecundación, el raquis y sus ramificaciones se alargan, y a las flores siguen frutos en forma de pequeñas bayas, primero verdes, después blanquecinas y finalmente negras al alcanzar la madurez.
Propagación: Mediante semillas, de fácil germinación a condición de que el terreno sea fresco; puede lograrse también por esqueje semileñoso o bien por injerto sobre tallos lignificados.
Condiciones de cultivo: Especie rústica; resiste las heladas a condición de que sean breves y esporádicas; prefiere una exposición a semisombra.

111 BAYÁN
Ficus bengalensis

Familia: Moráceas
Etimología: El nombre del género deriva del utilizado por los latinos para designar a la higuera, especie conocida y cultivada desde la antigüedad más remota.
Hábitat: Especie originaria de la India.
Descripción: Este espectacular árbol, que puede alcanzar y superar los 30 m de altura, presenta un aspecto que sólo se encuentra en otras especies asiáticas del mismo género. De sus ramificaciones parten raíces aéreas que al principio absorben la humedad del aire, pero al alcanzar y penetrar en el sustrato, transforman lentamente sus tejidos, de modo que parte subsiste en el medio áreo con lo que se convierte prácticamente en un tallo columnar provisto de raíces que utiliza para mantenerse unido al tronco primitivo. De esta forma se constituyen verdaderos bosques a partir de un solo ejemplar. Las hojas son de consistencia coriácea, ovadas, de color verde oscuro con nerviaciones de color más pálido, de unos 20 cm de longitud. Los pecíolos son pubescentes, lo mismo que las partes recientes de las ramificaciones jóvenes. Los frutos son de color rojo y esféricos.
Propagación: Mediante esqueje de las ramificaciones jóvenes bajo cristal o por acodo aéreo de ramas ya lignificadas.
Condiciones de cultivo: Ambiente tropical; los ejemplares jóvenes deben mantenerse en invernadero, donde conservan el aspecto arbustivo pero no fructifican.

---

112 FICUS ENANO
Ficus benjamina

Familia: Moráceas
Hábitat: Su área de repartición se extiende desde la India hasta las islas Filipinas, a través de la península malaya y el archipiélago de Sonda.
Descripción: Árbol con ramificaciones colgantes, provisto de ramas flexibles y tallo no demasiado robusto. En la naturaleza emite raíces aéreas y puede incluirse dentro de las especies denominadas "estranguladoras", las cuales desarrollan su aparato radical hasta alcanzar el sustrato, al crecer como epífitos, rodean al patrón u hospedante con su estructura hasta llegar a formar una especie de tronco hueco, en cuyo interior se destruye lentamente a la especie patrón. Sin embargo, este fenómeno sólo ocurre en las zonas de las que procede la especie, y también puede comportarse como especie terrestre sin manifestar este tipo de comportamiento. Las hojas son pecioladas, brillantes, coriáceas, ovadas y más bien estrechas, con el ápice acuminado; alcanzan unos 12 cm de longitud. Los frutos son pequeños, redondos, de color rojo oscuro al llegar a la madurez. Existen distintas variedades; una de ellas, propia de las islas Filipinas, *F. benjamina* var. *nuda*, con hojas pequeñas y frutos de color amarillo verdoso, con brácteas basales caducas, emite tanto raíces aéreas como terrestres, comportándose de este modo como otras especies de *Ficus*, sumamente características.
Propagación: Mediante esqueje, retoño o acodo.
Condiciones de cultivo: Ambiente tropical o subtropical; los ejemplares de reducidas dimensiones se emplean como plantas de interior o de invernadero.

113 FICUS LIRA
Ficus lyrata

Familia: Moráceas
Etimología: El nombre específico se debe a la morfología de las hojas que recuerdan a un instrumento musical.
Hábitat: Especie originaria de África tropical occidental.
Descripción: Esta planta, utilizada también como planta de interior ornamental en forma de ejemplares jóvenes, en su ambiente natural es un árbol que alcanza 12 m de altura, con el tronco erecto, dividido incluso a partir de la base, y ramificaciones no muy ensanchadas, con tendencia a la verticalidad. Las hojas, brillantes y coriáceas, son muy grandes y alcanzan hasta 50 cm de longitud, y tienen una forma bastante característica que recuerda a un instrumento de cuerda, tipo violín o guitarra, con base auricolada; a partir de ella, la lámina se reduce para después volverse a ensanchar de nuevo. El borde superior es obtuso, provisto de una breve punta cuspidada en correspondencia con la vena central, los márgenes son ondulados. Las inflorescencias, típicas del género, son piriformes, con flores unisexuales encerradas en el interior de receptáculos huecos; dan lugar a infrutescencias del tipo siconio, con vaina verde punteada de color blanco.
Propagación: Es muy difícil reproducir a esta especie por esqueje; es mucho más simple por acodo.
Condiciones de cultivo: Requiere una temperatura mínima de 7ºC, pero en los climas europeos jamás se hace arborescente.

---

114 FICUS RELIGIOSO
Ficus religiosa

Familia: Moráceas
Etimología: El nombre específico deriva de *religiosus*, sagrado; la leyenda cuenta que bajo esta especie Buda tuvo las revelaciones de la verdad, que constituyó la base de su doctrina. Generalmente esta especie aparece cultivada junto a los templos budistas.
Hábitat: Especie originaria de la India.
Descripción: Esta especie puede incluirse dentro del grupo de las denominadas higueras de las pagodas, categoría que abarca a aquellas especies provistas de raíces aéreas, que emergiendo de las ramificaciones se dirigen hacia el suelo, penetran en él y forman nuevos troncos. Esta especie, que puede alcanzar 30 m de altura, posee ramificaciones muy abundantes, con follaje denso. Las hojas, sostenidas por largos pecíolos, son acorazonadas en la base, con lámina entera, ápice extraordinariamente acuminado, tanto que parece formar una especie de apéndice cuspidado. Las vetas de las hojas jóvenes son rojizas, pero en edad adulta adoptan un color verde azulado y las bandas se tornan, a su vez, de color blanco marfil. Los frutos, pequeños y sésiles, nacen aplastados en la axila de las hojas y son de color púrpura.
Propagación: Mediante esqueje o acodo.
Condiciones de cultivo: Ambiente tropical; los ejemplares jóvenes deben mantenerse en invernaderos.

115 SICOMORO
Ficus sycomorus

Familia: Moráceas

Etimología: El nombre específico procede del griego *sycomoréa,* sicómoro, utilizado por el evangelista San Lucas en el Nuevo Testamento; la palabra *sycomorón,* en referencia al fruto, había sido ya utilizada por Estrabón, un siglo antes de Cristo. Este nombre vulgar se ha utilizado en varias lenguas para designar a especies muy distintas, incluidas *Acer pseudoplatanus* y *Platanus occidentalis.*

Hábitat: Siria, Egipto, Sudán y parte del África tropical.

Descripción: Árbol de aspecto erecto y dilatado, provisto de copa muy ramificada y esférica, de 10-13 m de altura y tronco amarillento. Las hojas (1), parcialmente deciduas ya que se pierden por espacio de sólo algunos meses cada año, son ovadas, rugosas, con nerviación pubescente, de color glauco en la juventud, coriáceas y de color verde oliva al alcanzar la madurez. Las flores son de color verdecino; los frutos (2), pequeños, comestibles, se producen profusamente y, al igual que las restantes especies del género, son siconos. La madera es apreciada por su resistencia; en el antiguo Egipto se utilizaba para la construcción de sarcófagos.

Propagación: Mediante esqueje o acodo.

Condiciones de cultivo: Climas cálidos, y también áridos; soporta perfectamente la aridez a pesar de que crece más vigoroso en la proximidad de los cursos de agua.

116 FRESNO BLANCO
Fraxinus americana

Familia: Oleáceas

Etimología: El nombre genérico era ya utilizado por los romanos para indicar a la especie *Fraxinus excelsior,* derivado del griego *phraxo,* cercado, debido a que esta planta se utilizaba para la construcción de setos.

Hábitat: Especie originaria de la región oriental de los Estados Unidos.

Descripción: Árbol de 30 a 40 m de altura, con las ramificaciones jóvenes, glabras y brillantes, aunque a veces sean de constitución cérea; las hojas (1), muy grandes están formadas de 5 a 9 folíolos pedunculados ovaladoacuminados, con márgenes enteros que pueden estar ligeramente dentados en la extremidad. El color del limbo foliar, glabro, es verde oscuro en la página superior y blanco azulado, debido a la pubescencia, en la página inferior. El pecíolo está surcado, de color blanco amarillento. Las flores, unisexuales, presentan cáliz pero carecen de corola. Los frutos son sámaras con una sola semilla que, al igual que las restantes especies de fresnos, cuelgan en apretadas masas. Este árbol, introducido en Europa en 1724, es apreciado por su madera, cuyas características son muy semejantes a las de *F. excelsior,* empleado en la fabricación de muebles, macizos o aplacados o bien para la fabricación de chapa. Sus grandes hojas, que en otoño adquieren una tonalidad rojo púrpura, rosada o amarillenta, hacen que sea una especie ornamental, empleada en parques y jardines. Crece rápidamente.

Propagación: Mediante semillas.

Condiciones de cultivo: Prefiere los terrenos ricos y húmedos.

117 FRESNO COMÚN
Fraxinus excelsior

Familia: Oleáceas

Etimología: El nombre específico significa literalmente, en latín, más alto, en relación probablemente a la especie *F. ornus,* especie común en los bosques de la península y que también era conocida de los romanos.

Hábitat: Planta ampliamente distribuida en el hemisferio boreal; el fresno vive también en estado espontáneo en buena parrte de Europa, hasta alturas de 1500 m, pero raras veces forma bosques puros.

Descripción: Es un árbol que alcanza 40 m de altura, provisto de corteza marrón rojiza que se agrieta al envejecer. El follaje es denso e irregular; las hojas (1), compuestas, están formadas por 9-15 folíolos ovalolanceolados con márgenes endentados. Las flores (2), poco aparentes ya que carecen de cáliz y corola, se reúnen en espigas primero erectas y después colgantes, aparecen antes que las hojas con el fin de favorecer la polinización, que es anemófila. Los frutos (3) son sámaras, es decir formaciones en las que la parte más externa se ensancha en una expansión alar, que facilita la diseminación, confiada también al viento.

Propagación: La planta se reproduce por semillas, recogidas a finales de otoño o bien a principios de invierno.

Condiciones de cultivo: El fresno necesita terrenos frescos y profundos; en los climas no demasiado cálidos ni áridos puede emplearse en la decoración de parques y jardines.

---

118 FRESNO DEL OREGÓN
Fraxinus oregona

Familia: Oleáceas

Etimología: El nombre específico precisa que este fresno americano es originario del estado de Oregón.

Hábitat: Regiones occidentales de los Estados Unidos.

Descripción: Alcanza los 25 m de altura; las jóvenes ramas se presentan cubiertas de un tomento blanquecino y son aplastadas a nivel de los nudos. Al igual que todas las restantes especies de fresnos, en este caso también muestra las hojas y las yemas dispuestas en pares opuestos formando un esquema que es fácilmente reconocible, incluso en invierno cuando faltan las hojas deciduas. Las yemas son de color oscuro y pubescentes, lo que le diferencia del fresno común que tiene como carácter distintivo yemas hibernantes de un color negro opaco. Las hojas (1) compuestas, imparipinnadas, son grandes y están formadas de 5-7 folíolos, ligeramente dentados en su extremidad, pubescentes en la lámina inferior. Los frutos (2) son sámaras provistas de ala lanceolada, reagrupados en masas apretadas; la madurez proporcionará a estas formaciones medios de vuelo y aumentarán la cantidad de semillas producidas cuando la diseminación anemófila quiera afirmar la especie y aumentar el territorio de conquista.

Propagación: Mediante semillas, recogidas de la planta madre en otoño.

Condiciones de cultivo: Terrenos frescos y profundos; clima templado.

119 ORNO
Fraxinus ornus

Familia: Oleáceas
Etimología: El nombre específico proviene del utilizado por los latinos para denominar el fresno del maná.
Hábitat: Europa centromeridional y oriental.
Descripción: Árbol provisto de numerosos retoños basales, de hasta 10 m de altura, con copa amplia y redondeada; corteza grisácea y lisa hasta que el árbol alcanza una edad avanzada. Las hojas (2), imparipinnadas, están formadas de 5-9 folíolos ovalolanceolados, glabros en la cara superior, pubescentes en la base de la nerviación mediana en la página inferior. Las flores son blancas y perfumadas, reunidas en apretados tirsos que aparecen después de las hojas, en fase primaveral bastante adelantada. El fruto (2) es una pequeña sámara que encierra una semilla única, oblonga, de color marrón rojizo. La madera, resistente y elástica, untuosa al tacto después de ser trabajada, se utiliza para mangos y objetos deportivos. La floración blanca del orno le convierte en una especie ornamental. Se cultiva también para aprovechar el denominado maná, constituido por la savia elaborada que se hace emerger mediante incisiones practicadas al tronco; así se obtiene una masa blanca o amarillenta de sabor dulzón, ligeramente acidulada, en la que el manitol le proporciona propiedades purgantes.
Propagación: Mediante semillas y también por retoños radicales; las variedades cultivadas para la producción del maná se reproducen por injerto.
Condiciones de cultivo: Prefiere las posiciones soleadas y soporta el ambiente seco.

120 ACACIA DE TRES ESPINAS
Gleditschia triacanthus

Familia: Leguminosas
Etimología: El nombre recuerda a Gottlieb Gleditsch, director del Jardín Botánico de Berlín, muerto en 1786.
Hábitat: Región centrooriental de los Estados Unidos.
Descripción: Árbol de hoja caduca que supera los 30 m de altura, con copa ancha, provisto de largas y temibles espinas (2), que aparecen bastante tarde, son alternas y pueden ser pennadas, con 10-12 pares de folíolos, o bien bipinnadas, con 4-7 pares de pinnas: ambas formas pueden aparecer sobre el mismo pie y presentan raquis pubescentes. Las hojas son oblongolanceoladas, con márgenes aserrados, y adoptan, antes de perderse, un hermoso color amarillo. La caída de las hojas es precoz, por lo que la persistencia del follaje es bastante corta. Las flores, situadas sobre inflorescencias en tirso, son muy pequeñas. Los frutos, muy abundantes, se reúnen en racimos, son legumbres oscuras, indehiscentes, de unos 45 cm de longitud, falcados y retorcidos, estrangulados entre los espacios que separan a las semillas. Existe una variedad denominada *inermis*, carente de espinas, y con los frutos de menor longitud, color oscuro rojizo.
Propagación: Mediante semillas, que al ser bastante duras, deben mantenerse en agua antes de sembrarse.
Condiciones de cultivo: Especie muy rústica y sumamente resistente.

121 ROBLE AUSTRALIANO
Grevillea robusta

Familia: Proteáceas

Etimología: El nombre recuerda a Charles F. Greville (1749-1809), uno de los fundadores de la "Horticultural Society" de Londres.

Descripción: Esta especie, en los climas originarios, alcanza una altura de unos 40 m, a pesar de que, particularmente en los países anglosajones, se cultivan ejemplares muy jóvenes en macetas. Las hojas (1) son bipennatífidas, parecidas a frondes de helecho, presentan de color verde la página superior y de color argénteo la inferior. Las flores nacen en racimos sobre las ramas de años precedentes; son apétalas, están provistas de un cáliz corto con cuatro lóbulos curvados, cuatro estambres con las anteras sésiles y un estilo largo y torcido en el ápice. Su color es anaranjado, y a pesar de que sean bastante pequeñas, se aprietan en las inflorescencias y forman vistosos conjuntos. Los frutos (2) son folículos provistos de una o dos semillas aplastadas y aladas. La madera de esta especie es elástica y resistente, y se utiliza en carpintería. Las flores atraen poderosamente a las abejas y por tanto son bastante melíferas.

Propagación: Mediante semillas, de fácil germinación, o por esqueje.

Condiciones de cultivo: En fase adulta, el roble australiano soporta temperaturas de hasta −10°C y aguanta perfectamente la sequía; requiere terrenos ácidos.

122 GUAYACÁN
Guaiacum officinale

Familia: Cigofiláceas

Etimología: El nombre vulgar sudamericano *guaiac,* que significa árbol de la vida.

Hábitat: Especie nativa de América Central, cuya área de distribución alcanza Venezuela y Colombia.

Descripción: Planta perenne de lento crecimiento, que casi nunca alcanza los 10 m de altura, con follaje dilatado y ramificaciones dicotómicas engrosadas en los nudos. Las hojas (1), compuestas, son paripinnadas, con folíolos de aproximadamente 1 cm de longitud, verdes, coriáceos y obovados. Las flores (2) son pequeñas, estrelladas, reunidas en espigas apretadas, azuladas, que adoptan una tonalidad blanca antes de perderse, y a veces coexisten con los frutos, acorazonados, que encierran una única semilla grande, oval y espinosa. La madera, sumamente pesada, es una de las más duras y resistentes del mundo vegetal, hasta tal punto que se utiliza en la construcción de embarcaciones. Además es muy resinosa, desprende un olor agradable y posee un sabor ligeramente acre; se ha utilizado durante siglos como remedio terapéutico, lo que le ha valido también el nombre de "lignum vitae" y en efecto, contiene ácido guayácico, junto con otros. Sin embargo, la principal utilización la constituye la explotación de la madera, de color oscuro o verdoso.

Propagación: Mediante semillas.

Condiciones de cultivo: Prefiere los ambientes tropicales; elige los terrenos arenosos y áridos, y crece en especial en las zonas costeras.

123 RAIGÓN DEL CANADÁ
Gymnocladus dioicus

Familia: Leguminosas

Etimología: El nombre deriva del griego *gymnós*, desnudo, y *kládos*, rama, debido a las grandes ramificaciones que permanecen desnudas durante el invierno.

Hábitat: Especie originaria de los Estados Unidos, en la zona centrooriental, al noroeste de los montes Allegheny.

Descripción: Este árbol supera los 30 m de altura, posee tronco robusto, muy ramificado, con ramas erectas y porte globoso. Las hojas (1) son alternas, bipinnadas, algo irregulares, con un número de folíolos que varía entre 3 y 7 pares; los folíolos son ovales u ovados, acuminados, pubescentes en la fase juvenil. Esta especie es de hoja caduca y las hojas amarillean antes de perderse; son bastante grandes, alcanzan unos 90 cm de longitud y 45 de anchura. Los pecíolos persisten después de la caída de las hojas, y al perderse éstos el árbol queda completamente desnudo. Las flores pueden ser unisexuales o polígamas; pequeñas, reunidas en inflorescencias, de color blanco verdoso. Los frutos (2) son legumbres, persistentes en invierno, y cuyas semillas se utilizaron anteriormente como sustitutivo del café, hasta tal punto que la planta se conoce también con el nombre de café de Kentucky.

Propagación: Mediante semillas o por brotes basales.

Condiciones de cultivo: Especie rústica; tolera los climas rígidos.

124 HALESIA
Halesia monticola

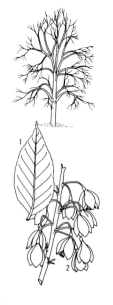

Familia: Estiracáceas

Etimología: El nombre está dedicado al reverendo Stephen Hales (1677-1761), inventor y fisiólogo inglés.

Hábitat: Especie espontánea de la zona montañosa sudoriental de los Estados Unidos.

Descripción: Este árbol, considerado durante largo tiempo como una variedad de *H. carolina*, originario de la misma región, está actualmente reconocido como una especie independiente. Muestra una altura de aproximadamente 25 m, follaje piramidal y desarrollo rápido; las hojas (1), caducas, son enteras, pecioladas, pero carecen de estípulas, son oblongo obovadas y con los márgenes serrados, glabras; amarillean antes de caer. Las flores (2), gamopétalas, nacen en ramilletes axilares en primavera, sobre ramas del año anterior; poseen un pequeño cáliz y corola acampanada, blanca, con cuatro lóbulos, bastante grandes; generalmente las flores son colgantes. Los frutos que aparecen a continuación, de 3-5 cm, son drupas provistas de cuatro grandes alas longitudinales, que encierran 1-3 semillas.

Propagación: Mediante semillas, que deberán ser recientes; por esqueje semileñoso o por acodo.

Condiciones de cultivo: Climas templados y frescos, pero en lugares protegidos de los vientos intensos.

125 ESPINO AMARILLO
Hippophae rhamnoides

Familia: Eleagnáceas
Etimología: Del nombre griego *hippophaés,* utilizado ya por Hipócrates y Dioscórides para designar a una planta espinosa indeterminada.
Hábitat: Europa centroseptentrional, Asia occidental y central hasta China occidental.
Descripción: Especie de hoja caduca, de porte arbustivo, que alcanza los 10 m de altura, con ramificaciones de color gris, espinosas; en los ejemplares más jóvenes, la corteza es escamosa, de color gris claro, casi plateado. Las hojas (1) son lineolanceoladas, de color verde grisáceo en la página superior, y verde plateado en la inferior; mide 2-6 cm y disponen de un pecíolo corto. Las plantas son dioicas y las flores (2), que aparecen en primavera en la axila de ramificaciones del año precedente, son pequeñas, amarillentas e insignificantes en ambos sexos. En los ejemplares femeninos, una vez producida la fecundación, los frutos (3) siguen a las flores, son drupáceos, de color amarillo anaranjado, globosos, con una nuez ovada y dura que cubre la semilla. Los frutos aparecen en otoño y persisten en las ramas desnudas, con un buen efecto decorativo.
Propagación: Mediante semillas, pero no existe con ello ninguna seguridad de obtener el sexo deseado. En cambio, mediante esqueje es posible determinar si la planta será de sexo masculino o femenino.
Condiciones de cultivo: Especie rústica, soporta sin dificultad la sequía y los terrenos salinos litorales.

---

126 ÁRBOL DE LAS PASAS
Hovenia dulcis

Familia: Ramnáceas
Etimología: El nombre recuerda a David Hoven, senador holandés que en el siglo XVI ayudó a financiar las expediciones del botánico Thumberg.
Hábitat: Especie originaria de China, Japón e Himalaya.
Descripción: Árbol de hoja caduca, que constituye la única especie del género; el tallo puede alcanzar 18 m, se ramifica en su porción superior y posee la corteza profundamente hendida. Las hojas (1) son alternas, con largo pecíolo, glabras, ovadoacuminadas, con márgenes serrados, a veces casi enteros, Las flores (2) son pequeñas y blanquecinas, reunidas en racimos axilares o apicales; poseen el cáliz y la corola divididos en cinco lóbulos y cinco pétalos. El pedúnculo floral, después de la fecundación de los frutos, se engrosa y se retuerce, haciéndose carnoso. Cada subdivisión lleva en la extremidad una pequeña drupa oscura y globosa, indehiscente, que encierra tres semillas, aplastadas y brillantes, de color marrón claro. Su particularidad consiste en que estos pecíolos engrosados, en la madurez, están formados por una pulpa dulzona, comestible, y cuyo sabor recuerda al de las pasas; en cambio, los frutos no son comestibles.
Propagación: Mediante semillas o por esqueje de las ramificaciones jóvenes en invernaderos.
Condiciones de cultivo: Especie semirrústica; si las heladas son prolongadas o demasiado intensas pueden afectar irreversiblemente a la planta.

127 IDESIA
Idesia polycarpa

Familia: Flacurtiáceas

Etimología: El nombre recuerda a Eberhard Yobrants Ides, holandés que bajo las órdenes del zar Pedro el Grande de Rusia exploró el norte de Asia entre 1691 y 1695.

Hábitat: China centrooccidental y Japón.

Descripción: Es la única especie del género; se trata de un árbol de 10-15 m de altura, con ramificaciones horizontales. Las hojas (1), caducas, poseen pecíolo largo y rojizo, son alternas, ovales, anchas, con los márgenes crenadoserrados. Las plantas son dioicas, y tanto las flores masculinas como las femeninas (2) son de color blanco verdoso, apétalas, con cinco y más sépalos; las flores masculinas poseen numerosos estambres. La floración se produce en primavera; las inflorescencias son grandes espigas terminales. Los frutos, que aparecen a continuación de las flores femeninas fecundadas, forman grandes racimos de bayas, que encierran varias semillas de color rojo anaranjado, y persisten incluso después de la caída de las hojas, con efecto muy decorativo.

Propagación: Mediante semillas, que germinan fácilmente, pero no aseguran el sexo de la planta; también mediante esquejes semileñosos. A veces se utiliza el injerto de ramificaciones masculinas sobre ejemplares femeninos a fin de asegurar la fructificación.

Condiciones de cultivo: Especie bastante rústica, elige no obstante, los terrenos ácidos o neutros.

---

128 ACEBO
Ilex aquifolium

Familia: Aquifoliáceas

Etimología: El nombre deriva del latín *ilex,* que en la antigüedad clásica se utilizaba para designar al roble; parece que la transposición del nombre fue sugerida a Tournefort debido a la semejanza de las hojas.

Hábitat: Esta especie vive en Europa centromeridional, desde la península ibérica, al Cáucaso, en Persia, y al África septentrional.

Descripción: Mide 8-10 m, provisto de corteza lisa, verde al principio y después grisácea; el follaje es de forma piramidal cónica. Las hojas (1) son persistentes, ovales y elípticas, agudas, con los márgenes irregularmente dentados, espinosos, coriáceas y alternas, de color verde oscuro brillante, más pálido y opaco en la cara inferior; las flores (2), unisexuales, son pequeñas, blancas y brevemente pedunculadas. El fruto es una drupa globosa u oval, de color rojo brillante, que contiene cuatro semillas y posee propiedades purgantes. La madera, dura y teñible, puede utilizarse como sustitutivo del ébano para la construcción de mangos de cacerolas y otros utensilios en los que se sirven bebidas muy calientes. La corteza contiene taninos y un principio viscoso utilizado antiguamente para la fabricación de cola y, extendido sobre las ramas, para la captura de aves.

Propagación: Mediante semillas o por esqueje parcialmente lignificado.

Condiciones de cultivo: Tolera sólo ligeramente los suelos calcáreos y prefiere la humedad.

129 NOGAL NEGRO
Juglans nigra

Familia: Juglandáceas

Etimología: El nombre es de origen latino, utilizado ya por Cicerón, y deriva de *jovis glans*, bellota de Júpiter, debido a la especie *J. regia.*

Hábitat: Región central y oriental de los Estados Unidos.

Descripción: Especie de hoja caduca, de 20-40 m de altura, provista de tronco erecto, con corteza muy oscura, profundamente hendida y follaje esférico. Las hojas (1), pinnadas, miden aproximadamente 60 cm y presentan 10-20 folíolos lanceoladoacuminados, glabros en la página superior, pubescentes en la inferior. Las flores son unisexuales, y están dispuestas sobre la misma planta; las masculinas (2), reunidas en amentos, disponen de hasta 30 estambres; las femeninas (3), están sostenidas por pequeños racimos paucifloros. Ambas formaciones son pequeñas e insignificantes. El fruto es una drupa en la que la semilla, incluida dentro de una vaina leñosa, está rodeada de un involucro carnoso denominado muezno. Los frutos pueden ser solitarios o bien apareados, tienen una forma bastante más globosa que la de *J. regia,* y la nuez es pequeña y muy leñosa. El árbol se cultiva, además de las razones ornamentales, para la obtención de su hermosísima madera de color rojo oscuro, dura y no atacable por los insectos. Las raíces contienen una sustancia que puede envenenar a los árboles próximos.

Propagación: Mediante semillas.

Condiciones de cultivo: Especie rústica; prefiere los terrenos perfectamente drenados.

---

130 ÁRBOL DE LAS SALCHICHAS
Kigelia pinnata

Familia: Bignoniáceas

Etimología: El nombre genérico es la latinización del nombre vernáculo utilizado en Mozambique.

Hábitat: África tropical, desde Sudán al Transvaal y Mozambique.

Descripción: Árbol provisto de tronco grueso, a menudo ramificado a partir de la base, que alcanza una altura de 6-15 m, con ramificaciones ensanchadas y ramas secundarias colgantes. Las hojas (1) son imparipinnadas, con 7-9 folíolos oblongos, enteros o serrados, lisos en la parte superior, ligeramente pubescentes en el envés. La particularidad de esta especie es que los folíolos laterales son sésiles dispuestos sobre el raquis, mientras que el apical se dispone a unos 30 cm de distancia del último par, lo que hace que el follaje sea aparentemente poco denso. Los racimos colgantes son portadores de grandes y vistosas flores, provistas de corola tubular, amarilla en la base y de color rojo en los lóbulos abiertos. El raquis de la inflorescencia es muy largo, y el fruto resultante, de color gris marronáceo y cilíndrico, cuelga de un pedúnculo que puede medir más de un metro de longitud; adopta un aspecto extraño lo que determina el nombre vulgar de la especie. Algunas tribus indígenas obtienen una bebida de estos frutos.

Propagación: Mediante semillas.

Condiciones de cultivo: Especie exclusivamente tropical.

131 LAUREL
Laurus nobilis

Familia: Lauráceas
Etimología: El nombre conserva el utilizado por los latinos; los griegos denominaban al laurel *dáphne* debido a la leyenda por la que la ninfa Daphne fue convertida en laurel con el fin de eludir a Apolo; el árbol se convirtió en sagrado para los dioses y se utilizaba en las fiestas en su honor, y cuando el culto pasó a Roma, con laurel se fabricaron las cintas que coronaban la cabeza de los vencedores y de los poetas, uso que permaneció en vigor durante mucho tiempo: incluso la corona de Napoleón representaba una guirnalda de laurel.
Hábitat: Especie espontánea de la región mediterránea.
Descripción: Este árbol de hoja perenne alcanza una altura máxima de 8-12 m y presenta un aspecto de mata. Las hojas (1) son de color verde brillante, alternas, coriáceas, aromáticas y lanceoladas. Las flores son unisexuales, amarillentas, reunidas en pequeñas umbelas; las plantas son dioicas. Florecen en primavera, y sobre los individuos femeninos, aparecen a continuación pequeñas drupas (2) negras, brillantes, ovoideglobosas, parecidas a aceitunas. Existen distintas variedades, entre ellas *crispa* y *angustifolia*.
Propagación: Mediante semillas, esqueje, acodo o retoños basales.
Condiciones de cultivo: Especie rústica; resiste incluso 15°C bajo cero, soporta perfectamente las podas, hasta tal punto que el laurel se emplea también en la construcción de setos.

132 NARANJO DE LUISIANA
Maclura pomifera

Familia: Moráceas
Etimología: El nombre recuerda a William Maclure, geólogo americano (1763-1840).
Hábitat: Especie nativa de Norteamérica; se la conoce también con el nombre de espino de los osagi, nombre de una tribu próxima a los sioux.
Descripción: Árbol de hoja caduca, con follaje esférico, que puede alcanzar 10 y más metros de altura, pero debido a la facilidad con la que resiste las podas se puede también utilizar en estado arbustivo para la construcción de setos de defensa. La madera es bastante dura, se utiliza sin embargo sólo ocasionalmente en ebanistería; no obstante, de su corteza amarilla se extrae una materia colorante, la morina. Las ramas están provistas de potentes espinas axilares, las hojas (1) son alternas, oblongas, con los márgenes ondulados y adquieren una tonalidad amarilla antes de desprenderse del árbol; toda la planta contiene un látex denso. Las flores son unisexuales; las masculinas (2) se presentan en ramas colgantes, pedunculares; las femeninas (3), en inflorescencias esféricas, con pedúnculo corto, que producen frutos sincárpicos formados por numerosísimas pequeñas drupas reunidas en un conjunto globoso, del tamaño de una naranja, mamilífero externamente y de color amarillo anaranjado al llegar a la madurez; no es comestible.
Propagación: Mediante semillas, que deben ser recientes, o bien por esqueje radical.
Condiciones de cultivo: Especie rústica; difícilmente fructifica en climas muy rígidos.

133 ÁRBOL BLANCO
Melaleuca diosmifolia

Familia: Mirtáceas
Etimología: El nombre deriva del griego *mélas,* negro, y *léukos,* blanco, debido a que el tronco y las ramificaciones de una cierta edad presentan la corteza de color oscuro mientras que las ramificaciones jóvenes la tienen blanca.
Hábitat: Especie originaria de Australia.
Descripción: Pequeño árbol de hojas perennes que puede alcanzar aproximadamente los 3 m de altura, pero que frecuentemente es de dimensiones más reducidas a causa de la distorsión del tallo; ramificado a partir de la base, presenta un aspecto dilatado con las ramificaciones más o menos colgantes; las jóvenes y flexibles lo son de modo decidido. Las hojas (1), pequeñas, lineares, casi aciculares, son rígidas, y se insertan sobre ramas alternas, en forma espiralada, por lo que nunca aparecen dispuestas sobre dos hileras. Miden como máximo un centímetro de longitud, son muy aromáticas. Las flores aparecen en espigas cilíndricas, son blancas, pequeñas y dispuestas muy juntas. Dado que el crecimiento continúa al ápice de la espiga con la emisión de nuevas ramificaciones, el raquis entra a formar parte de la ramificación. A las flores siguen pequeños frutos (2), sésiles, urceolados, muy persistentes, son cápsulas y contienen innumerables semillas muy pequeñas.
Propagación: La reproducción por semillas es de desarrollo lentísimo, y por ello es preferible la multiplicación por esqueje.
Condiciones de cultivo: Especie semirrústica; próspera en climas templados.

134 ÁRBOL DE HIERRO
Metrosideros robusta

Familia: Mirtáceas
Etimología: El nombre deriva del griego *métra,* médula, y *sideros,* hierro, a causa de la dureza de la madera.
Hábitat: Especie nativa de Nueva Zelanda.
Descripción: Árbol de gran talla que puede alcanzar 30 m de longitud, tronco irregular, a pesar de que fuera de su región de origen permanece mucho más pequeño. Es una de las especies denominadas "estranguladoras" que inician su desarrollo como epífitos y emiten raíces, que una vez alcanzan el suelo, comienzan a crecer rodeando al árbol patrón, hasta que lo destruyen por completo y se instalan en su lugar. Los ejemplares terrestres son de menor talla, pero producen un leño tan duro y resistente que merece el nombre de madera de hierro. Las hojas (1) son opuestas, pequeñas, elípticas o lanceoladas, muy coriáceas, provistas de una fuerte nerviación central. Las flores están sostenidas por cimas terminales, muy grandes, poseen cáliz en forma de copa y numerosísimos estambres sobresalientes; su color es rojo. El fruto es una cápsula.
Propagación: Mediante semillas, esqueje o acodo.
Condiciones de cultivo: Climas benignos en los que la temperatura mínima no descienda por debajo de 4 °C, a pesar de que una vez adulta, esta especie está en condiciones de resistir también heladas breves y esporádicas.

135 MORERA BLANCA
Morus alba

Familia: Moráceas
Etimología: El nombre deriva del utilizado por los romanos.
Hábitat: Especie originaria de China, pero desde muy antiguo introducida en Europa, donde se cultiva abundantemente en la región centromeridional.
Descripción: Árbol de 10 a 18 m de altura, tronco irregularmente ramificado, que forma una copa ensanchada; la corteza, al principio de color gris y más adelante oscura y hendida longitudinalmente. Las hojas (1), caducas y alternas, están sostenidas por un pecíolo acanalado provisto de estípulas caducas. La lámina, ovadoaguda, trilobulada y glabra por ambas caras, es de color verde claro. Las flores son unisexuales, las masculinas (2) reunidas en amentos cilíndricos con corto pedúnculo, las femeninas (3) dispuestas en amentos subglobosos. Los frutos (4), de color blanco, rosa o violeta, son en realidad infrutescencias, de sabor dulce incluso en fase inmadura. Esta especie fue introducida en los países mediterráneos probablemente en el siglo XII, al importarse el gusano de seda del que las hojas de la morera blanca representan el alimento exclusivo; este árbol era un elemento característico de la fisonomía de algunos países europeos (Italia, por ejemplo) cuando la cría del gusano de seda se realizaba en el plano artesanal o familiar. Actualmente existe una variedad *péndula* que se cultiva en los jardines.
Propagación: Mediante semillas o esqueje; también, y es muy adecuado, por injerto.
Condiciones de cultivo: Terrenos frescos y en posición soleada.

---

136 MORAL
Morus nigra

Familia: Moráceas
Etimología: El nombre específico alude al color oscuro del fruto, en especial en relación al de la especie próxima *M. alba*.
Hábitat: Especie originaria de Asia Menor y Persia, pero también introducida en la cuenca mediterránea desde época muy remota.
Descripción: Sus caracteres morfológicos son muy semejantes a los de la morera blanca, pero es una especie más robusta, con el tronco y las ramas más gruesos y toscos, puede alcanzar 10-15 m de altura y posee un follaje más denso. Las hojas (1), provistas de un pecíolo más breve y algo acanalado, son marcadamente acorazonadas en la base, individidas o con 3-5 lóbulos, más rígidas y de un color verde más oscuro en la página superior mientras que la superficie inferior es tomentosa. Las flores (2) son unisexuales. Una vez producida la fecundación, los frutos (3), que en realidad son una infrutescencia de mayores dimensiones que en el caso de la morera blanca, formada por pequeñísimas drupas de color negro violáceo y que, al contrario de la anterior especie, mantienen el sabor ácido hasta el momento de la maduración. Se cultiva para la obtención de sus frutos que se emplean en la elaboración de mermeladas y jarabes ligeramente astringentes. Su follaje, a causa de su aspereza, se utiliza muy poco en la alimentación del gusano de seda.
Propagación: Mediante semillas, por esqueje, por acodo o injerto.
Condiciones de cultivo: Presenta las mismas exigencias que la morera blanca, pero resiste mejor al frío y puede cultivarse por encima de los 1000 m de altura.

137 NOLINA
Nolina longifolia

Familia: Agaváceas
Etimología: El nombre fue dado en honor a P. C. Nolin, autor de trabajos sobre agricultura, que vivió en Francia en la segunda mitad del siglo XVIII.
Hábitat: Especie originaria de México.
Descripción: Planta leñosa de lento crecimiento que asume con el tiempo un porte arbóreo, y puede alcanzar 3 y más metros de altura. El tallo, grueso, está revestido por una corteza suberosa de espesor considerable, con pocas ramificaciones, erectas, cada una de ellas con un haz de hojas muy largas, lineales y acuminadas, con los márgenes dentados. Las situadas en el centro son erectas, pero se incurvan con la madurez y acaban por ser totalmente colgantes, persistentes durante largo tiempo, incluso después de secarse. Las flores son muy pequeñas, acampanadas, de color blanco, reunidas en largas y apretadas espigas erectas con ramificaciones extendidas. Las flores pueden ser unisexuales o hermafroditas. El fruto contiene de una a tres semillas.
Propagación: Mediante semillas, a pesar de que su desarrollo es muy lento. Debido a ello, si aparecen retoños basales es preferible utilizarlos para la multiplicación.
Condiciones de cultivo: Climas benignos, con fríos sólo esporádicos, y nunca intensos o prolongados.

138 CARPE NEGRO
Ostrya carpinifolia

Familia: Coriláceas
Etimología: El nombre deriva del latín y ya lo utilizó Plinio para indicar a una especie de carpe.
Hábitat: Europa meridional, hasta Asia Menor y Cáucaso.
Descripción: Árbol de 15-18 m de altura, con tronco erecto y contorno irregular, copa recogida, cónica y menos dilatada que la del carpe blanco; la corteza, lisa y rojiza, de joven está adornada de lentejuelas blanquecinas transversales; con el tiempo adquiere una tonalidad rojizo negruzca y aspecto rugoso. Las hojas (1), simples y caducas, ovadooblongas, son redondeadas en la base y acuminadas en el ápice, con los márgenes doblemente dentados, de color verde oscuro y brillante en la página superior, de tonalidad más clara y tomentosa, en fase juvenil, en la inferior, con 11-17 pares de nerviaciones secundarias poco aparentes, pero que al juntarse hacen que la página inferior aparezca de aspecto vesiculoso. Las flores unisexuales se reúnen en amentos, los masculinos (2) cilíndricos y colgantes, reagrupados en conjuntos de 2 o 3, con floración precoz, más cortos y toscos que los femeninos (3), al principio erectos y luego colgantes también, que aparecen conjuntamente con las hojas. La infrutescencia es semejante a la del lúpulo.
Propagación: Mediante semillas, o por esquejes enraizados en otoño; puede también injertarse sobre pies de *Carpinus betulus*.
Condiciones de cultivo: Especie no muy exigente con respecto al sustrato; prefiere, no obstante los terrenos calcáreos ricos y frescos; climas suaves.

139 OSTIRA
Ostrya virginiana

Familia: Coriláceas

Etimología: Su nombre específico alude a su origen americano y en particular a su procedencia de las regiones de Virginia.

Hábitat: Su área se encuentra en la región oriental de los Estados Unidos.

Descripción: Árbol que alcanza 15-18 m de altura, posee tronco recto, corteza rojiza y lisa en fase juvenil, y después se cuartea; las ramificaciones jóvenes son tomentosas. Las hojas (1), ovadooblongas, son subacorazonadas en la base y poseen nerviación poco aparente, pero con subdivisiones hasta llegar a formar nerviaciones terciarias. Las yemas, puntiagudas, presentan un corto número de pérulas de color verde claro y glabras. En (2) flores masculinas y en (3), flores femeninas. Los frutos son aquenios pequeños y lisos, cada uno de ellos encerrado y protegido por brácteas soldadas con los márgenes en forma de vejiga, de color marrón claro en la fase de madurez. En esta especie los frutos forman racimos de unos 7 cm de longitud. Las vesículas tienen como función facilitar la diseminación, que es anemófila. La madera, dura y resistente, recibe también el nombre de madera de hierro.

Propagación: Mediante semillas, esqueje en verano y por injerto.

Condiciones de cultivo: Es indiferente al tipo de sustrato, pero prefiere los suelos bien drenados y soleados.

---

140 FELODENDRO
Phellodendron amurense

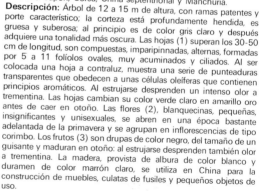

Familia: Rutáceas

Etimología: Deriva del griego *phellós*, corcho, y *déndron*, árbol, puesto que es una especie provista de corteza suberosa.

Hábitat: Japón, Corea, China septentrional y Manchuria.

Descripción: Árbol de 12 a 15 m de altura, con ramas patentes y porte característico; la corteza está profundamente hendida, es gruesa y suberosa; al principio es de color gris claro y después adquiere una tonalidad más oscura. Las hojas (1) superan los 30-50 cm de longitud, son compuestas, imparipinnadas, alternas, formadas por 5 a 11 folíolos ovales, muy acuminados y ciliados. Al ser colocada una hoja a contraluz, muestra una serie de punteaduras transparentes que obedecen a unas células oleíferas que contienen principios aromáticos. Al estrujarse desprenden un intenso olor a trementina. Las hojas cambian su color verde claro en amarillo oro antes de caer en otoño. Las flores (2), blanquecinas, pequeñas, insignificantes y unisexuales, se abren en una época bastante adelantada de la primavera y se agrupan en inflorescencias de tipo corimbo. Los frutos (3) son drupas de color negro, del tamaño de un guisante y maduran en otoño: al estrujarse desprenden también olor a trementina. La madera, provista de albura de color blanco y duramen de color marrón claro, se utiliza en China para la construcción de muebles, culatas de fusiles y pequeños objetos de uso.

Propagación: Mediante semillas o por esqueje obtenido en julio.

Condiciones de cultivo: Prefiere los terrenos calcáreos pero se adapta indiferentemente casi a cualquier tipo de sustrato; especie propia de climas templados.

141   ÁRBOL DE LA BELLA SOMBRA
Phytolacca dioica

Familia: Fitolacáceas
Etimología: Del griego *phýton,* planta, y *lacca,* latinización del término indio *laek,* goma laca, debido al poder colorante de los frutos.
Hábitat: Sudamérica, particularmente Brasil y Argentina.
Descripción: Árbol de gran tamaño que puede superar los 15 m, con follaje muy denso y dilatado, perenne, aunque la especie sea semicaduca en los países con clima no suficientemente benigno; el tronco alcanza 2 m de diámetro y está muy engrosado en la base, con raíces que fácilmente emergen del terreno y emiten numerosos vástagos lo que ayuda a proporcionar el aspecto arborescente. Las hojas (1) son de color verde, provistas de pecíolos delgados, elípticas y muy acuminadas. Las plantas son dioicas; las flores (2) se reunen en inflorescencias racemosas, frecuentemente colgantes; las masculinas presentan 20-30 estambres con el cáliz de color blanquecino, las femeninas en cambio muestran cáliz grande y ovario redondo. Los frutos son bayas carnosas, connatos en la base, amarillentos. El árbol es de rápido crecimiento y muy longevo; se desconoce con exactitud hasta qué punto, debido a que su tronco, con médula abundante, carece de anillos anuales.
Propagación: Mediante semillas.
Condiciones de cultivo: Climas suaves, no tolera las heladas, sin embargo, resiste perfectamente la salinidad de los climas marinos.

142   PLÁTANO
Platanus occidentalis

Familia: Platanáceas
Etimología: El nombre deriva de la palabra griega *platýs,* ancho, en referencia a las hojas y a la copa de esta especie.
Hábitat: Especie originaria de la parte oriental de Norteamérica.
Descripción: Árbol que alcanza 40-50 m de altura, provisto de tronco cilíndrico, en gran parte desnudo y alcanza, a nivel del cuello, 3 m de diámetro en algunos casos; las ramas, robustas y separadas, forman una copa muy alta. Las hojas (1), caducas y palmadas poseen 3 y a veces 5 lóbulos. El mediano, más ancho que largo, está separado de la base de los restantes lóbulos por incisiones poco profundas y muy abiertas. Las inflorescencias (2) globosas, parecidas a pequeñas pelotas colgantes, son en general solitarias, raras veces agrupadas en conjuntos de dos o tres elementos. Las semillas, aquenios delgados y prismáticos, permanecen sobre el árbol durante todo el invierno, hasta que la infrutescencia (3) se disgrega, confiando sus elementos al viento. El tronco posee una trama intrincada que dificulta extraordinariamente su corte; esta característica permite la obtención de los bloques sobre los que los carniceros cortan la carne. La mayor envergadura, la posesión de los lóbulos menos delgados e incisos y la infrutescencia casi siempre solitaria, son las características que diferencian al *P. occidentalis* del *P. orientalis.* Especie longeva, vive hasta 600 años.
Propagación: Mediante esqueje que enraiza fácilmente, o bien por semillas.
Condiciones de cultivo: Esta especie prefiere los terrenos aluviales frescos y profundos; no se adapta a los terrenos ácidos ni tampoco a los pantanosos.

143 PLÁTANO ORIENTAL
Platanus orientalis

Familia: Platanáceas

Etimología: El nombre específico alude al origen de esta especie, en relación al origen del *P. occidentalis*, de procedencia americana.

Hábitat: Especie originaria de las zonas templadas de Asia occidental; se la encuentra también espontáneamente en Sicilia y al norte de Italia.

Descripción: Es un árbol de 30-35 m de altura como máximo, provisto de tronco cilíndrico y recto, cubierto de una corteza blanca que se separa en placas anchas y delgadas. Las ramas, robustas forman una copa amplia, esférica, densa, con grandes hojas palmatolobuladas (1), provistas de pelusilla en fase juvenil, pero después glabras. El largo pecíolo se ensancha en la base con el fin de formar una caperuza protectora a las yemas. Las inflorescencias unisexuales (2, 3), que se abren en abril-mayo, son cabezuelas características, globosas y colgantes, sostenidas por un largo pedúnculo, que al madurar (4) se deshacen liberando las semillas; éstas son aquenios, rodeados de una pelusilla típica que facilita la diseminaicón. Es una especie de rápido crecimiento, cultivada frecuentemente con fines ornamentales con el fin de proporcionar sombras a las avenidas y parques ciudadanos. La madera, clara y bastante dura, posee algunas utilidades industriales.

Propagación: Es frecuente la reproducción mediante semillas, pero sin embargo se prefiere el esqueje mediante ramificaciones de 2 o 3 años.

Condiciones de cultivo: Es una planta longeva que escoge los terrenos fértiles, profundos y frescos, bastante húmedos.

144 ÁLAMO
Populus alba

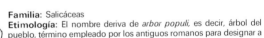

Familia: Salicáceas

Etimología: El nombre deriva de *arbor populi*, es decir, árbol del pueblo, término empleado por los antiguos romanos para designar a esta planta.

Hábitat: Posee un área de distribución que se extiende desde Europa centromeridional a Asia occidental y norte de África.

Descripción: Es un árbol que puede alcanzar, en condiciones óptimas 30 m de altura; posee tronco generalmente erecto, cubierto por una corteza de color gris o gris verdoso, con trazas de lenticelas en fase juvenil, pero después se agrieta y se hace rugosa. Las hojas (1) adultas son algo pecioladas, provistas de lámina ovada o elíptico alargada, sinuada o dentada obtusamente en los márgenes, gris tomentosa en la página inferior y de color verde intenso en la superior. En cambio, las hojas de los retoños jóvenes son irregularmente triangulares o bien palmatolobuladas y provistas de largo pecíolo. Las flores son amentos laterales: las masculinas (2) cilíndricas, con los estambres y las anteras al principio de color púrpura y después amarillento; las femeninas (3), son mucho más cortas y con estigmas de color rosa. El fruto es una cápsula glabra. La madera es de calidad mediocre y se utiliza únicamente para embalaje o bien como madera de soporte en la construcción de muebles a base de madera de mayor calidad.

Propagación: Mediante semillas, por retoños radicales o por esquejes.

Condiciones de cultivo: Especie calciófila y resiste la sequía.

145 CHOPO AMERICANO
Populus deltoides

Familia: Salicáceas
Etimología: El nombre específico hace referencia a la forma de las hojas que, especialmente en los ejemplares jóvenes adopta la forma triangular o de delta.
Hábitat: Especie originaria de Norteamérica.
Descripción: Árbol de 25-30 m de altura, con la corteza profundamente hendida y copa muy alta; posee ramificaciones de gran tamaño, las más jóvenes angulosas y de color oscuro. Las yemas son grandes agudas y pubescentes; las hojas (1), muy grandes, caducas, alternas y simples poseen forma triangular y son más largas que anchas, con la base recta y ligeramente acorazonada, bastante acuminadas en la punta; poseen un largo pecíolo aplastado, con dos o tres glándulas características. La lámina presenta color verde oscuro por encima, más claro por debajo y con los bordes tomentosos; las hojas, en su fase juvenil, son pubescentes. Las flores son unisexuales se reúnen en amentos, los masculinos más apretados que los femeninos, de unos 20 cm de longitud. Este álamo, de rápido crecimiento, alcanza a los veinte años su máxima altura; proporciona abundante madera para la fabricación de celulosa. En Europa raras veces se le cultiva como tal, pero sus híbridos con el álamo negro europeo se han mostrado muy útiles en especial con relación a la velocidad de crecimiento y a la resistencia frente a las enfermedades.
Propagación: Mediante semillas; los híbridos por esqueje.
Condiciones de cultivo: Terreno fresco, fértil y aireado.

146 CHOPO DEL CANADÁ
Populus x euroamericana

Familia: Salicáceas
Etimología: El nombre de este grupo de híbridos alude a su origen.
Descripción: Bajo esta denominación se agrupan a todos aquellos híbridos originados por el cruzamiento del chopo negro europeo *(Populus nigra)* y del chopo negro americano *(Populus deltoides)*. En el ámbito de esta especie, o mejor dicho de este híbrido estandarizado, indudablemente convencional, las entidades se indican mediante un nombre de fantasía o bien con siglas o números para cada uno de los clones seleccionados que se cultivan en amplia escala por el mundo. Los caracteres diferenciales del chopo del Canadá: mayor tamaño de las hojas con respecto a las del chopo negro y la presencia constante de una o dos glánculas de color rojizo, grandes y muy aparentes, en la base de la página superior de la hoja, próximas a la inserción del pecíolo. El color de las hojas de los ejemplares jóvenes y de los pecíolos es cobreado o al menos teñido de rojo. En (1) hoja; (2) flores masculinas; (3) flores femeninas y (4) fruto.
Propagación: Siempre mediante vía vegetativa con el fin de poder mantener los caracteres de los clones.
Condiciones de cultivo: Estos híbridos prefieren los terrenos frescos profundos e irrigados, o bien las zonas de ribera o bien las llanuras de alubión.

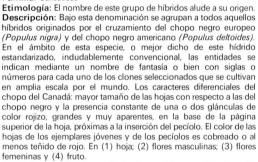

147 CHOPO NEGRO
Populus nigra var. *italica*

Familia: Salicáceas

Etimología: El nombre científico significa negro y alude al color de la corteza de esta especie, que es negruzco; el nombre de la variedad, que algunos autores consideran a nivel de especie con el nombre de *P. italica*, se refiere al hecho de que es una especie característica del paisaje italiano.

Hábitat: Se supone que el lugar de origen de esta variedad debe buscarse en Asia occidental, de donde fue importada en tiempos muy remotos.

Descripción: Árbol muy característico por su porte columnar, fusiforme, en forma de pincel, de hasta 40 m de altura; probablemente se ha diferenciado mediante mutaciones de la especie tipo de la que se distingue por el tronco frecuentemente policórmico, por las ramificaciones más delgadas y enhiestas, casi verticales, y por las hojas (1) romboidales y ovadas, sin embargo más pequeñas y más redondeadas, con el pecíolo manchado de color rosa. Las flores, unisexuales, se disponen sobre individuos diferentes por lo que se disponen de ejemplares masculinos y femeninos; las flores masculinas (2) se reúnen en amentos alargados, rojizos debido a las numerosísimas anteras de color rojo, y las femeninas (3) más gráciles, se alargaron al llegar a la madurez y son de color verdoso. En (4) fruto. Esta especie se cultiva ampliamente al borde de las carreteras y a lo largo de los canales de agua.

Propagación: Debido a la preponderancia de individuos masculinos, esta especie se multiplica por esqueje.

Condiciones de cultivo: Ligeramente termófila; prefiere las exposiciones soleadas.

148 FALSO CHOPO TEMBLÓN
Populus tremuloides

Familia: Salicáceas

Etimología: El nombre específico alude a la semejanza que muestra este chopo con *P. tremula,* del que se diferencia por su área de distribución.

Hábitat: Este chopo ocupa, en Norteamérica, un área de distribución bastante amplia, desde la península del Labrador hasta Alaska y, al sur, desde Pensilvania a Baja California.

Descripción: Este árbol, que puede alcanzar 25-30 m recuerda al chopo temblón por ejemplo en la estructura de la corteza, que permanece durante mucho tiempo de color claro y lisa, entre gris verdoso y blanquecina, mientras que en cambio es rugosa y gris negruzco en la base de los troncos de los ejemplares viejos. Las jóvenes ramificaciones, en cambio, son de color marrón rojizo, glabras y frágiles; las yemas son viscosas. Las hojas (1) caducas y alternas, son de forma redondeada y acorazonada, más puntiagudas que las del chopo temblón, y poseen los márgenes dentados de un modo más fino aunque también más irregular; el largo pecíolo es delgado y está comprimido lateralmente. En (2) flores y en (3) fruto. Ya que esta especie se ha adoptado como árbol ornamental en parques, jardines y arboledas, en aquellos puntos en que lo permite la humedad ambiental, los agricultores han puesto en el mercado distintas variedades.

Propagación: Mediante esqueje, que enraiza fácilmente.

Condiciones de cultivo: Prefiere los terrenos frescos no compactos.

149 ROBLE TURCO
Quercus cerris

Familia: Fagáceas
Etimología: El nombre genérico ha conservado la raíz latina.
Hábitat: Su área de distribución se extiende desde el sudeste de Europa a Asia oriental
Descripción: Se trata de un árbol hermoso y majestuoso, de 30-35 m de altura como máximo, con un diámetro del tronco de 130 cm; posee forma delgada, con la copa densa y oscura. La corteza está profundamente hendida y es de tonalidad negruzca. Las jóvenes ramificaciones son angulosas más o menos tomentosas y de color gris verdoso. Las hojas (1) alternas, simples, de consistencia casi coriácea son frecuentemente oblongas y poseen un contorno variable, con 7-8 pares de lóbulos desiguales; las hojas se pierden muy adelantada la estación, son grisáceas debido a la tomentosidad de sus dos caras en fase juvenil mientras que una vez adultas adquieren tonalidad verdosa y son ásperas al tacto en la página superior. Las flores son unisexuales; las masculinas (2), reunidas en amentos cilíndricos, laxos y colgantes, las femeninas, aisladas o bien en grupos de 2-5, provistas de cortos pedúnculos. El fruto (3), la bellota, es un aquenio ovado alargado, protegido en un tercio o hasta la mitad de su longitud por una cúpula formada por escamas lineares oscuras y tomentosas. La madera, de color rojizo con ligeras tonalidades violáceas, es pesada y dura pero susceptible de agrietarse: se utiliza para la construcción de traviesas ferroviarias y para la construcción de toneles.
Propagación: Mediante semillas que deben enterrarse apenas maduras.
Condiciones de cultivo: Prefiere los climas cálidos y no tolera la sequía.

150 ENCINA ORIENTAL
Quercus frainetto

Familia: Fagáceas
Etimología: Nombre indígena de este roble, originario de los Balcanes.
Hábitat: Posee un área limitada a los países balcanes y al sur de Italia.
Descripción: Árbol de unos 30 m, a pesar de que excepcionalmente puede llegar a 40 m; presenta porte delgado. La corteza es lisa y no se fractura hasta alcanzar la edad de diez años, momento en el que se separa en pequeñas escamas laminares y de color gris oscuro. Las hojas (1), alternas y simples, son grandes y están profundamente lobuladas en los márgenes, con 7-9 pares de lóbulos laterales, que a su vez están lobulados hacia el ápice. Recuerdan a las hojas del robLe pero son más grandes, profundamente lobuladas y con estípulas tardíamente caducas. Las flores son unisexuales; las masculinas reunidas en amentos de 4-5 cm de longitud, ligeramente pubescentes y las femeninas en espigas muy pubescentes. La belleta (2), sostenida por cortos pedúnculos, madura en octubre y posee una cúpula semiesférica con numerosas escamas. El roble ha sido desde la antigüedad símbolo de la fuerza, de la perseverancia, de la lealtad y de la virtud heróica; una corona de hojas de roble provistas de bellotas llamada corona cívica, premiaba al soldado romano que había salvado a un compañero en la batalla.
Propagación: Mediante semillas; es una especie de rápido crecimiento.
Condiciones de cultivo: Es una especie exigente con respecto a la fertilidad y soltura del terreno.

151 ENCINA
Quercus ilex

Familia: Fagáceas
Etimología: El nombre específico repite el nombre con el que los romanos denominaban a la encina.
Hábitat: Es una especie mediterránea, cuya área de distribución se extiende desde las costas meridionales de Europa a África septentrional.
Descripción: Árbol que alcanza como máximo 25 m de altura, con tronco en general poco elevado que puede alcanzar o superar el diámetro de un metro; copa amplia, oval y apretada. La corteza, gris y lisa en los ejemplares juveniles, en los viejos árboles se agrieta en pequeñas placas casi cuadradas. Las hojas (1), persistentes durante dos o tres años, son simples, alternas y coriáceas; la lámina es muy variable con respecto a la forma y a las dimensiones, posee márgenes dentados y espinosos en los ejemplares jóvenes, enteros en los árboles adultos. El limbo es brillante en la parte superior mientras que en la página superior es de color blanco algodonoso debido a la presencia de pelos estelares que, al fomar pequeñas cámaras aéreas fácilmente saturables de vapor de agua, limitan la transpiración. Es un mecanismo fisiológico de adaptación a las condiciones del clima mediterráneo. En (2), las flores. Las bellotas son pequeñas y una de sus mitades está muy cerrada en el interior del la cúpula formada por las escamas pilosas. Representan el alimento preferido de los cerdos. Éstos, al alimentarse de bellotas, su carne adquiere un aroma particular.
Propagación: Mediante semillas o por retoños radicales.
Condiciones de cultivo: Crece también sobre sustratos calcáreos.

---

152 ROBLE ALBAR
Quercus petraea

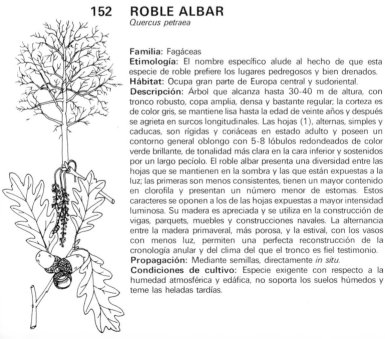

Familia: Fagáceas
Etimología: El nombre específico alude al hecho de que esta especie de roble prefiere los lugares pedregosos y bien drenados.
Hábitat: Ocupa gran parte de Europa central y sudoriental.
Descripción: Árbol que alcanza hasta 30-40 m de altura, con tronco robusto, copa amplia, densa y bastante regular; la corteza es de color gris, se mantiene lisa hasta la edad de veinte años y después se agrieta en surcos longitudinales. Las hojas (1), alternas, simples y caducas, son rígidas y coriáceas en estado adulto y poseen un contorno general oblongo con 5-8 lóbulos redondeados de color verde brillante, de tonalidad más clara en la cara inferior y sostenidos por un largo pecíolo. El roble albar presenta una diversidad entre las hojas que se mantienen en la sombra y las que están expuestas a la luz; las primeras son menos consistentes, tienen un mayor contenido en clorofila y presentan un número menor de estomas. Estos caracteres se oponen a los de las hojas expuestas a mayor intensidad luminosa. Su madera es apreciada y se utiliza en la construcción de vigas, parquets, muebles y construcciones navales. La alternancia entre la madera primaveral, más porosa, y la estival, con los vasos con menos luz, permiten una perfecta reconstrucción de la cronología anular y del clima del que el tronco es fiel testimonio.
Propagación: Mediante semillas, directamente *in situ*.
Condiciones de cultivo: Especie exigente con respecto a la humedad atmosférica y edáfica, no soporta los suelos húmedos y teme las heladas tardías.

153 ROBLE
Quercus robur

Familia: Fagáceas
Etimología: El nombre específico es el término latino utilizado para designar todo tipo de madera dura, en particular la del roble.
Hábitat: Ocupa una extensa zona en toda Europa, excluido el extremo norte y una parte de la región mediterránea.
Descripción: Árbol majestuoso que puede alcanzar 50 m de altura, con tronco robusto y copa grande e irregular. Las hojas (1), alternas, simples, caducas, de consistencia herbácea algo coriácea, son en estado adulto ovado oblongas, estrechas en la base y ensanchadas en la parte superior, con 5-7 pares de lóbulos emplios, separados por huecos redondeados. El color de las hojas es verde oscuro y brillante en la página superior y más claro en la inferior. En (2, 3), las flores. El fruto (4), la bellota, es ovado oblonga, acuminada y protegida en su cuarto inferior, o incluso hasta la mitad, por una cúpula de escamas próximas, imbricadas y ligeramente tomentosas. La madera, con albura blanca y duramen oscuro, es una de las más apreciadas para construcciones navales y muebles y también para la construcción de vigas.
El famoso roble de Eslavonia, con el que se construían barriles destinados al envejecimiento de vinos preciados o de coñac, procedía de esta especie. Es una madera de fácil trabajo y de larga duración.
Propagación: Mediante semillas.
Condiciones de cultivo: Terrenos alcalinos frescos; soporta las heladas.

154 ÁRBOL DEL VIAJERO
Ravenala madagascariensis

Familia: Musáceas
Etimología: El nombre deriva de indígena.
Hábitat: Especie endémica de Madagascar.
Descripción: De aspecto arborescente, puede rebasar los 10 m de altura; el tronco está formado por la base de las hojas, lignificado y señalado anularmente por el punto de unión de los viejos pecíolos. Las hojas (1), dísticas, se disponen en abanico; están sostenidas por largos pecíolos envainantes, estrechamente imbricados. Su base, hueca, sirve para la recogida de agua. Esta característica ha valido a la planta su nombre común, dado que los viajeros pueden eventualmente aprovechar este agua. La lámina, muy grande, recorrida en el centro por una fuerte nerviación pálida de la que parten nerviaciones secundarias paralelinervias, que alcanzan los bordes; por lo tanto, es fácil que la hoja se rompa en segmentos bajo la acción del viento. Las flores (2) son blancas, reunidas en inflorescencias en espiga, con brácteas axilares parecidas a espatas; el fruto es una cápsula trilocular cubierta por un arilo azul. Esta especie se cultiva como ornamental.
Propagación: Mediante retoños basales o por semillas, de lento crecimiento.
Condiciones de cultivo: Especie totalmente tropical; los ejemplares pequeños pueden mantenerse en invernadero a no menos de 15 °C.

155 ALADIERNO
Rhamnus alaternus

Familia: Ramnáceas
Etimología: Deriva del griego *rhámnos*, término que indicaba justamente este árbol.
Hábitat: Es una especie de distribución circunmediterránea, desde España a Crimea, a Asia menor y África septentrional.
Descripción: Árbol que mide como máximo 10 m, con hojas persistentes y coriáceas; forma parte del bosque típico de las regiones mediterráneas en los que la vegetación reacciona frente al ambiente cálido y muy seco, con un engrosamiento de la cutícula foliar que limita la transpiración; se encuentra junto al lentisco y otras especies. La corteza, al principio gris y lisa, se convierte en marrón oscura y rugosa; las hojas (1) ovadolanceoladas agudas y con los márgenes cartilaginosos y dentados, son de color verde brillante oscuro en la página superior y de color pálido en la inferior. Las flores (3), de color amarillo verdoso, pequeñas y dispuestas en racimos axilares, desprenden, al abrirse en marzo-abril, un olor desagradable. Los frutos (2), son drupas esféricas, del tamaño de un guisante y de color rojo, que se convierte en negro en la madurez. Estos frutos son muy apreciados por las aves, que facilitan de este modo la diseminación de las tres semillas encerradas en cada fruto. La madera, empleada en ebanistería, desprende un olor característico.
Propagación: Mediante semillas, o por esquejes o propágulos.
Condiciones de cultivo: Ambiente cálido y seco; resiste los vientos.

156 ZUMAQUE
Rhus coriaria

Familia: Anacardiáceas
Etimología: El nombre genérico deriva del griego *rhóus*, antiguo nombre del zumaque.
Hábitat: Especie propia de Asia occidental y Europa mediterránea.
Descripción: Pequeño árbol de 3-4 m, con las ramas provistas de médula muy desarrollada; las hojas (1), caducas, son imparipinnadas, con folíolos sésiles, elípticos, oblongos, dentados, pilosos en la parte inferior y provistos de pecíolo aterciopelado. Las flores (2), insignificantes y de color blanco amarillento, se reúnen en apretadas espigas. Los frutos son drupas, de color marrón púrpura al llegar la madurez. Las hojas y los retoños jóvenes poseen abundante cantidad de taninos que se utilizan en el curtido de pieles delicadas, y también en tintorería. La recolección de las ramas foliares se realiza de julio a setiembre y el producto, denominado zumaque, se comercializa en forma de hojas o de polvo. En algunas regiones de Italia se cultiva en lugares pobres y áridos, pero este cultivo en otros tiempos tuvo mucha más importancia que la actual. Por ejemplo, el zumaque siciliano tenía hasta 35 % de tanino y era muy apreciado en el mercado internacional. La corteza contiene una sustancia colorante amarilla o anaranjada. En oriente, los frutos conservados en vinagre, se consumen como alcaparras.
Propagación: Por esquejes puestos a enraizar o bien por retoños radicales.
Condiciones de cultivo: Es una especie muy rústica; prefiere los climas cálidos y secos.

157 ZUMAQUE DE VIRGINIA
Rhus typhina

Familia: Anacardiáceas

Etimología: El atributo específico indica que esta especie recuerda a una *Typha*, debido al aspecto compacto de las infrutescencias.

Hábitat: Especie originaria de la región oriental de los Estados Unidos.

Descripción: Es un árbol de 4 a 10 m de altura, con copa dilatada, ramificación escasa y gruesa, con las formaciones juveniles cubiertas por un fino tomento que confiere a la planta un aspecto aterciopelado. Las hojas, caducas, miden unos 60 cm, son imparipinnadas y forman de 11 a 13 folíolos con márgenes dentados, al principio pubescentes y después glabros, que adoptan en otoño toda la gama de colores, desde el rojo anaranjado al púrpura; en los países de origen esta especie proporciona colores brillantes a los pastos y áreas abiertas que colonizan muy rápidamente. Se la cultiva también en jardín debido a la belleza del follaje colorado, en especial la variedad *laciniata,* que posee hojas profundamente hendidas. Las flores, insignificantes y amarillas, se reúnen en espigas terminales erectas que persisten cuando, después de la fecundación, aparecen los frutos que transforman las flores en conos compactos y pilosos, también muy decorativos. Este árbol resiste bien las condiciones desfavorables y la atmósfera contaminada de las grandes ciudades.

Propagación: Esqueje leñoso, acodo o retoños radicales.

Condiciones de cultivo: Crece bien en todo tipo de terreno y en cualquier exposición; climas templados.

---

158 SAUCE BLANCO
Salix alba

Familia: Salicáceas

Etimología: Ha conservado el nombre de origen latino.

Hábitat: Esta especie vive en toda Europa, en Asia central y África septentrional.

Descripción: Árbol de 20-25 m, con diámetro máximo de 60 cm; la copa es amplia, formada por largas ramas ascendentes y separadas, de color gris plateado, mientras que en cambio las ramificaciones jóvenes, largas y flexibles, presentan corteza verde rojiza o bien marrón rojiza. La corteza del tronco es de color gris y se fractura con la edad. Las hojas (1), con pecíolo desprovisto de glándulas y con estípulas estrechas y caducas, poseen una lámina lanceolada y acuminada, de 7-10 cm, gradualmente atenuada en la extremidad, con mayor anchura en la mitad basal, márgenes finamente dentados y provistos de glándulas, verdes y débilmente brillantes por encima, más pálidas en la cara inferior, de color plateado debido a los pelos. Las flores se reúnen en amentos que aparecen simultáneamente con las hojas; las masculinas (2), de hasta 7 cm de longitud, disponen de dos estambres y anteras amarillas; las femeninas (3), son más delgadas y ligeramente pedunculadas. La floración se produce en marzo-abril. Los frutos (4) son cápsulas glabras subsésiles y las semillas poseen un vilano blanco.

Propagación: Mediante semillas, que se difunden con gran facilidad; también por esqueje.

Condiciones de cultivo: Esta especie necesita mucha agua.

159 SAUCE LLORÓN
Salix babylonica

Familia: Salicáceas
Etimología: El nombre específico indica la procedencia de Babilonia, pero ello no corresponde a la realidad. La única posibilidad de explicación está en que el territorio de Babilonia no haya sido más que una etapa en su procedencia de China. Otros autores relacionan este nombre con el vehemente dolor de los hebreos por la patria perdida, al ser esclavizados por Babilonia; en señal de luto habrían colgado sus arpas del sauce (Salmo 176).
Hábitat: Especie originaria de Asia central.
Descripción: Este árbol alcanza 8-10 m de altura, con follaje de morfología característica debida a la presencia de jóvenes ramificaciones delgadas, alargadas y colgantes que pueden alcanzar el suelo; las hojas (1), sostenidas por un corto pecíolo, son estrechamente lanceoladas, muy acuminadas, serradas, a menudo glaucas en la cara inferior. En (2) inflorescencia masculina y (3) inflorescencia femenina. Esta especie es muy cultivada en parques y jardines, en especial en la proximidad del agua con el fin de producir, al reflejarse en el agua, efectos especialmente bellos. Es muy raro localizar esta especie pura; en general se cultivan híbridos. Árbol unisexual, sólo se cultiva la forma femenina obtenida agámicamente.
Propagación: Mediante esqueje procedente de individuo femenino.
Condiciones de cultivo: Prefiere los suelos ligeros, frescos y húmedos.

160 SAUCE
Salix matsudana

Familia: Salicáceas
Etimología: El nombre específico está dedicado en honor de Sadahisa Matsudo (1857-1921), botánico japonés que describió la flora de China.
Hábitat: Su área de distribución comprende China, Manchuria y Corea.
Descripción: Este árbol alcanza 10-12 m de altura, y es muy apreciado por sus características ornamentales; su porte lo hace fácilmente identificable, sobre todo en la variedad *pendula*, cuyas jóvenes ramificaciones, al colgar, aumentan la gracia del follaje, ancho y ligero, y también en la variedad *tortuosa*, cuyas ramas retorcidas, enrolladas, espiraladas, intrincadas de la forma más compleja, parecen creadas por la fantasía de un diseñador. Las hojas (1), caducas, son lanceoladas, glabras, de color verde oliva en la página superior y gris plateado en la inferior. Floración primaveral en amentos (2) separados según los sexos. Esta especie se utiliza profusamente en los jardines decorados al estilo japonés y los arquitectos paisajistas la utilizan con frecuencia debido a su rápido crecimiento, a que las hojas aparecen precozmente y por otras razones estéticas.
Propagación: Mediante esqueje.
Condiciones de cultivo: Climas templados y terrenos frescos.

161 SAUCE NEGRO
Salix nigra

Familia: Salicáceas
Etimología: El adjetivo específico deriva del latín.
Hábitat: Su área de distribución comprende América septentrional.
Descripción: Árbol de 10-12 m de altura, posee corteza escamosa que con el tiempo se hace incluso tosca. Las jóvenes ramificaciones muestran en la base pequeñas cicatrices de otras ramificaciones más pequeñas que caen por acción de los agentes atmosféricos. Puesto que esta especie suele vivir a lo largo de los cursos de agua, las ramificaciones suelen ser transportadas a gran distancia por el agua y abandonadas en los remansos del río, donde en el limo producen fácilmente raíces adventicias, operando con ello una especie de multiplicación vegetativa natural. Las hojas (1), estrechamente lanceoladas, presentan los márgenes serrados y de color verde en ambas caras; las yemas son de talla pequeña. Las flores unisexuales, se reúnen en amentos, las masculinas (2) son bastante cortas (2-5 cm) y están provistas de 3-5 estambres; las femeninas, todavía más cortas, poseen flores con estilo corto pero evidente. A diferencia de otros géneros de árboles portadores de flores reunidas en amentos, la polinización de los sauces no siempre es anemófila, sino que puede ser también entomófila debido a la presencia de glándulas nectaríferas que atraen a los insectos.
Propagación: Los sauces están provistos de largos pelos seríceos que facilitan la diseminación natural; también se reproducen por esqueje.
Condiciones de cultivo: Prefiere los terrenos frescos y los climas templados.

162 SALGUERA BLANCA
Salix viminalis

Familia: Salicáceas
Etimología: El nombre específico alude al hecho de que se obtienen de esta especie ramificaciones largas y flexibles, el mimbre.
Hábitat: Especie común en toda Europa; vive también en el nordeste de Asia y en Himalaya.
Descripción: Normalmente esta especie alcanza 4-5 m de altura, pero en ocasiones llega a los 10 m. Posee ramas largas y flexibles, cubiertas de una corteza amarilla. Las hojas (1) pueden ser estrechamente lanceoladas o lineares, con los márgenes irregulares y la nerviación central amarillenta. Son caducas, alternas, con pecíolo corto, de color verde en la cara superior y plateado en la inferior, debido a la presencia de abundante tomento. Las flores (2, 3) se reúnen en gruesos amentos y poseen estambres libres. Los frutos son cápsulas sésiles, cubiertas de pilosidad. Florece en los meses de marzo y abril. Produce mimbre bastante largo, flexible y resistente, nada o muy poco ramificado y adecuado para ser empleado conjuntamente con la corteza. Es una de las especies más adecuadas para la obtención de mimbre, tanto por la calidad como por la cantidad. El mimbre se utiliza en las labores de trenzado y es el origen de una producción artesanal que lanza al mercado cestos y todo tipo de muebles, cunas y paneros. Antes de la invención del plástico, también las envolturas protectoras de las garrafas se fabricaban en mimbre.
Propagación: Mediante semillas, por esqueje o propágulos.
Condiciones de cultivo: Esta especie prefiere los terrenos frescos y húmedos.

163 SAÚCO
Sambucus nigra

Familia: Caprifoliáceas
Etimología: El nombre ha conservado su raíz latina y probablemente deriva de sambuca, instrumento musical que se fabrica con madera de saúco.
Hábitat: Es una especie de amplia distribución euroasiática que en los Alpes, por ejemplo, puede localizarse a altitudes de 1500 m.
Descripción: Es un árbol de modestas dimensiones, entre 3 y 5 m, a pesar de que se han hallado ejemplares de hasta 12 m de altura y con un diámetro del tronco de 40 cm. El color de la corteza del tronco y de las ramas es gris claro, con lenticelas en forma de callosidades de color marrón; al envejecer se agrieta y toma un aspecto en forma de crotas y tuberoso; las ramificaciones son extraordinariamente ricas en médula blanca que se utiliza en microscopia para hacer inclusiones y luego cortar los elementos a examinar con el microscopio con el espesor adecuado, del orden de sólo algunas micras. Las hojas (1), caducas, son opuestas, pennatoseptas, compuestas de 3-7 folíolos, ovadoacuminadas y serradas, de color verde claro y pubescentes. El pecíolo es robusto, corto y dilatado en la base. Las flores, hermafroditas, olorosas, blancas, se reúnen en amplias inflorescencias terminales de superficie plana. Los frutos (2) son drupas de color negro violáceo, con jugo rojo, y contienen tres semillas ovales y de color marrón. La floración se inicia en abril y prosigue hasta junio.
Propagación: Mediante semillas o por esquejes muy lignificados.
Condiciones de cultivo: Prefiere los terrenos frescos.

164 SASAFRÁS BLANCO
Sassafras albidum

Familia: Lauráceas
Etimología: La derivación es muy incierta; se supone que procede de un nombre indioamericano utilizado en Florida.
Hábitat: Faja atlántica de los Estados Unidos.
Descripción: Árbol de hoja caduca, puede alcanzar 20 m de altura, tronco erecto, corteza rugosa, y aspecto cónico. Las hojas (1) presentan una notable heterofilia en cualquier fase de su desarrollo y pueden coexistir sobre el árbol hojas enteras ovadas, o bien bilobuladas e incluso trilobuladas. Su color es verde claro en la página superior y de color glauco en el envés. Esta especie es dioica; en los ejemplares masculinos, las flores (2), insignificantes, presentan nueve estambres; tanto las masculinas como las femeninas, son apétalas, con el cáliz de color amarillo verdoso y nacen en grupos con anterioridad a la aparición de las hojas. Los frutos, que aparecen a continuación de las flores femeninas fecundadas, maduran en otoño, y son pequeñas drupas de color azulado oscuro sostenidas por un pedúnculo de color rojo e insertos sobre los restos del cáliz persistente. Toda la planta es muy aromática, y fue introducida en Europa hacia 1630; fue utilizada durante largo tiempo en la farmacopea debido a sus aceites esenciales, obtenidos en especial de la corteza y de las raíces, adecuados para combatir el reumatismo. Actualmente se emplean como esencia en perfumería y cosmética.
Propagación: El árbol emite numerosos retoños radicales, que se emplean para su multiplicación.
Condiciones de cultivo: Especie rústica, no tolera sin embargo los suelos alcalinos.

165 PIMENTERO
Schinus molle

Familia: Anacardiáceas
Etimología: El nombre deriva del griego *schínos*, nombre utilizado para designar al lentisco, *Pistacea lentiscus*, puesto que ambas especies son muy resinosas.
Hábitat: Especie procedente de Perú.
Descripción: Puede alcanzar 10-15 m de altura, con tallo nudoso y corteza rugosa, de color negro rojizo; la copa está formada por ramificaciones flexibles, de aspecto colgante, con hojas (1) persistentes, largas y delgadas, alternas, compuestas de folíolos imparipinnados y dentados que pueden presentarse en número de hasta 25. Los árboles son dioicos, con espigas de flores (2) de color amarillo verdoso, a las que siguen pequeños frutos que son drupas y aparecen en otoño, en racimos colgantes, y persisten hasta el invierno. Su semejanza con las semillas del verdadero pimentero, y el intenso olor perfumado que desprenden todos los órganos de la planta, en especial de las hojas al ser estrujadas, determinan su nombre común. En efecto, todo el árbol es muy rico en aceites esenciales y volátiles.
Propagación: Mediante semillas; es una planta de rápido crecimiento.
Condiciones de cultivo: Teme las heladas, pero soporta perfectamente la exposición directa al sol y los períodos de sequía; por lo tanto, es una especie particularmente idónea para los climas suaves marítimos.

166 FALSO TEREBINTO
Schinus terebinthifolius

Familia: Anacardiáceas
Etimología: El nombre específico pone de manifiesto la semejanza de la hoja con la del terebinto *(Pistacia terebinthus).*
Hábitat: América tropical.
Descripción: Este árbol no supera los 6-8 m de altura y un diámetro de 40-50 cm. Posee hojas alternas, coriáceas e imparipinnadas. Esta especie sólo se cultiva ocasionalmente en Europa, donde fue importada del Brasil en 1830. En cambio, se cultiva en algunos países tropicales debido a que la resina que se obtiene del tronco posee aplicaciones prácticas y localmente se comercia con el nombre de «bálsamo de los misioneros». Su madera es una de las más apreciadas en Brasil y se comercializa con el nombre de «Aroeira do Campo»; tiene color amarillo oscuro que se transforma en rojo con manchas más oscuras, de forma varia. Es una madera muy compacta y durísima, casi incorruptible, por lo que se emplea en aquellas construcciones que están expuestas continuamente a los agentes atmosféricos, incluso en ambiente húmedo. Debido a su bella coloración, se emplea en la fabricación de muebles valiosos. Su corteza se utiliza en el curtido de pieles y sirve para la obtención de un tinte para tejidos.
Propagación: Mediante semillas.
Condiciones de cultivo: Especie tropical y subtropical.

167 SÓFORA COLGANTE
Sophora japonica

Familia: Leguminosas

Etimología: El nombre deriva de una palabra de origen árabe utilizada para determinar a una especie desconocida, posiblemente muy semejante.

Hábitat: Procede de China, pero esta especie está también ampliamente cultivada en Japón.

Descripción: Árbol de hoja caduca que puede alcanzar una altura superior a 20 m y cuyo tronco, al envejecer, presenta frecuentemente extrañas y características nodosidades. El primer ejemplar plantado en Europa lo fue en los jardines de Kew, en la segunda mitad del siglo XVIII, y presentaba un aspecto semirrastrero. Las ramificaciones son muy dilatadas y la copa presenta forma esférica; las hojas (1) son compuestas, imparipinnadas, con 7-9 folíolos peciolados, lanceolados y acuminados, de color verde oscuro, ligeramente pubescentes en el envés. Las flores, de color blanco crema, nacen reunidas en largas espigas, miden aproximadamente 1 cm y son papilionáceas, parecidas a las del guisante. Los frutos (2) son vainas moniliformes. Las flores y los frutos contienen un colorante amarillo. Es particularmente decorativa la variedad *pendula*, que presenta un porte parecido al del sauce llorón.

Propagación: Mediante semillas; las variedades se multiplican mediante injerto sobre individuos obtenidos por semilla.

Condiciones de cultivo: Especie bastante rústica; prefiere posiciones soleadas; el crecimiento es bastante rápido

---

168 SÓFORA
Sophora secundiflora

Familia: Leguminosas

Etimología: El nombre específico deriva del latín *secundiflorus,* por el hecho de que las flores están vueltas hacia un solo lado.

Hábitat: Especie originaria de la región meridional de los Estados Unidos, desde Texas a Nuevo México.

Descripción: Especie perenne, de aproximadamente 10 m. de altura, con tronco delgado y ramificaciones erectas que tienden a forma fastigiada; las hojas miden 15 cm de longitud, compuestas, formadas por 7-9 folíolos bastante delgados, elípticos, redondeados o emarginados en el ápice, cubiertas de pubescencia cérea en fase juvenil, casi sésiles y con la base cuneada. Las flores, de color violeta azulado, son papilionadas, miden más de 2 cm y son muy perfumadas; nacen en racimos terminales de unos 10 cm. de longitud y están vueltas todas ellas hacia un mismo lado. Esta especie florece en primavera, a diferencia de la sófora japonesa que es una especie de floración muy tardía, hacia finales de verano. Los frutos (2) son legumbres con tomento blanquecino, leñosos y moniliformes; las semillas, de color escarlata, contienen un alcaloide venenoso denominado soforina.

Propagacion: Mediante semillas.

Condiciones de cultivo: Especie bastante delicada, requiere climas benignos, en los que el frío sea bastante esporádico y nunca muy prolongado.

169 MOSTAJO
Sorbus aria

Familia: Rosáceas

Etimología: El nombre genérico deriva de la raíz latina *sorbum*, empleado para denominar los frutos del serbal.

Hábitat: El área de distribución de esta especie es Europa.

Descripción: Este árbol presenta una altura de 12-15 m, con tallo a menudo erecto y cilíndrico, a veces de crecimiento irregular. La copa es elevada, piramidal y muy frondosa; la corteza es de color gris con manchas blanquecinas, en especial cuando la planta es juvenil, después adquiere una tonalidad más rojiza. El sistema radical es robusto, extendido, profundo con el fin de anclar sólidamente la planta al suelo. Las hojas (1), elípticas o elipticoovadas, miden hasta 14 cm de longitud, están doblemente dentadas, en algunos casos presentan varias lobulaciones poco profundas. Presentan color verde brillante en la página superior y están cubiertas por el tomento característico en la inferior. Las flores (2), blancas y hermafroditas, se reúnen en corimbos erectos, de color blanco y tomentosos. Los frutos son pomos subglobosos, de color rojo anaranjado o escarlata, con la pulpa amarilla, harinosa, dulzona y comestible. Esta especie se cultiva a veces porque sus frutos son idóneos para proceder a realizar destilaciones y también como planta ornamental.

Propagación: Mediante semillas, que germinan al cabo de dos años.

Condiciones de cultivo: Climas templados, desde el llano hasta 1600 m de altura.

---

170 SERBAL
Sorbus aucuparia

Familia: Rosáceas

Etimología: El nombre específico deriva del latín *aucupor*, ir a la caza de pájaros, formado por *avis*, pájaro, y *capio*, tomar.

Hábitat: Es una planta que vive en casi toda Europa y Asia occidental.

Descripción: Es un árbol de tamaño medio, a veces un simple arbusto, sólo ocasionalmente alcanza gran tamaño. El tallo es cilíndrico y delgado, la copa poco apretada y redonda, la corteza, primero de color gris amarillenta, y después negruzca, frecuentemente hendida longitudinalmente. La madera, de textura fina, y con el duramen de hermoso color rojizo, se utilizaba para la fabricación de objetos torneados. Las horas (1), compuestas, presentan de 5 a 13 folíolos, enteros en la base y después muy dentados. Las flores (2) aparecen en mayo-junio, son pequeñas, de color blanco y se reúnen en corimbos. Los frutos (3), son pequeños pomos de color rojizo y de un diámetro aproximado de 1 cm.

Propagación: Mediante semillas, pero pueden experimentar un retraso de dos o tres años en la germinación.

Condiciones de cultivo: Dada su resistencia a las bajas temperaturas, se cultiva con finalidad ornamental en las localidades montanas debido a la belleza de sus frutos que permanecen durante mucho tiempo sobre la planta; se utiliza también para repoblación.

171 CAOBA DE JAMAICA
Swietenia mahagoni

Familia: Meliáceas

Etimología: El nombre recuerda a Gerard von Swieten (1700-1772), botánico y médico personal de la emperatriz María Teresa de Austria.

Hábitat: Especie originaria de América tropical.

Descripción: Árbol de hoja perenne que alcanza más de 30 m de altura, con el tronco delgado y ramificaciones elevadas y abundantes, dilatadas, con hojas (1) pinnadas y largas, compuestas de 4-5 folíolos ovadoacuminados. Las flores (2) son pequeñas, de color blanco amarillento, reunidas en espigas axilares, seguidas por la aparición de grandes frutos (3) que se abren por la base liberando numerosas semillas aladas. La madera, característica por la que el árbol tiene importancia económica, es una de las más apreciadas, por su belleza y duración. Se utiliza desde el siglo XVI para trabajos refinados de ebanistería. La albura es de color amarillo mientras que el duramen presenta un bellísimo color marrón rojizo; si el ejemplar está muy desarrollado, es preferible utilizar las ramificaciones en lugar del tronco ya que el grano es más compacto. Debido a que actualmente esta especie es muy rara, se da el nombre de caoba a otras especies menos apreciadas pero de características semejantes.

Propagación: Mediante semillas o esqueje que deben ponerse a enraizar proporcionándoles calor de fondo.

Condiciones de cultivo: Especie exclusivamente tropical, a pesar de que los ejemplares muy jóvenes pueden conservarse durante un cierto tiempo en invernadero.

172 TAMARISCO
Tamarix gallica

Familia: Tamaricáceas

Etimología: Se ha conservado el nombre latino. Es opinión generalizada el que los romanos habían atribuido el nombre a esta especie en relación con el río Tamaris, actualmente denominado Tambro, a cuyas orillas crecían abundantemente los ejemplares de este género.

Hábitat: La especie es mediterráneoatlántica, cuya área de distribución se extiende desde Canarias a Sicilia y Dalmacia.

Descripción: Árbol de pequeña envergadura, de 3-6 m de altura, ramificado a partir de la base. Las ramificaciones, largas y flexibles, están provistas de lenticelas muy manifiestas, lo mismo que sobre la corteza del tallo, que es de color ceniza oscuro. Las hojas, pequeñísimas, casi escuamiformes, son lanceoladas, imbricadas y de color verde glauco. Las flores (2), de color rosa, pequeñas y muy numerosas, se reúnen en racimos espaciformes de 2-4 cm que se condensan en la extremidad de las jóvenes ramificaciones en el período mayo-agosto, formando en conjunto largos penachos. Este árbol, propio de las zonas marinas, se desarrolla también sin dificultad en las zonas en las que el invierno es bastante rígido, sin resentirse por ello. Sobre suelos arenosos puede prestar buenos servicios al fijar las dunas. Esta especie se cultiva también en jardines por la belleza de su floración sobre ramas dobladas y colgantes y por el follaje de color glauco, muy pequeño. El fruto es una cápsula trígona piramidal.

Propagación: Se multiplica fácilmente por esqueje.

Condiciones de cultivo: Clima templado; sobre suelo arenoso y húmedo.

173 TAMARISCO PENTÁMERO
Tamarix pentandra

Familia: Tamaricáceas
Etimología: El nombre específico alude al hecho de que las flores presentan cinco estambres muy evidentes a causa de las anteras de color rojo más acentuado que la tonalidad rosa de la corola.
Hábitat: Especie originaria de la Europa mediterránea, y que a menudo se confunde con otras especies procedentes de China y Japón.
Descripción: Este árbol puede alcanzar como máximo 5 m de altura, posee el tallo y las ramificaciones con la corteza de color violácea. Sus hojas (1), alternas, sésiles, pequeñas y semejantes a escamas, son de color glauco. Las flores (2), de color rojizo y muy pequeñas, se reúnen en racimos que forman espigas apicales y aparecen a principios de verano. Esta especie, conocida también con el nombre hortícola de *T. aestivalis,* tiene una variedad *rubra* provista de flores de color más fuerte.
Propagación: La multiplicación puede lograrse mediante esquejes leñosos a finales de invierno, sin que deba observarse ningún cuidado especial, al aire libre e incluso al mismo punto en el que piensa realizarse la implantación. La reproducción mediante semillas se lleva a cabo en primavera o en otoño, pero es poco práctica.
Condiciones de cultivo: Son plantas muy resistentes y rústicas, particularmente adaptadas a climas marítimos ya que prefieren la posición soleada.

---

174 TECA
Tectona grandis

Familia: Verbenáceas
Etimología: El nombre deriva de la palabra asiática *tekka,* de la que ha derivado la palabra *teak,* que significa madera.
Hábitat: Especie originaria de Asia oriental, India e Indonesia.
Descripción: Este árbol, que en las selvas donde crece espontáneo puede llegar a medir 60 m de altura, posee tronco delgado, copa esférica, hojas (1) ovadas, de unos 60 cm de longitud y 30 de anchura, tomentosas en la cara inferior. Las flores (2), de color blanco azulado, se reúnen en espigas de 35 cm de diámetro, pero muchas de las flores son estériles. Los frutos, parecidos a ciruelas, contienen pocas semillas, son pesadas y compactas y ofrecen escasas posibilidades para su diseminación anemófila. La corteza, grisácea, rodea a una albura de color claro, susceptible de ser atacada por los termes y los hongos. El duramen, en cambio, es inmune y durante el proceso de agrietación cambia el color, de amarillo a marrón con estrías de color más oscuro, y mantiene al menos en parte su agradable olor. La madera de esta especie, que se comercializa también con el nombre de teca, es ampliamente utilizada, no sólo por su resistencia y durabilidad sino sobre todo por su escasa merma y por su estabilidad, ya que no está sujeta a corrupción, además se trabaja y se pule con suma facilidad. Se utiliza en la construcción de muebles, parquets y revestimientos.
Propagación: Mediante semillas.
Condiciones de cultivo: Ambiente tropical húmedo y cálido.

175 TILO AMERICANO
Tilia americana

Familia: Tiliáceas

Etimología: Deriva del griego *ptilon,* ala, y recuerda a la gran bráctea que acompaña a la inflorescencia y al fruto.

Hábitat: Tal como indica su nombre específico, esta especie es originaria de- Norteamérica de donde fue introducida a Europa en 1752.

Descripción: El género *Tilia* se caracteriza por la posesión de grandes hojas, simples, alternas, muy ovadas, con los márgenes serrados y la base asimétricamente corazonada. Las flores, de color blanco amarillento, aparecen a principios de verano agrupadas en la extremidad de un pedúnculo, que se acompaña por una ancha bráctea membranosa que favorece la diseminación. Muchas especies de este género son fértiles entre sí, por lo que es fácil localizar híbridos naturales; por ello es difícil emprender la clasificación de los tilos. El tilo americano es un árbol de notables dimensiones, que en sus lugares de origen puede alcanzar y superar los 35 m. Las hojas (1) pueden alcanzar 22-23 cm, terminan en mucrón y a veces son ligeramente trilobuladas. Las flores, que poseen cinco sépalos y cinco pétalos como ocurre en todos los miembros del género, están provistas en este caso de cinco estaminoides, que faltan en las restantes especies. La madera, de fácil trabajo, se utiliza para el embalaje y en la construcción de ventanas. Es un árbol ornamental y melífero. En (2) los frutos.

Propagación: Mediante semillas, propágulos o esquejes.

Condiciones de cultivo: Crece independientemente de la naturaleza del sustrato.

176 TILO DE HOJAS PEQUEÑAS
Tilia cordata

Familia: Tiliáceas

Etimología: El nombre específico alude a la forma de la base foliar.

Hábitat: Es una especie europea que presenta una extensa área de distribución, desde España al Cáucaso; es propia de las colinas y suele faltar en las regiones montañosas.

Descripción: Este árbol, de copa ovoide y densa, alcanza los 25 m de altura, posee tronco grueso y breve con ramificaciones muy abundantes y robustas; la corteza es al principio lisa y oscura, después se fractura en delgadas bandas longitudinales y adquiere un color más negruzco. Las hojas (1), pequeñas, provistas de estípula caduca, poseen la lámina subcircular, asimétrica y acorazonada en la base, de color verde oscuro y glabra por encima y de color verde glauco por debajo, con haces de pelos rojizos situados en la axila de las nerviaciones. Las yemas ovoides poseen dos pérulas a menudo rojizas y glabras. Es un árbol que emite retoños basales y, como siempre que ocurre así, las hojas presentan menores dimensiones. Las flores (2), hermafroditas, en grupos de 3 a 12 en cada inflorescencia, son de color blanco amarillento y poco olorosas. Después de la fecundación producen unos frutos pequeños, grisáceos, con el endocarpio frágil y costillas poco marcadas.

Propagación: Mediante semillas y también por retoños basales.

Condiciones de cultivo: Prefiere los terrenos frescos, profundos, húmedos, de naturaleza silíceoarcillosa.

177 TILO INTERMEDIO
Tilia intermedia

Familia: Tiliáceas

Etimología: El nombre específico indica que esta especie presenta características intermedias entre las de *T. cordata* y *T. platyphyllos*.

Hábitat: Esta especie se encuentra como híbrido natural en muchas regiones de Europa en las que se encuentran las dos especies progenitoras.

Descripción: El tilo intermedio se diferencia de *T. cordata* por las hojas (1), que no son glaucas en la parte inferior y poseen nerviación terciaria más o menos paralela, y por las flores (2), más perfumadas y también por ser mayores las dimensiones del fruto, con endocarpio más resistente y con las costillas más salientes. Se diferencia en cambio de *T. platyphyllos* por presentar las yemas, las ramificaciones y los pecíolos desprovistos de pelos, y las hojas son además glabras en la página inferior. De la corteza, o mejor del líber, se obtenía en el pasado una resistente fibra textil utilizada sobre todo en Alemania y Rusia, donde los tilos son muy abundantes. Son además especies óptimas como árboles para parques y jardines; resisten las podas.

Propagación: Mediante semillas, que germinan al cabo de un año.

Condiciones de cultivo: Al igual que las especies progenitoras, los fríos demasiado intensos y la sequía perjudican a los ejemplares jóvenes.

178 TILO DE HOLANDA
Tilia platyphyllos

Familia: Tiliáceas

Etimología: El nombre específico alude a sus hojas, de mayor tamaño que las de las otras especies.

Hábitat: Se encuentra en Europa central y meridional.

Descripción: Es un árbol que puede alcanzar 35 m de altura y 2 m de diámetro; tallo delgado y recto, copa amplia, muy ramificada y con ramas robustas, más o menos densamente cubiertas por un tomento entre verde y rojizo. Las yemas están provistas de tres pérulas cubiertas de pelos. Las hojas, normalmente grandes, entre 8 y 10 cm, son de color verde en ambas caras y tomentosas por debajo, con haces de pelos planquecinos situados en la axila de la nerviación; el pecíolo es también piloso. Las flores (2) son más grandes y olorosas que las de *T. cordata* y se reúnen en grupos de 2 a 7. Los frutos, que aparecen en el mes de octubre, son grandes, grisáceos, provistos de paredes gruesas y presentan cinco costillas salientes. Esta especie es muy longeva, y se citan casos de ejemplares con varios siglos de antigüedad. La madera, al igual que en las restantes especies de tilos, es blanca, tierna, de aspecto céreo y fácil de trabajar, con porosidad difusa y radios medulares pequeños, aunque visibles al ojo desnudo.

Propagación: Mediante semillas y también por esqueje.

Condiciones de cultivo: Esta especie es poco exigente pero prefiere no obstante los terrenos frescos y los ambientes relativamente húmedos.

179 OLMO CAMPESTRE
Ulmus campestris

Familia: Ulmáceas

Etimología: El nombre ha conservado su origen latino.

Hábitat: Esta especie puebla el centro y sur de Europa, y también África septentrional, donde parece que fue introducida por los romanos.

Descripción: Mide 30 m de altura, posee hojas (1) alternas, muy acuminadas en el ápice, simples, asimétricas en la base y con márgenes dentados. Las flores (2) aparecen antes que las hojas, y poseen anteras de color rojo púrpura y el fruto (3), que precede también a las hojas, es una sámara con ala ancha que facilita su diseminación. La corteza es lisa y de color gris oscuro en fase juvenil y más adelante se cuartea; al ser fibrosa, los agricultores la utilizan para realizar las ligaduras de los injertos. Las hojas constituyen un excelente forraje para el ganado dado el elevado contenido en proteínas, por ello se prefiere esta especie de olmo a otras especies vegetales en aquellos lugares en que hay escasez de pasto. También se cultiva como planta ornamental. Las yemas del olmo permanecen en estado de hibernación durante mucho tiempo, lo que le permite no estar sujeto por las heladas tardías; sin embargo, debido a su floración precoz, a veces la producción de semillas se ve comprometida por la prolongación de los rigores invernales.

Propagación: Mediante semillas, pero puede realizarse también por retoños basales.

Condiciones de cultivo: Esta especie prefiere los suelos frescos, profundos y fértiles.

---

180 OLMO TEMBLÓN
Ulmus laevis

Familia: Ulmáceas

Etimología: El nombre específico alude a los cilios que rodean al ala de la sámara, y que facilitan el transporte mediante el viento.

Hábitat: Esta especie presenta un área de distribución centroeuropea, desde los Pirineos al Cáucaso.

Descripción: Posee copa irregular; alcanza al máximo 20-25 m de altura; la corteza, de color gris oscuro, se escama con la edad. Las hojas, ovales o subcirculares, son muy asimétricas en la base y presentan los márgenes doblemente dentados. La lámina superior es de color verde claro, y la inferior es de una tonalidad todavía más clara debido a la presencia de pelos. Las flores (1), hermafroditas, se reúnen en haces apretados y son pedunculadas. Los frutos (2) son sámaras emarginadas, con·los márgenes densamente ciliados. Las semillas son producidas en las plantas cuando éstas alcanzan la madurez sexual, es decir después de 30 años y sólo se producen abundantes semillas cada dos o tres años, a pesar de que la especie fructifica anualmente. Su madera es menos apreciada que la de las restantes especies. Los olmos están considerados entre las plantas más resistentes a la contaminación y a los vapores tóxicos.

Propagación: Mediante semillas; se multiplica también por esquejes o propágulos.

Condiciones de cultivo: Prefiere los terrenos fértiles, aireados y frescos. El árbol de la libertad plantado en París durante la Revolución Francesa fue un olmo.

181 OLMO DE MONTAÑA
Ulmus montana

Familia: Ulmáceas
Etimología: El nombre específico indica que este árbol crece a mayores altitudes que el olmo campestre.
Hábitat: Especie extendida en Europa septentrional, hasta la península escandinava, en Europa central y Asia occidental.
Descripción: Se trata de un árbol de rápido crecimiento, alcanza 25 m de altura y posee un tronco irregular que no alcanza el desarrollo del olmo campestre. La corteza es lisa en fase juvenil, después se cuartea y aparecen sobre ella una serie de escamas. Las ramificaciones están cubiertas de tomento, y dispuestas sin orden, lo que las diferencia del olmo campestre, en donde son alternas. Las hojas (1), más grandes (9-15 cm) son asimétricas en la base y terminan con una punta acuminada; son de color verde oscuro y toscas al tacto en la página superior. En cambio, la tonalidad de la cara inferior es más clara; el pecíolo es más corto con respecto al del olmo campestre. Las flores (2), hermafroditas, aparecen sobre las ramas antes que las hojas. Los frutos (3), de color verde pálido, poseen una banda terminal que no alcanza jamás a la semilla central, y adquieren una tonalidad marronácea antes de diseminarse en el mes de julio.
Propagación: Mediante semillas, de fácil diseminación; también por retoños basales y por propágulos.
Condiciones de cultivo: Esta especie se adapta tanto a los terrenos calcáreos como a los silíceos.

---

182 OLMO DE AGUA
Zelkova crenata

Familia: Ulmáceas
Etimología: El nombre genérico deriva del empleado en la región caucásica para designar a esta especie.
Hábitat: Área mediterránea oriental, región caucásica.
Descripción: Es un hermoso árbol de hasta 30 m de altura, provisto de un tronco robusto que se divide en numerosas y delgadas ramas, de porte erecto, que proporciona a este árbol un aspecto imponente; la corteza, lisa y de color gris, se divide en pequeñas láminas de un modo parecido a como sucede en el plátano. Las hojas (1), pequeñas y alternas, poseen pequeños cortes, bordes dentados y nerviación pubescente en la página superior. Las flores (2, 3), insignificantes y de color verde, son unisexuales, pero ambos sexos coexisten en un mismo pie. Aparecen en abril junto con las hojas y desprenden un fuerte olor. El fruto (4), una núcula, alcanza las dimensiones de un guisante. Es una especie de lento crecimiento, que produce una madera dura, compacta, elástica, de color amarillo anaranjado o bien marrón dorado, se utiliza en ebanistería para la construcción de muebles finos, embarcaciones, culatas de fusiles y vagones de ferrocarril. Esta especie fue introducida en Europa en 1760 y se diferencia del olmo, con el que muestra numerosas semejanzas, debido a que en Zelkova, la corteza es lisa, y en cambio en los olmos es rugosa y hendida.
Propagación: Mediante semillas o bien por injerto sobre un olmo.
Condiciones de cultivo: Especie frugal; prefiere los climas templados.

183 CHIRIMOYA
Annona cherimola

Familia: Anonáceas
Etimología: Latinización del nombre *anon,* utilizado en Haití para una de las especies.
Hábitat: Especie originaria de los Andes peruanos.
Descripción: Este pequeño árbol, de 5-7 m de altura, posee aspecto de mata, ramificado frecuentemente a partir de la base, con las jóvenes ramificaciones cubiertas de tomento rojizo. Las hojas, obovadolanceoladas, son pecioladas, alternas, algo pubescentes en la página superior, tomentosas y glaucas en la inferior. Las flores, muy perfumadas, son solitarias y no nacen en la axila de las hojas, sino en situación opuesta a ellas sobre el mismo nudo y a veces también aplastadas; los pedúnculos son tomentosos, el cáliz gamosépalo, seis pétalos, tres externos y tres internos; los primeros son oblongos, carenados, verdosos o rojizos en el exterior y de color blanco en el interior, mientras que los segundos son muy pequeños, escamosos, de color encarnado o violáceo. El fruto, motivo por el que se cultiva esta especie, es un sincarpo rojo, tuberculado, de forma variable, pero en general semejante a una fresa grande, con pulpa blanca y comestible que se separa fácilmente de las semillas.
Propagación: Mediante semillas o por injerto, a fin de mantener inalterables las características de las distintas variedades.
Condiciones de cultivo: Ambiente semitropical.

184 CHIRIMOYA VERRUGOSA
Annona squamosa

Familia: Anonáceas
Etimología: El nombre de la especie deriva de la forma de los frutos, cubiertos por escamas o verrugas.
Hábitat: Especie propia de América tropical, actualmente cultivada en todas las zonas tropicales.
Descripción: Árbol de 5-6 m de altura, provisto de hoja caduca, con ramificaciones muy extendidas y zigzagueantes. Las partes jóvenes son pubescentes, mientras que en la fase adulta presenta la corteza salpicada de pelos y lenticelas. Las hojas (1) son en general lanceoladoacuminadas, de color verde pálido, pecíolo pubescente; son alternas y carecen de estípulas. Las flores (2) nacen generalmente en ramilletes y poseen seis pétalos, dispuestos unos en el interior de los otros; los tres externos son oblongolineales, bastante grandes, de color verde amarillento con manchas de color rojo violáceo, y los tres internos son en cambio pequeños, ovados y carenados. El fruto, del tamaño de una naranja, es globoide, compuesto de carpelos connatos, y posee una superficie escamosa o verrugosa de color amarillo verdoso, con la pulpa muy dulce y perfumada, comestible; su jugo es ampliamente consumido en forma de bebida. Existe gran variedad de nombres locales para designar a esta especie.
Propagación: Mediante semillas o por injerto; es muy practicado el injerto en escudete, a modo del que se realiza con los agrios.
Condiciones de cultivo: Especie tropical, pero las variedades que disponen de fruto duro pueden resistir largos transportes.

185 MADROÑO
Arbutus unedo

Familia: Ericáceas
Etimología: El nombre ha conservado su raíz latina.
Hábitat: Especie espontánea en toda la región mediterránea, desde la península ibérica a Asia Menor.
Descripción: Este pequeño árbol, que en condiciones no óptimas no supera el estado arbustivo, puede alcanzar 5 y más metros de altura, y excepcionalmente hasta 10 m, pero su crecimiento es muy lento. La corteza es rojiza, en particular la de las ramificaciones, y al envejecer se abre; la planta es perenne, provista de hojas pequeñas (1), brillantes, elipticoacuminadas, atenuadas en la base y con márgenes acuminados. Las flores (2), urceoladas, se reúnen en racimos terminales paucifloros, de color blanco, frecuentemente teñido de rosa o verdoso; los frutos (3), parecidos a bayas redondas, poseen numerosas semillas en el interior de la pulpa carnosa y en su parte externa granulosa; pasan del color verde al amarillo y anaranjado, y finalmente son rojos en la madurez, momento en el que son comestibles. Puesto que las flores aparecen en otoño y principios de invierno, cuando los frutos del anterior ciclo vegetativo todavía son maduros y se encuentran sobre la planta, esta particularidad incrementa notablemente el valor ornamental de la planta.
Propagación: Mediante semillas, de lento crecimiento; la multiplicación por esqueje o acodo es muy difícil.
Condiciones de cultivo: Especie rústica en toda la zona templada; prefiere los climas benignos, a pesar de que también puede vivir en las regiones del interior.

186 ÁRBOL DEL PAN
Artocarpus communis

Familia: Moráceas
Etimología: El nombre deriva del griego *ártos*, pan, y *karpós*, fruto, debido a que sus frutos se consumen cocidos.
Hábitat: Especie indígena de la isla de Sonda, durante mucho tiempo cultivada en toda el Asia tropical y actualmente también en América.
Descripción: Árbol de hasta 20 m de altura, con látex viscoso y madera resistente utilizada para la construcción de casas y canoas; las hojas (1) son grandes, coriáceas, profundamente lobadas, de color verde brillante con variegaciones de color pálido. Las flores son unisexuales, las masculinas (2) reunidas en amentos amarillentos, claviformes, y las femeninas (3) en inflorescencias globosas, esquinadas, seguidas por la aparición de grandes frutos formados por una masa carnosa (sincarpio), ricos en fécula, que constituyen un alimento esencial para las poblaciones indígenas. El fruto es muricado, pero también se han obtenido variedades reticuladas e incluso desprovistas de semillas. A finales del siglo XVIII se intentó introducir esta especie en las Indias Occidentales, pero el excesivo cargamento provocó el motín del bergantín «Bounty», contra el capitán Blight. La empresa tuvo éxito sólo al cabo de bastante tiempo.
Propagación: Mediante esqueje semileñoso en invernadero cálido.
Condiciones de cultivo: Especie exclusivamente tropical.

187 NUEZ DEL BRASIL
Bertholletia excelsa

Familia: Lecitidáceas

Etimología: El nombre recuerda a Claud-Lois Berthollet (1748-1822), químico francés.

Hábitat: Especie nativa de las regiones amazónicas y del río Negro, en Brasil, donde forma grandes selvas.

Descripción: Árbol de gran porte que alcanza 30-40 m de altura, tronco con la corteza hendida, de más de un metro de diámetro; la copa, no demasiado extensa, es de porte bastante globoso, dispuesto en la parte alta del tallo. Las hojas (1) son alternas, coriáceas, verdes, de más de 50 cm de longitud, con nerviaciones secundarias que se unen entre sí sin alcanzar los márgenes de la hoja. Las flores (2), dispuestas sobre espigas, son bisexuales, de color amarillo crema, con el cáliz gamosépalo que se separa en dos partes al abrirse la flor. El fruto es una cápsula globoide o alargada, de unos 10 cm de diámetro, leñosa externamente, en cuyo interior se disponen, muy apretadas, unas 20 semillas triangulares con envoltura rugosa, rígida aunque delgada, cuyo interior es comestible y aceitoso. Estas semillas pueden consumirse frescas o bien secas a modo de nuez, de las que se extrae también un aceite.

Reproducción: Mediante semillas.

Condiciones de cultivo: Especie tropical; prefiere los climas cálidos y húmedos.

188 PAPAYO
Carica papaya

Familia: Caricáceas

Etimología: El nombre deriva del latín *carica,* otorgado al higo comestible, debido a la semejanza de las hojas de estos dos géneros.

Hábitat: Especie originaria de América meridional, actualmente se cultiva en los países tropicales de todo el mundo.

Descripción: Árbol de hoja perenne, de modesta altura, alcanza unos 6-8 m, con tronco carnoso formado por madera tierna y corteza de color gris oscuro, señalada por las cicatrices de las hojas caducas. El tronco no se ramifica: sostiene en el ápice un grupo de hojas (1) digitadolobuladas, de unos 50 cm de anchura, con pecíolos huecos y de longitud parecida. La planta, frecuentemente cauliflora, es normalmente dioica, con flores masculinas infundibuliformes y las femeninas formadas por cinco pétalos separados, ambas pequeñas y de color amarillo. No obstante se ha logrado el cultivo de plantas hermafroditas (2). Los frutos (3), comestibles y rojizos, al llegar a la madurez se asemejan a pequeñas manzanas, con la envoltura delgada, pulpa carnosa y una cavidad central en la que se localizan las semillas negruzcas, del tamaño de un guisante, revestidas de un arilo gelatinoso. Esta especie se cultiva sobre todo en miras a la producción de frutos; el árbol contiene en sus distintas partes un látex del que se obtiene la papaína, enzima digestivo.

Propagación: Mediante semillas, o por esqueje leñoso en invernadero cálido.

Condiciones de cultivo: Generalmente se cultiva esta especie en ambientes tropicales, puesto que no resiste temperaturas por debajo de 16°C; los ejemplares de pequeño tamaño, en invernadero.

189 ZAPOTE BLANCO
Casimiroa edulis

Familia: Rutáceas

Etimología: El nombre recuerda a Casimiro Gómez de Ortega (1740-1818), botánico español director del Jardín Botánico de Madrid.

Hábitat: México.

Descripción: Esta especie, cultivada por sus frutos comestibles de sabor muy parecido al de los melocotones, puede alcanzar una altura superior a los 15 m, y posee un tronco con la corteza de color verdoso, cubierta de abundantes y características lenticelas blanquecinas; el color cambia con la edad hasta convertirse en gris ceniza; sin embargo, las pequeñas verrugas de color gris claro permanecen. Las hojas alternas son digitadas, compuestas de 3-5 folíolos lanceoladoacuminados, bronceados en la primera fase, y de color verde en los árboles adultos; están sostenidas por largos pecíolos. Las flores son pequeñas y de color verdoso; nacen en primavera dispuestas en pequeñas espigas axilares y presentan un cáliz con 4-5 lóbulos y una corola con 4-5 pétalos oblongos y cóncavos. El fruto es una drupa globosa, parecida a un membrillo. La vaina del fruto es delgada y amarillenta, la pulpa de color crema, dulce y perfumada. En general se encuentran cinco semillas en el interior del fruto, pero su número puede ser más reducido.

Propagación: Mediante semillas; las variedades deben multiplicarse por injerto a fin de conservar sus características.

Condiciones de cultivo: Climas suaves; raras veces fructifica fuera de su ambiente natural.

---

190 CASTAÑO
Castanea sativa

Familia: Fagáceas

Etimología: El nombre deriva del griego *kástanon*, castaño.

Hábitat: Especie muy frecuente en España, a pesar de no ser autóctona, ya que ha sido importada, en época romana, del Oriente.

Descripción: Es un árbol de notable desarrollo, que alcanza 20-25 y a veces 30-35 m de altura; por su excepcional longevidad (hasta 1000 años de vida), el diámetro del tronco puede alcanzar dimensiones considerables. La copa es amplia y esférica; la corteza, después de rebasados los veinte años, forma una especie de cordones de color gris oscuro a modo de espiral vuelta hacia la derecha. Las hojas (1), grandes, oblongolanceoladas, poseen márgenes dentadocrenados y la nerviación principal y secundaria es muy manifiesta. Las flores (2), cuyos sexos son separados, se reúnen las masculinas en amentos erectos, mientras que las femeninas, en grupos de 1 a 3, en una característica cúpula.

Propagación: Se reproduce mediante semillas en planteles, o bien después de haberse mantenido conservadas mediante estratificaciones.

Condiciones de cultivo: Durante un cierto tiempo, el castaño supuso la base de la economía de muchas regiones circummediterráneas, puesto que la madera estaba adaptada para múltiples usos, entre ellos la fabricación de techos, y las castañas se utilizaban como alimento. Actualmente el cultivo está en franca regresión, debido bien a las graves enfermedades que han afectado a esta especie, como por ejemplo el cáncer cortical, y también los profundos cambios sociales experimentados en estas regiones.

191 ALGARROBO
Ceratonia siliqua

Familia: Leguminosas
Etimología: Del griego *kéras,* cuerno, debido a la forma de la legumbre. Puede añadirse, que el término *carato,* deriva del árabe *quirat,* que significa semillas de algarrobo, debido a que estas semillas fueron las primeras unidades de medida utilizadas en Oriente para los intercambios comerciales.
Hábitat: Especie originaria de Siria y del Asia Menor, que se ha extendido mediante cultivo muy antiguo a toda la cuenca mediterránea.
Descripción: Este árbol puede alcanzar 15 m; posee tronco tosco y ramas extendidas que forman una copa densa, perenne, que proporciona mucha sombra en los ambientes cálidos y secos en los que vive; posee una corteza de color marrón rojizo. Las hojas (1), compuestas, paripinnadas, con 3-5 pares de folíolos, verdes, oscuros y brillantes en la cara superior y glaucos, aunque después adquieran tonalidad rojiza, en la página inferior; poseen estípulas pequeñas y caducas. Las flores (2), pequeñas y verdosas, se agrupan en pequeñas espigas con pedúnculo corto y nacen sobre ramas viejas o directamente sobre el tronco. Los frutos son grandes legumbres de color marrón violáceo, aplastados y colgantes, miden 20 cm y 2 cm de anchura; contienen 10-16 semillas de color brillante mantenidas en el interior de una pulpa azucarada.
Propagación: Mediante semillas en otoño y primavera.
Condiciones de cultivo: Prefiere los terrenos calcáreos en pendiente.

---

192 NARANJO
Citrus aurantium var. *sinensis*

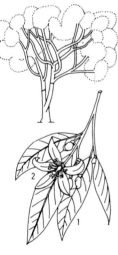

Familia: Rutáceas
Etimología: Nombre de origen latino.
Hábitat: A pesar de que esta especie sea de origen oriental, no resulta fácil datar su introducción en Europa, que acaeció en diversas fases según las distintas variedades, introducidas probablemente por los árabes.
Descripción: Esta especie es un árbol que no alcanza más de 3-5 m, con la copa compacta, cónica, transformada en esférica gracias a la poda; el tronco es de color gris y liso, o algo áspero y las hojas (1), perennes, brillantes, de consistencia coriácea, poseen un típico pecíolo alado. Las flores (2), hermafroditas, aparecen en pequeños racimos en primavera; presentan cinco pétalos carnosos y muy perfumados, utilizados, junto con los de otras especies, para la extracción de esencia. El fruto es una baya particular, denominada hesperidio, con cubierta gruesa y muy poblada de glándulas oleíferas; la pulpa está constituída por grandes células rellenas de líquido dulce, ácido y colorado.
Propagación: Las nuevas plantas se obtienen por injerto sobre ejemplares de 3-5 años de edad de naranjos obtenidos por semillas; de este modo son más resistentes frente al ataque de algunos parásitos.
Condiciones de cultivo: Es una planta típica de clima templado; padece extraordinariamente los intensos fríos invernales; no es adecuada para los terrenos demasiado arcillosos o calcáreos, mientras que crece perfectamente sobre los de consistencia media, permeables y frescos.

193 LIMONERO
Citrus limon

Familia: Rutáceas
Etimología: El nombre específico deriva del árabe y del persa *limun,* utilizado indiferentemente para todas las especies de agrios.
Hábitat: Según G. Gallesio (1772-1839), botánico italiano, la primera descripción del limón, importado de la India durante los primeros siglos de la era cristiana, se encuentra en los escritos árabes del siglo XII. A la luz de los estudios más recientes, se han identificado limones en los frescos de Pompeya, lo que demuestra que en el siglo I los romanos conocían ya los limones y otras especies de *Citrus.*
Descripción: Pequeño árbol de 3 a 6 m de altura; copa abierta, y ramificaciones provistas de espinas. Las hojas (1), elipticoacuminadas, poseen márgenes crenados. Las flores (2), muy perfumadas, son de color blanco en el interior y violáceas en el exterior, con 20 estambres libres o soldados. El fruto es de tipo hesperidio, oval y umbonado, con la cubierta de color amarillo pálido y pulpa también amarillo verdosa, jugosa y ácida, en cuyo interior se encuentran las semillas inmersas. Debido a su alto contenido en vitamina C, es un óptimo remedio contra el escorbuto. El jugo, natural o conservado, sirve para la preparación de bebidas refrescantes; se utiliza también en perfumería y cosmética. De la corteza se extrae un aceite esencial utilizado para aromatizar.
Propagación: Mediante injerto; esta especie nunca debe utilizarse como receptora de injertos, ya que está sometida a grandes enfermedades (por ejemplo, el mal seco).
Condiciones de cultivo: Prefiere climas benignos o cálidos, semiáridos.

---

194 PAMPELMUSA
Citrus maxima

Familia: Rutáceas
Etimología: El nombre específico alude al tamaño del fruto y no es fácil establecer una distinción neta entre esta especie y *C. paradisi,* denominado así por la exquisitez del sabor.
Hábitat: Dada la escasa claridad sistemática, los autores no están de acuerdo con respecto al área de procedencia de esta especie; parece que haya sido introducida en Florida por los españoles en el siglo XVI.
Descripción: La pampelmusa cultivada es un árbol de 10-12 m, con copa esférica y ramificación regular. Las hojas (1), ovadas, son tiernas, verdes y con el pecíolo alado, en cuya axila se dispone una espina débil y flexible. Las flores (2), axilares, aisladas o en racimos, son muy grandes y blanquísimas en ambas caras de los pétalos. El fruto, un hesperidio esférico o globoso, puede alcanzar 15 cm de diámetro y un peso de 2-3 kg; es de color amarillo, con la pulpa ácida, amarga, en cuyo seno están inmersas grandes semillas rugosas. Esta especie es muy apreciada por sus cualidades tónicas, refrescantes y estimulantes del apetito, y por su aporte en vitaminas A, B y C. De la corteza del fruto, bien por presión o por destilación, se obtiene un aceite esencial, muy semejante al del naranjo.
Propagación: Mediante injerto o semillas.
Condiciones de cultivo: Esta especie es muy sensible al frío; prefiere los terrenos ligeros y bien drenados.

195 CIDRO
Citrus medica

Familia: Rutáceas
Etimología: El nombre específico indica una supuesta procedencia de Media.
Hábitat: Especie originaria de la región oriental del Himalaya, y era ya conocida por los romanos con el nombre de manzana de Media, actual Persia, desde donde alcanzó Grecia y el mundo latino.
Descripción: Árbol de 3-4 m de altura, con copa irregular. Las hojas (1) presentan en la base una espina de 3 cm de longitud, son grandes, ovadas y con los márgenes dentados. El pecíolo no es alado. Las flores (2), blancas y perfumadas, poseen la página externa de los pétalos con tonalidades violetas, reunidas en grupos de 3-12. Los frutos (3), de 20-30 cm de longitud, son ovoides, pero más grandes e irregulares que los limones, con la corteza gruesa de color amarillo pálido y pulpa no muy abundante, algo ácida. El cidro, clasificado entre los agrios comestibles, es menos conocido por sus propiedades antisépticas, antipútridas y antiescorbúticas, utilizado también para regularizar las fermentaciones biliares. Es bastante más conocida una poción antihemética elaborada a base de jugo de cidro y solución acuosa de bicarbonato de potasio. También las semillas, trituradas y endulzadas, se emplean en medicina popular como vermífugo.
Propagación: Mediante esqueje; también por injerto sobre naranjo.
Condiciones de cultivo: Clima templado cálido y no muy húmedo.

---

196 MANDARINO
Citrus nobilis

Familia: Rutáceas
Etimología: El nombre alude a la exquisitez del fruto. El nombre mandarino deriva de *mandara*, nombre empleado primitivamente en Francia para su designación.
Hábitat: Esta especie es originaria de China y Vietnam; fue introducida en las regiones mediterráneas occidentales aproximadamente sobre 1828 como curiosidad.
Descripción: Árbol que como máximo alcanza 3-4 m de altura, posee hojas (1) parduscas y brillantes, lanceoladas, más pequeñas que las de las restantes especies de agrios y carece de pecíolos alados. Flores (2) pequeñas, blancas y perfumadas; frutos (3) globosos, en parte comprimidos, de color anaranjado brillante, piel delgada y de fácil separación; posee pulpa jugosa, dulce y agradablemente perfumada en la que se encuentran sumergidas numerosas semillas. De la corteza del fruto se obtiene el denominado aceite esencial de mandarino, que además de utilizarse en perfumería se emplea para aromatizar licores, caramelos y medicinas. Se cultiva también el mandarino en maceta como planta ornamental; se conoce también un híbrido perfectamente estabilizado, *clementina*, obtenida del cruzamiento del mandarino con el naranjo.
Propagación: Mediante semillas, de la que se obtienen los individuos denominados selváticos; también por esqueje o injerto sobre el naranjo.
Condiciones de cultivo: Prefiere los climas templados, terrenos fértiles y bien drenados.

197 CORNEJO MACHO
Cornus mas

Familia: Cornáceas
Etimología: El nombre conserva su raíz latina, que probablemente alude a la madera dura como una asta.
Hábitat: Vive en Europa centrorriental, hasta Asia Menor.
Descripción: Es un árbol de no gran envergadura, que alcanza los 6-8 m de altura; posee ramificaciones de color rojo oscuro, con la corteza oscura y amarillenta, rica en taninos, que se fractura y se descama. Las hojas (1), caducas, son simples, ovales íntegras, pero con los márgenes algo ondulados, ȯpuestas, de color verde y casi glabras en la página superior, más claras y con tomento en la página inferior, con la nerviación arcuadoconvergente, hacia el ápice acuminado. Las flores (2), amarillas y hermafroditas, se reúnen en umbelas que aparecen con anterioridad a las hojas. El fruto (3) es una drupa elipsoide de color rojo escarlata, de sabor agradable y ácido, comestibles según la cantidad de azúcar que se añada. Contiene una semilla ósea. La madera, homogénea, con la albura de tonalidad clara y el duramen rojizo, es muy dura y resistente. Se utiliza para la construcción de determinadas piezas en máquinas que están sujetas a intenso desgaste, como por ejemplo radios y dientes de ruedas, o bien para trabajos de torno. Las semillas contienen un aceite y toda la planta tiene propiedades tintóreas amarillas.
Propagación: Esencialmente mediante semillas, pero también por esqueje.
Condiciones de cultivo: Prefiere los terrenos calcáreos y los climas templados.

198 AVELLANO
Corylus avellana

Familia: Betuláceas
Etimología: El nombre deriva del griego *kóris,* yelmo o casco, en alusión al involucro foliáceo que cubre al fruto.
Hábitat: Esta especie vive en Europa, Asia Menor y Argelia, y prefiere las zonas montañosas hasta 1200 m de altura, conjuntamente con otras especies de latifolios.
Descripción: Es un pequeño árbol que puede alcanzar hasta 7 m de altura, poco longevo. En general se ramifica a partir de la base, la corteza se tiñe rápidamente de tonalidad gris oscura. Las hojas (1), caducas, son ovadoacorazonadas, alternas, irregularmente dentadas, blandas y aterciopeladas apenas surgen de las yemas, de color verde intenso en la página superior y más claro y tomentosa por debajo. Las flores son unisexuales; las masculinas (2) reunidas en amentos cilíndricos colgantes, son otoñales; las femeninas (3), erectas, son poco aparentes y se manifiestan únicamente mediante los estambres sólo visibles en el momento de la floración, que es invernal. Los frutos (4), aquenios globosos reunidos en grupos de 2 o 4, están protegidos por un involucro en forma de campana, irregularmente dentado que madura en setiembre; son comestibles y contienen un aceite de alta calidad muy adecuado para el uso alimentario e industrial. La madera, semidura y elástica, pero poco durable, se utiliza para la construcción de bastones, aros de barricas, trabajos de torneado y marquetería.
Propagación: Mediante retoños radicales, pero también por semillas en otoño.
Condiciones de cultivo: Prefiere los terrenos calcáreos y climas templados.

199 MEMBRILLERO
Cydonia vulgaris

Familia: Rosáceas

Etimología: Procede de la raíz latina *cydoneus,* adjetivo derivado de Cydon, antigua ciudad de la isla de Creta.

Hábitat: Especie originaria de Asia occidental; cultivada desde la más remota antigüedad.

Descripción: Árbol de 3-5 m de altura, de lento desarrollo, tallo muy ramificado, frecuentemente retorcido. Las hojas (1), alternas, brevemente pecioladas, ovales, enteras, de 8-10 cm de longitud, son de color verde en la página superior y gris tomentosas en la inferior, con estípulas caducas. Las flores (2), solitarias, de 5 cm de diámetro, poseen cáliz tomentoso y persistente, pétalos subcirculares de color blanco en el interior y rojo al exterior, con numerosos estambres. El fruto (3) es de tipo pomo, grande, globoso, umbilicado en ambas extremidades, a veces mamiforme en las proximidades del pedúnculo, con pulpa dura, ácida también en la madurez. De Candolle sostiene que el membrillero, cultivado en Babilonia hace 4000 años y en época romana era muy bien conocido, ya que lo citan Catón, Plinio y Virgilio. El fruto estaba dedicado a Venus, como símbolo del amor y de la felicidad. El fruto es perfumado, a pesar de que mantiene su sabor ácido.

Propagación: Mediante esqueje o por fragmentos de raíces y, como todas las especies frutales, por injerto que es la forma de conservar sus propiedades obtenidas por selección.

Condiciones de cultivo: Prefiere los terrenos de consistencia media, frescos, bastante fértiles y pobres en caliza.

200 PALOSANTO, CAQUI
Diospyros kaki

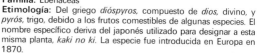

Familia: Ebenáceas

Etimología: Del griego *dióspyros,* compuesto de *dios,* divino, y *pyrós,* trigo, debido a los frutos comestibles de algunas especies. El nombre específico deriva del japonés utilizado para designar a esta misma planta, *kaki no ki.* La especie fue introducida en Europa en 1870.

Hábitat: Esta especie procede del Extremo Oriente.

Descripción: Árbol de hoja caduca de 6-12 m de altura, con copa cónica y corteza oscura, fisurada; las hojas (1) son enteras, ovales, elípticas, coriáceas, de color verde oscuro y brillante en su cara superior, frecuentemente pubescentes en la cara inferior, de unos 15 cm de longitud, y adquieren una tonalidad rojiza antes de caer. Las flores, hermafroditas o bien unisexuales, solitarias, son axilares y poseen corola pequeña y blanquecina, mientras que el cáliz es persistente, provisto de cuatro grandes lóbulos foliáceos. Los frutos (2) presentan un breve pedúnculo, y son bayas globosas, ligeramente umbilicadas en la base, del tamaño de una manzana, con corteza cérea, de color anaranjado más o menos intenso, blando; contiene una pulpa jugosa, algo fibrosa, de color amarillo anaranjado, muy dulce al llegar a la madurez. Existen numerosas variedades de palosanto, algunas desprovistas se semillas.

Propagación: Mediante semillas; para mantener intacto las características de las variedades hortícolas se recurre al injerto sobre *D. virginiana.*

Condiciones de cultivo: Especie muy adaptable con respecto al tipo de sustrato; difícilmente tolera las fuertes heladas.

201 CAQUI DE VIRGINIA
Diospyros virginiana

Familia: Ebenáceas
Etimología: El tributo de esta especie americana deriva del estado de Virginia, en Norteamérica, donde crece espontáneamente.
Hábitat: Especie originaria de América del Norte.
Descripción: Árbol de hoja caduca, que alcanza 15 m de altura, provisto de grueso tronco con la corteza hendida y negruzca, ramificaciones fuertes, extendidas, horizontales o colgantes. Las hojas (1) son ovadas o elípticas, acuminadas, de longitud media, de color verde brillante en la página superior, glauca o bien pálida en el envés. Las flores son brevemente pedunculadas, unisexuales, de color amarillo verdoso. Las masculinas se reúnen por lo general en pequeños ramilletes, y las femeninas son solitarias y algo más grandes. El cáliz es persistente y constituye la base del fruto, de tamaño semejante a una ciruela, globoso, al principio de color verde, luego amarillo o bien anaranjado al llegar la madurez, frecuentemente con tonalidades rojizas. Los frutos (2) son comestibles, aunque no muy apreciados, y se dice que se hacen completamente comestibles después de estar expuestos a las heladas invernales; además, su tamaño, color y sabor son muy variables.
Propagación: Mediante semillas; se cultiva también como base para recibir los injertos de *D. kaki.*
Condiciones de cultivo: Es una especie muy rústica; tolera temperaturas sumamente bajas.

202 NÍSPERO DEL JAPÓN
Eriobotrya japonica

Familia: Rosáceas
Etimología: El nombre deriva del griego *érion*, lana, y *bótrys*, racimo de uva, debido a que las flores se presentan en racimos lanuginosos.
Hábitat: Especie nativa de Extremo Oriente.
Descripción: Planta perenne, de 6-7 m de altura, ramas erectas y ensanchadas que forman en conjunto un follaje abierto, casi ombreliforme en fase adulta. Las hojas (1), de tonalidad clara y pubescentes en fase juvenil, se hacen rápidamente grandes y coriáceas, casi sésiles, oblongolanceoladas, glabras en la página superior, cubiertas de tomento de color del óxido en el envés; los márgenes presentan denticiones muy separadas. Las flores (2), de aproximadamente 1 cm de longitud, son blancas y desprenden un olor a almendra amarga; se reúnen en espigas terminales, pero permanecen a partir de su aparición cubiertas por un denso tomento de color marrón rojizo. La planta florece en otoño y los frutos maduran en primavera; son de forma globosa ovoidal, corteza de color amarillo anaranjado, con los lóbulos y el cáliz persistentes en la extremidad, pulpa amarillenta, con un jugo ligeramente ácido y unas pocas semillas, grandes, brillantes y marrones. Los nísperos son comestibles, razón por la que esta especie es cultivada, y en general se consumen frescos; se han obtenido numerosas variedades con características muy apreciadas.
Propagación: Mediante semillas; las variedades por injerto.
Condiciones de cultivo: Especie rústica; soporta hasta −10°C.

203 GUAYABO DEL BRASIL
Feijoa sellowiana

Familia: Mirtáceas
Etimología: El nombre recuerda al botánico brasileño Silva Feijoa, del siglo XIX; recientemente el nombre del género ha sido cambiado a *Acca*, pero el nombre antiguo está todavía universalmente aceptado.
Hábitat: Especie originaria de América tropical, Brasil y norte de Argentina.
Descripción: Alcanza los 5 m de altura, y su porte es bastante arbustivo; perenne, se cultiva bien por las flores, bien por los frutos comestibles; se ramifica a partir de la base, posee ramificaciones secundarias cubiertas de tomento blanquecino, con pequeñas hojas (1) enteras, opuestas, elípticas, de color verde brillante en la página superior, mientras que la inferior es de color gris plateado. Las flores que aparecen a finales de la primavera, son solitarias o bien se reúnen en ramilletes axilares; poseen cuatro pétalos céreos, externamente de color blanco y de color carmín púrpura en el interior. Los frutos (2) son oblongos, miden aproximadamente 5 cm, poseen cáliz persistente en su ápice; la piel del fruto es de color verde oscuro y coriáceo, adoptando rápidamente una tonalidad marrón. La pulpa, jugosa, blanca y perfumada, contiene numerosas semillas; los frutos frescos son comestibles, pero también se emplean en la preparación de confituras y gelatinas.
Propagación: Mediante semillas, pero la multiplicación por esqueje proporciona resultados más rápidos.
Condiciones de cultivo: A pesar de que la especie sea tropical, se introdujo con éxito en Francia e Italia en 1890.

204 HIGUERA
Ficus carica

Familia: Moráceas
Etimología: Nombre de origen latino, utilizado ya por los romanos.
Hábitat: Especie originaria de Asia sudoccidental, actualmente vive espontánea en la zona mediterránea.
Descripción: Desde la antigüedad más remota se poseen descripciones acerca del conocimiento y cultivo de esta especie; está ya nombrada en el Génesis, puesto que Adán y Eva se refugiaron bajo su sombra después de cometer el pecado. Se cuenta que Catón el Censor convenció al senado romano a emprender la tercera guerra púnica al mostrar a los senadores los hermosísimos higos recolectados en Cartago. Con respecto a la morfología, la especie espontánea es diferente de la cultivada, que alcanza 5-8 m de altura. Las hojas (1) presentan 3-5 lóbulos irregularmente dentados, toscos en la cara superior y aterciopelados en el envés; estas hojas están sostenidas por largos pecíolos. Las flores (2), sólo femeninas en los ejemplares cultivados, se encierran en el interior de una inflorescencia de color verdoso o negro violáceo, piriforme, con una abertura, denominado ostiolo, dispuesta en la extremidad. La reproducción se realiza por partenogénesis. En las higueras selváticas, en cambio, la impolinización la asegura una especie de insecto, *Blastophaga psenes,* que cuida de transmitir el polen fecundando a las flores femeninas.
Propagación: Por esqueje o por división de los retoños.
Condiciones de cultivo: Es una especie típica del clima mediterráneo, pero soporta también el frío.

205 KUMQUAT
Fortunella margarita

Familia: Rutáceas
Etimología: El nombre recuerda a Robert Fortune (1812-1880), naturalista escocés que viajó a China y que introdujo en el mundo occidental gran número de plantas ornamentales procedentes del Extremo Oriente.
Hábitat: Especie originaria de China meridional.
Descripción: Pequeño árbol que en su ambiente originario alcanza 3-4 m de altura, a pesar de que en nuestros climas permanece más bajo. Perenne, posee hojas lanceoladas, atenuadas en la base y acuminadas en el ápice, coriáceas, de color verde brillante sobre la página superior, y de color más pálido y con punteaduras grandulares visibles sobre la inferior. Las flores son pequeñas, solitarias o bien reunidas en pequeños grupos, blancos y bastante carnosos, con cinco pétalos; las flores son perfumadas y aparecen en primavera. Los frutos que surgen a continuación son ovales u oblongos, de 2 a 3 cm de longitud, de color anaranjado más o menos amarillento, piel punteada por la presencia de glándulas oleíferas traslúcidas y pulpa ligeramente ácida. Los frutos son comestibles y se comen totalmente, comprendida la piel; desprenden un aroma muy particular.
Propagación: En general se realiza por injerto sobre *Poncirus trifoliata.*
Condiciones de cultivo: Climas suaves; sin embargo es la especie más rústica de todos los agrios.

---

206 NOGAL
Juglans regia

Familia: Juglandáceas
Etimología: El nombre deriva del latín, *jovis glans,* bellota de Júpiter; en efecto, los romanos denominaban de este modo al nogal.
Hábitat: Es un árbol procedente de las regiones templadas de Asia central y oriental.
Descripción: Especie de gran tamaño que alcanza 25-30 m de altura y 1,5 m de diámetro. El tronco, que proporciona una madera de excelente calidad utilizada en ebanistería, posee la corteza de color gris y lisa, cuarteándose con la edad. Sus ramas forman una copa casi esférica, con grandes hojas (1) compuestas, imparipinnadas, formadas por 5-9 folíolos ovales, glabros, de un hermoso color verde brillante en la cara superior y más claro en el envés, que desprenden un ligero aroma debido a un principio volátil. La floración, en abril-mayo, muestra dos tipos de flores: masculinas (3), de color verde marronáceo, agrupadas en amentos colgantes de algunos centímetros de longitud, y las femeninas (2) en grupos de 1-4 en la extremidad de las ramificaciones del propio año. El fruto es una drupa, cuya pulpa verde, rica en taninos, se hiende naturalmente. La semilla, la nuez, comestible, proporciona también un aceite industrial.
Propagación: Esta especie se reproduce mediante semillas; puesto que es frecuente que incluso en este caso persistan los caracteres, no siempre se recurre al injerto.
Condiciones de cultivo: Prefiere los terrenos fértiles, profundos y permeables; se cultiva hasta los 1000 m de altura.

207 CIRUELO DE CHINA
Litchi sinensis

Familia: Sapindáceas

Etimología: El nombre es de origen chino.

Hábitat: Especie originaria del sur de China, pero cultivada también en la India y otros países tropicales.

Descripción: En los lugares de origen alcanza 10 m de altura, pero frecuentemente es de menor porte; posee ramas colgantes recubiertas muy densamente de hojas (1) pinnadas, compuestas de 2-4 pares de folíolos, lanceoladoacuminados, brillantes y verdes en la cara superior, glaucos en el envés. Las flores (2) dispuestas en largas espigas apicales pueden alcanzar 30 cm, son pequeñas e insignificantes, blanquecinas, y dan lugar a frutos (3) comestibles que son muy apreciados. Están constituidos por grandes semillas con arilo formado por pulpa blanca y gelatinosa, traslúcida y jugosa, de sabor y perfume no muy diferente del de la uva moscatel. El revestimiento, tuberculado, de color rojizo al principio, marronáceo después, se endurece ligeramente a medida que el fruto madura. Existen numerosas variedades cultivadas, y la semilla es generalmente más grande en el caso de que el árbol se haya obtenido por semilla, y más pequeña si se trata de una variedad injertada.

Propagación: Mediante semillas, pero el crecimiento es lento y la planta fructifica sólo al cabo de 7-9 años después de la siembra; las variedades selectas se obtienen por esqueje o injerto.

Condiciones de cultivo: Especie exclusivamente tropical.

---

208 MANZANO
Malus communis

Familia: Rosáceas

Etimología: El árbol ha conservado su nombre latino.

Hábitat: Probablemente se trata de una especie de origen europeo que ha sido mejorada mediante hibridaciones y adaptada para su cultivo.

Descripción: Pequeño árbol de hasta 6-8 m de altura, con las ramas juveniles a veces espinosas, hojas (1) caducas, simples, con los márgenes dentados, de consistencia coriácea, con la página inferior más o menos tomentosa, brevemente pecioladas, con 8-16 nerviaciones aparentes. Las flores, hermafroditas y pentámeras, son normalmente blancas, con tonalidades de color rosa en su parte exterior, de 15 a 50 estambres y anteras amarillas; se reúnen en grupos de 3 a 6 en forma de corimbos en la extremidad de las ramas jóvenes. Los frutos (2), de tipo pomo, son globosos, depresionados y umbilicados en la extremidad, con pulpa crujiente y piel de diversos colores; las semillas, en número de una o dos, están contenidas en el interior de unas separaciones cartilaginosas, a cuyo alrededor se desarrolla el receptáculo carnoso. El manzano cultivado comprende un grupo de híbridos obtenidos entre varias especies, entre las que *M. sylvestris,* de Europa central, cuyos pequeños frutos se consumían ya en el neolítico, y *M. dasyphylla,* de Asia occidental. Esta última especie es la de más antiguo cultivo y está extendida por toda Europa. Mediante numerosos cruzamientos se han logrado las distintas variedades actualmente cultivadas.

Propagación: Mediante esqueje, pero sobre todo por injerto.

Condiciones de cultivo: Zona templada y fría.

209 MANGO
Mangifera indica

Familia: Anacardiáceas

Etimología: El nombre deriva de *mango,* nombre dado al fruto en la India, y del latín *fero,* llevo.

Hábitat: Nativo de la India, Birmania y parte de Malasia.

Descripción: Árbol de gran tamaño, erecto y de porte dilatado, que puede alcanzar 30 m de altura; posee hojas (1) coriáceas, lanceoladas, de color verde oscuro, con los márgenes a veces ondulados; pueden medir hasta 35 cm y poseen un corto pecíolo. Las flores (2), amarillentas o rojizas, perfumadas, se reúnen en inflorescencias de tipo espiga y pueden ser masculinas o bien hermadroditas sobre la misma inflorescencia. Éstas producen los frutos (3), drupas ovoidales, de 5-20 cm, comprimidas lateralmente, que al alcanzar la completa madurez adoptan colores amarillentos y rojizos, en diversas tonalidades. Constituyen un recurso alimentario de primer orden gracias a la pulpa exquisita y muy nutritiva. Existen muchísimas variedades, dado que el mango, cultivado en Asia desde hace más de cuatro mil años, actualmente está extendido por América tropical. Debido a que en las plantas obtenidas por semillas, el perfume del fruto es desagradable y la pulpa fibrosa, se han seleccionado variedades sin tales inconvenientes.

Propagación: Mediante semillas, con el fin de obtener la base sobre la que injertar las variedades selectas.

Condiciones de cultivo: Ambiente tropical; en los climas templados debe mantenerse en invernadero.

210 PLÁTANO
Musa × paradisiaca

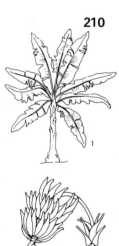

Familia: Musáceas

Etimología: Deriva probablemente del árabe y Linné adoptó este nombre para dedicar el género a Antonio Musa (63 a 14 a. de C.), médico del emperador Augusto.

Hábitat: Híbrido derivado principalmente de la especie asiática.

Descripción: Esta planta, de 3 a 9 m, no debe en rigor del término definirse como un árbol; a semejanza de las palmas posee un estípete formado por las bases persistentes de las hojas, muy envainantes, y por lo tanto no presenta ramificaciones; las raíces son rizomatosas, casi siempre estoloníferas, y de sus yemas brotan nuevos retoños, a pesar de que perezca la parte aérea. Las hojas (1) poseen un pecíolo corto, envainante, y grandes láminas oblongas, con fuerte nerviación central y numerosas nerviaciones secundarias paralelas que corren hasta el margen, hasta tal punto, que los tejidos se rompen con la acción del viento. Las hojas se disponen de forma espiralada y forman un haz apical. Las inflorescencias son en espiga, con brácteas axilares violáceas y lanceoladas, con flores amarillas que sin fecundación previa dan lugar a un fruto sin semilla, dado que el híbrido es estéril. Existen muchísimas variedades.

Propagación: Mediante retoños basales en primavera.

Condiciones de cultivo: Especie tropical y subtropical; puede vivir en climas benignos, sin fructificar o apenas.

211 AGUACATE
Persea americana

Familia: Lauráceas

Etimología: El nombre deriva del griego *perséa*, utilizado para denominar a un árbol egipcio inciertamente identificado.

Hábitat: Especie originaria de América Central, pero actualmente extendida por buena parte de los países tropicales y subtropicales.

Descripción: Con altura máxima de 20 m, este árbol erecto, de copa dilatada y globosa, posee hojas (1) enteras, persistentes, elípticas o lanceoladas, acuminadas, con pecíolo corto, coriáceas, con intensas nerviaciones. Las flores (2), pequeñas y de color verdoso, se reúnen en apretadas espigas terminales, a las que siguen los frutos, grandes drupas carnosas piriformes; la piel del fruto es de color verde, más o menos brillante o rugosa según la variedad; la pulpa, mantecosa y muy rica en proteínas y vitaminas, así como en cuerpos grasos, presenta escaso contenido en azúcares. Las semillas, grandes, y frecuentemente también piriformes, son bipartidas, y la nueva planta apunta entre las dos valvas. Existen numerosas variedades, y con ello se tienen frutos de forma, color y tamaño ligeramente distinto, pero en la práctica comercial, las plantas se injertan con el objeto de obtener tipos uniformes y fructificaciones más rápidas.

Propagación: Mediante semillas, que no deben enterrarse completamente; por injerto de yema, esqueje o acodo.

Condiciones de cultivo: Climas suaves; esta especie medra en toda la zona propia de los agrios, en terrenos permeables.

212 PISTACHO
Pistacia vera

Familia: Anacardiáceas

Etimología: El nombre es el utilizado por los latinos, derivado según parece del persa a través del griego *pistáke*, usado ya por Nicandro 200 años a. de C., y también por Dioscórides.

Hábitat: Especie originaria de Medio Oriente.

Descripción: El árbol, en condiciones óptimas, puede alcanzar los 10 m de altura; es una especie de hoja caduca, pero posee un follaje denso con ramificaciones muy extensas. Las hojas (1) son pennadas; tomentosas en la fase juvenil, asumen posteriormente consistencia coriácea, con 1-5 pares de folíolos acuminados. Las plantas son dioicas y están provistas de canales resiníferos; las ramificaciones jóvenes son rojizas. Las flores (2,3), apétalas, presentan de 1 a 5 sépalos, y las femeninas dan lugar al fruto, que es una drupa ovoidal con la parte externa rugosa que contiene una pulpa verde muy utilizada como condimento y en pastelería. Las inflorescencias son pequeñas espigas, y los frutos se presentan en la misma disposición, pero es necesario al menos una planta masculina para polinizar a 5 o 6 plantas femeninas. Según Plinio, la planta fue llevada a Roma por Vitelio, bajo el reinado del emperador Tiberio, pero actualmente se cultiva en otras áreas aparte de la región mediterránea. En Turquía es un alimento muy común y característico.

Propagación: En general por injerto sobre *P. terebinthus*.

Condiciones de cultivo: En climas secos, en la zona propia del olivo.

213 ALMENDRO
Prunus amygdalus

Familia: Rosáceas
Etimología: El nombre ha conservado su origen latino.
Hábitat: Especie originaria de China, introducida en Europa entre el siglo VI y V a. de C.; actualmente su cultivo está muy extendido en Europa.
Descripción: Árbol que puede llegar a alcanzar 10 m de altura, posee tronco a menudo tortuoso y corteza de color muy oscuro, hendida en pequeñas escamas. Las hojas (1), lanceoladas, de hasta 12 cm de longitud, con los márgenes dentados, algo romos, y son muy pecioladas. Las flores (2), que aparecen mucho antes que las hojas en los ejemplares jóvenes y sólo algo antes en los de cierta edad, son blancas o de color ligeramente rojizo; alcanzan 5 cm de diámetro; poseen cáliz de color rojizo y se disponen aisladamente o bien a pares sobre cortos pedúnculos. Los frutos, de color verde amarillento, son drupas ovales y tomentosas, ligeramente sulcadas por uno de los lados; encierran un hueso, en cuyo interior están contenidas una o dos semillas comestibles, rodeadas por un delicado tegumento de color canela, con alto contenido en ácido prúsico, lo que le proporciona su sabor característico. Existen numerosas variedades de almendro, que según el sabor de la semilla se pueden clasificar en dos grandes grupos, dulces o amargos. Se consumen las semillas, no los frutos. La madera, rojiza y compacta, puede pulirse de forma muy hermosa.
Propagación: Mediante semillas o bien por injerto.
Condiciones de cultivo: Teme las heladas, especialmente si son tardías, y el viento fuerte.

---

214 ALBARICOQUERO
Prunus armeniaca

Familia: Rosáceas
Etimología: Parece ser que en Italia esta especie ha sido introducida procedente de Armenia, a pesar de que el nombre específico sea de origen chino.
Hábitat: Especie originaria de China septentrional, pero es muy conocida en Europa ya desde los tiempos de la civilización helénica.
Descripción: Árbol que difícilmente supera los 6-8 m de altura, con tronco robusto y corteza de color marrón rojiza; las ramificaciones se disponen de un modo bastante desordenado, pero en conjunto forman una copa esférica. Posee hojas (1) caducas, ovadas o redondas, bruscamente acuminadas en el ápice, simples, coriáceas, doblemente dentadas y alternas. Las flores (2), solitarias o a pares, que aparecen antes que las hojas, poseen pétalos obovados de color blanco o blanco rosados. El fruto, una drupa globosa u oblonga, aterciopelada, más o menos comprimida y dividida en dos por un surco ventral, es de color amarillo anaranjado, incluso a veces teñida de rojo en la parte más expuesta al sol. La pulpa posee un sabor dulce y es agradablemente perfumada. El hueso, en muchas de las variedades cultivadas, se separa de la pulpa y contiene una semilla, de la que se extrae un aceite, denominado aceite de armiño, utilizado en perfumería y en la industria del jabón.
Propagación: Mediante semillas o por injerto sobre pies selváticos.
Condiciones de cultivo: Prefiere los climas templados y teme las heladas.

215 CEREZO
Prunus avium

Familia: Rosáceas
Etimología: El nombre científico deriva del latín *avis,* que significa de las aves, ya que su fruto es muy apreciado por las aves, que además facilitan su diseminación.
Hábitat: Especie originaria de Asia occidental, desde donde penetró en toda Europa a partir de tiempos muy remotos, y actualmente se le encuentra como indígena en los bosques de Europa Central.
Descripción: Árbol que puede alcanzar hasta 20 m de altura, con ramas robustas, dirigidas hacia arriba, formando una copa amplia y piramidal. La corteza, de color rojo oscuro, se separa, con la edad, en estrías horizontales. Las hojas (1), alternas, lanceoladas y acuminadas en el ápice, doblemente dentadas en los márgenes, son glabras y algo rugosas por encima, algo tomentosas por debajo. Las flores (2), blancas y perfumadas, son muy pedunculadas y se reúnen en umbelas. El fruto es una drupa globosa, poco acorazonada, de 1 cm de diámetro, de color rojo oscuro con la pulpa dulce, unida al hueso. De esta especie proceden las numerosas variedades cultivadas y mejoradas para la producción de frutos. El cerezo dispone de una larga historia junto al hombre, ya que sus huesos se han encontrado entre los hallazgos de restos de poblaciones muy primitivas.
Propagación: Mediante semillas si se trata de una variedad selvática; por injerto si es una variedad cultivada.
Condiciones de cultivo: Prefiere los climas templados y muy luminosos.

216 GUINDO
Prunus cerasus

Familia: Rosáceas
Etimología: Como nombre específico se utiliza el término latino empleado para indicar genéricamente al cerezo.
Descripción: Es un pequeño árbol que alcanza los 6 m de altura, menos de la mitad que el cerezo, con las ramificaciones a menudo separadas y colgantes; las hojas (1), ovadoelípticas con los márgenes doblemente dentados, son lisas y glabras en ambas caras, más pequeñas y con el pecíolo más corto que en el caso del cerezo. Las flores (2), hermafroditas, blancas y colgantes, se reúnen en umbelas y se abren en abril-mayo. El fruto (3) es una drupa globosa de un color rojo más o menos oscuro, con mucho jugo y de sabor ácido, con un hueso globoso y liso. Los frutos son comestibles, pero suelen utilizarse en especial para la elaboración de confituras, jarabes y para la producción de líquidos especiales, como por ejemplo «raschino». La madera, de color blanco rosado, con el duramen oscuro y semiduro, se utiliza en pequeños trabajos de torneado, para objetos de uso doméstico y también para la fabricación de bastones.
Propagación: Mediante semillas o injerto según las diversas variedades cultivadas; la elección del portainjerto se realiza en función de las condiciones ambientales. Pueden obtenerse también nuevos ejemplares mediante retoños.
Condiciones de cultivo: Esta especie se adapta a toda clase de terrenos; puesto que resiste el frío mejor que el cerezo, puede cultivarse hasta 1800 m de altitud.

217 MELOCOTONERO
Prunus persica

Familia: Rosáceas

Etimología: El nombre específico alude al hecho de que durante la antigüedad grecorromana, esta especie alcanzó la cuenca mediterránea procedente de Persia, y por ello durante largo tiempo se pensó que era oriunda de este país.

Hábitat: Especie originaria de China, desde donde en época muy remota se extendió su cultivo por Europa y por el mundo entero.

Descripción: Árbol de 4-5 m de altura, con hojas (1) lanceoladas, dentadas en los márgenes, flores axilares de un hermoso color rosa, a pesar de que su intensidad es variable según las variedades. El fruto (2), una drupa globosa, con piel aterciopelada, pulpa jugosa, azucarada y perfumada, encierra un hueso voluminoso y leñoso, agudo en una de sus extremidades, y provisto de una serie de relieves longitudinales. Los melocotones se consumen frescos, en confitura, en forma de mermelada, gelatinas e incluso secos. El melocotón es mencionado por vez primera con el nombre de Tao en un ritual chino del siglo X a. de C. y en las prescripciones de Confucio del siglo V a. de C. Por lo demás, su historia es muy extraña: la carta en la que el egipcio Ammonio indaga a Apión acerca del melocotonero como un árbol raro está escrita en el 300 d. de C., después de que Teofrasto ya lo hubiera descrito 500 años antes y dos siglos después de que Plinio hablara de él y de que los habitantes de Pompeya hubieran representado al melocotonero en sus frescos.

Propagación: Por injerto sobre almendro, por ejemplo.

Condiciones de cultivo: En la más exigente de todas las especies que componen el género.

218 GUAYABA
Psidium guajava

Familia: Mirtáceas

Etimología: Deriva del griego *psídion,* granado, por la aparente semejanza entre los frutos.

Hábitat: Especie originaria de América Central.

Descripción: Árbol de hoja perenne que alcanza hasta 8 m de altura, con tallo bastante delgado cubierto por una corteza de color marrón verdoso, escamosa. Las hojas (1) son ovales y oblongas, coriáceas, de color verde claro, pubescentes en la página inferior. Las nerviaciones, muy aparentes, están en depresión en el haz y sobresalen en el envés; los pecíolos son cortos, y se insertan en pares opuestos a cada lado de la ramificación. En la axila aparecen las flores (2), solitarias o bien reunidas en grupos de 2 o 3, con el pedúnculo muy corto y bracteado; el cáliz, persistente, es ovadotubuloso y se abre en 2-4 lóbulos irregulares y blanquecinos. Los pétalos son ovales y blancos, generalmente en número de 5, los estambres sobresalen. El fruto (3) es una baya, globosa o piriforme, que mantiene en el ápice los lóbulos del cáliz, con numerosísimas semillas en forma de riñón o planas, inmersas en el interior de una pulpa comestible de color blanco, amarillento o rosado, muy perfumada. Existen numerosas variedades de esta especie.

Propagación: En general por esqueje semileñoso en invernadero.

Condiciones de cultivo: Climas tropicales y semitropicales; actualmente está extendida en todas las regiones de la zona cálida y húmeda de la Tierra.

219 GRANADO
Punica granatum

Familia: Punicáceas

Etimología: El nombre deriva del latín *punicus,* cartaginés. Plinio denominó a esta especie *malum punicum,* manzana de Cartago, con base equivocada con respecto a su origen.

Hábitat: Especie nativa de Asia occidental, pero que también crece espontánea en la cuenca mediterránea.

Descripción: Esta planta, que frecuentemente muestra un porte arbustivo, en las regiones más cálidas es un pequeño árbol que alcanza 6 m de altura: las hojas (1) son oblongas, de color verde, brillantes y enteras; las flores (2) poseen cáliz rojo y persistente, coriáceo y acampanado, y los pétalos rojos y caducos. Son bisexuales y el ovario, ínfero, fundido con el cáliz, produce un tipo especial de fruto, una baya aparentemente semejante a un pomo, denominada balaústa. Debajo la corteza coriácea, el interior está subdividido en varios lóculos, cada uno de los cuales contiene numerosas semillas dispuestas muy juntas y con facetas revestidas de un arilo rojo y jugoso. Existen diversas variedades, con flores blancas o jaspeadas, dobles (estériles) y una variedad *nana* que puede cultivarse en maceta.

Propagación: Mediante semillas o por esqueje leñoso a finales de invierno.

Condiciones de cultivo: Esta especie medra sin inconvenientes en toda el área de distribución de los agrios y del olivo; en climas fríos debe resguardarse en el interior al llegar el invierno, particularmente la variedad *nana*.

220 PERAL
Pyrus communis

Familia: Rosáceas

Etimología: El nombre de esta especie ha conservado su raíz latina.

Hábitat: La subespecie *piraster* y otras formas espontáneas de las numerosísimas variedades cultivadas son originarias de Europa centrooriental y Asia Menor.

Descripción: Árbol que puede alcanzar hasta 15 m de altura, con la corteza de color marrón o negruzca, hendida en pequeñísimas escamas cuadradas, y con ramificaciones a su vez espinosas. La hojas (1), ovadas, de hasta 8 cm de longitud, dentadas en los márgenes y agudas en los vértices, de color verde oscuro brillante por encima, de color más claro en la página inferior, son sostenidas por pecíolos de hasta 5 cm de longitud con estípulas caducas. Las flores (2), blancas, con las anteras de color rojo violáceo, se reúnen en corimbos con 7-10 flores y aparecen en el árbol en abril, antes que las hojas. El fruto, cónico alargado, atenuado en la base y no umbilicado, posee pulpa delicuescente al llegar a la madurez y a la que están sumergidas numerosas granulaciones duras denominadas esclereidas. Con respecto a las relaciones existentes entre el peral selvático y las variedades cultivadas están en controversia, ya que algunos autores sostienen que estas últimas han derivado de ejemplares autóctonos, mientras que otros autores las hacen descender exclusivamente de especies asiáticas. El leño posee grano fino y es compacto.

Propagación: Mediante injerto sobre especies espontáneas.

Condiciones de cultivo: Especie bastante rústica; se adapta a cualquier tipo de sustrato, pero prefiere las posiciones soleadas.

221 CHICOZAPOTE
Sapota achras

Familia: Sapotáceas
Etimología: El nombre deriva de la denominación sudamericana; se conoce también con el sinónimo científico de *Achras zapota*, derivado del nombre griego de un peral selvático que Linné había utilizado para el género.
Hábitat: América tropical.
Descripción: Planta perenne, de unos 20 m de altura, con las ramas dispuestas horizontalmente o colgantes, la madera de color rojo oscuro y con grano fino. Las hojas (1), brillantes, verdes y de tonalidad clara, son lanceoladoacuminadas y se reúnen en la cima de las ramificaciones secundarias. Las flores (2), incospicuas, son axilares y solitarias y poseen pedúnculo pubescente, cáliz con los seis sépalos pilosos, corola blanca y tubular, lobulada. Los frutos (3) son grandes bayas, globosas u ovales, con la piel de color marrón de óxido, puede ser lisa o bien con irregularidades y tosca; la pulpa es de color marrón amarillento, dulce y jugosa. El fruto sólo es comestible y agradable si está totalmente maduro. La planta contiene un látex que se obtiene por incisiones practicadas en el tronco y a veces también exprimiendo los frutos inmaduros, y constituye la sustancia de base para la fabricación de la goma de mascar o chiclé. La madera es muy resistente, hasta tal punto que se han hallado vigas bien conservadas en las ruinas de los asentamientos mayas del Yucatán. Las semillas son duras, negras y brillantes.
Propagación: Mediante semillas o bien por injerto si se trata de variedades cultivadas por los frutos.
Condiciones de cultivo: Climas tropicales y subtropicales.

---

222 SORBO
Sorbus domestica

Familia: Rosáceas
Etimología: El nombre deriva del latín *sorbum,* nombre con el que se indicaba a los frutos del sorbo.
Hábitat: Esta especie es propia de Europa meridional, desde España a Crimea y Asia Menor. Se cultiva con miras a la obtención de los frutos también fuera de su propia área de origen.
Descripción: Este árbol puede alcanzar hasta 15 m de altura, con hojas alternas, imparipinnadas, de hasta 20 cm de longitud, con 6-10 pares de folíolos ovados o lanceolados, sésiles y con la base redonda, con ápice agudo y márgenes enteros en el tercio superior, y a partir de este nivel agudamente dentados, de color verde y glabros por la cara superior, glaucos y tomentosos por debajo. Las flores (2) poseen cáliz formado por cinco sépalos triangulares, corola blanca, 20 estambres y cinco estilos connados con el pistilo. Los frutos (3) son pequeños pomos subesféricos, de 2-4 cm de diámetro, amarillo rojizos punteados, y de color marronáceo al llegar a la madurez, que se alcanza en época variable entre agosto y febrero. Los sorbos, comestibles, se recogen verdes y se dejan madurar mediante la acción bacteriana.
Propagación: Mediante semillas, pero pueden tardar 2 años en germinar, o bien por injerto sobre *S. aucuparia* o *Crataegus oxyacantha.*
Condiciones de cultivo: Especie poco exigente con respecto al sustrato; teme los ambientes muy calurosos.

223 MIMOSA
Acacia baileyana

Familia: Leguminosas
Etimología: Procede del vocablo griego *akakía,* utilizado para designar a *A. arabica,* derivado de *akís,* punta aguda, espina.
Hábitat: Nueva Gales del Sur, en Australia.
Descripción: Árbol que en el ambiente de procedencia llega a medir 10 m de altura, pero que en cultivo se mantiene en dimensiones mucho más modestas. Las ramificaciones son frecuentemente colgantes y flexibles. Las hojas (1), dispuestas en espiral sobre las ramificaciones en las que surgen, son bipinnadas, y cada pinna posee aproximadamente 20 pares de folíolos glaucos, a veces de color celeste plateado, y adoptan un aspecto de conjunto bastante plumoso; las hojas son persistentes. Las flores (2), de característica forma esferoidal, disponen de un perianto reducido y numerosísimos estambres que dan la sensación de un plumón, a pesar de que son pequeños, con un pedúnculo de aproximadamente 1 cm, reunidos en grandes racimos, cada uno conteniendo 15 o más flores; su color es amarillo brillante y están perfumados. El fruto es una legumbre con los márgenes innervados. La planta requiere frecuentes podas, pero pueden coincidir con la recogida de ramas floridas, a finales de invierno o principios de primavera según los climas.
Propagación: Mediante semillas o por injerto sobre *A. retinodes,* que es la única especie que soporta terrenos calcáreos.
Condiciones de cultivo: Especie semirrústica; tolera las heladas ocasionales.

---

224 ACACIA
Acacia decurrens var. *dealbata*

Familia: Leguminosas
Etimología: El nombre de la especie procede del latín *decurro,* deslizado, debido a la posición imbricada de los folíolos en una de las formas de acacia.
Hábitat: Especie procedente de Australia, espontánea en la región de Queensland, Tasmania y Nueva Gales del Sur.
Descripción: Este árbol rebasa en la naturaleza los 15 m de altura, pero en cultivo mantiene en general unas dimensiones más modestas; la corteza es lisa y las ramificaciones son más o menos pubescentes. El color de las hojas (1) varía desde el verde claro al glauco plateado; son bipinnadas, y cada una de ellas contiene aproximadamente 20 pares de pinnas dispuestas sobre 30-40 pares de folíolos, lo que hace que la planta adopte un aspecto plumoso y ligero. Las flores se reúnen en racimos compuestos bastante grandes, axilares; a veces se localizan incluso 30 sobre una misma inflorescencia. Individualmente muestran el aspecto característico proporcionado por los numerosísimos estambres dispuestos en forma esférica; nacen a partir de un pedúnculo de aproximadamente medio centímetro de longitud, de color amarillo claro. La floración es invernal, y a ella siguen los frutos (2), legumbres largas, lisas y marronáceas, con las semillas dispuestas longitudinalmente.
Propagación: Injerto por aproximaciones.
Condiciones de cultivo: No tolera los terrenos calcáreos y requiere climas suaves; sólo soporta los fríos esporádicos y breves.

225 CASTAÑO DE INDIAS
Aesculus x carnea

Familia: Hipocastanáceas

Etimología: El nombre corresponde al latín *aesculus,* que los romanos utilizaban para designar a la encina de bellotas comestibles y que Linné utilizó para designar a este género, a pesar de que carece de frutos comestibles con respecto al hombre.

Hábitat: Es un híbrido procedente del cruzamiento de *A. hippocastanum* y *A. pavia.*

Descripción: Este híbrido ha heredado de una de las especies progenitoras el porte y de la otra el color de las flores; en efecto, *A. pavia* es poco más que un arbusto, ya que no suele superar los 3 m de altura, posee hermosísimas flores rojas y purpúreas, mientras *A. hippocastanum* alcanza los 30 m de altura. El cruzamiento de ambas especies produce unos individuos que en general poseen un tronco que no supera los 6-12 m de altura, a pesar de que su densa copa les proporcione un aspecto mucho mayor. Las hojas (1) son caducas, compuestas y digitadas, provistas de cinco folíolos casi totalmente sésiles, cuneados y obovados, con márgenes crenados. Las flores poseen cáliz corto y los pétalos claviformes y ribeteados; se reúnen en densas espigas y presentan color rosa, con variegaciones de distinto color, que pueden variar desde el claro al opaco. El fruto (2) es una cápsula espinosa, dehiscente, con semillas grandes y brillantes.

Propagación: Mediante semillas, o bien por injerto sobre una base obtenida mediante semillas de *A. hippocastanum,* con el fin de mantener las tonalidades de la coloración.

Condiciones de cultivo: Especie propia de ambientes rústicos; tolera también una cierta sequedad.

226 CASTAÑO DE INDIAS
Aesculus hippocastanum

Familia: Hipocastanáceas

Etimología: El nombre genérico deriva del griego *íppos,* caballo, y *kástanon,* castaño, debido a que sus frutos, parecidos a castañas, se empleaban en Oriente para alimentar a los caballos y también como estimulante.

Hábitat: La especie es originaria de Europa oriental, Cáucaso y Balcanes, desde donde fue introducida a Viena en el siglo XVI y a París, por Bachelier, en 1615.

Descripción: Este árbol alcanza hasta 30 m de altura, de hermoso porte pero no muy longevo, copa densa y esférica; la madera es de mala calidad; la corteza, utilizada anteriormente como febrífugo, es marronácea, lisa y se descama con la edad. Las hojas (1), palmatocompuestas, formadas por 5-7 folíolos lanceolados, poseen largos pecíolos; las flores (2), de simetría bilateral, son de color blanco, se reúnen en espigas muy tupidas y aparecen en abril-mayo. Los frutos (3), grandes cápsulas redondas y verdosas, provistas de acúleos, se abren en tres valvas y contienen tres grandes semillas de color marrón y brillantes.

Propagación: Mediante semillas, pero es necesario plantarlas inmediatamente después de su maduración, ya que pierden rápidamente la germinabilidad.

Condiciones de cultivo: Esta especie se emplea como planta proporcionadora de sombra en los jardines; en el pasado se empleó para bordear los paseos y avenidas, pero ello es desaconsejable debido a que es una especie de hoja caduca y a que sus frutos, punzantes, son peligrosos en su brusca caída.

227 ACACIA DE CONSTANTINOPLA
Albizia julibrissin

Familia: Leguminosas
Etimología: El nombre recuerda al noble florentino Filippo degli Albizzi, que aproximadamente a mitad del siglo XVIII introdujo la planta en Europa.
Hábitat: Especie asiática; su área de distribución se extiende desde Irán al Japón.
Descripción: Con una altura de aproximadamente 10 m, este árbol presenta ramificaciones extendidas, que se disponen horizontalmente y producen frecuentemente ramificaciones secundarias colgantes. Las hojas (1) son caducas, pinnadas y muy ligeras, con aspecto plumoso, ya que cuenta hasta 24 folíolos oblongos, a veces falcados, de menos de 1 cm de longitud; el raquis posee una pequeña glándula basal. Las flores, reunidas en racimos, constituyen inflorescencias formadas por capítulos provistos de pedúnculo corto, con los elementos del perianto muy reducidos, y los estambres numerosísimos, prominentes, plumosos y de color blanco rosado. Este género se diferencia de *Acacia* debido a un tubo, soldado por la base más o menos largo, que aparece a principios de verano. El fruto (2) es una legumbre. Existe una variedad *rosea*, con las flores de color más intenso, más pequeña y más resistente al frío.
Propagación: Mediante semillas, en otoño o primavera.
Condiciones de cultivo: Especie bastante rústica; tolera también los fríos y el hielo, a condición de que no sean demasiado intensos ni prolongados; prefiere las localizaciones soleadas y no teme la sequía ni la contaminación.

---

228 AMERSTIA
Amherstia nobilis

Familia: Leguminosas
Etimología: Nombre proporcionado en honor a la condesa Sarah Amherst, esposa del gobernador de Birmania en la primera mitad del siglo XIX.
Hábitat: Especie nativa de Birmania, propia en las selvas de teca.
Descripción: El árbol puede alcanzar 20 m de altura, posee ramificaciones erectas y delgadas, con hojas (1) de hasta un metro de longitud, compuestas por seis pares de folíolos, de color verde oscuro en la madurez, pero de color rosa marronáceo en fase juvenil, enrolladas y colgantes. Sus extrañas y bellísimas flores, motivo por el que la especie se cultiva, nacen en racimos colgantes, sobre pedúnculos de color rojo; son bracteadas y poseen dos pétalos inferiores de color rojo y doblados hacia afuera, y tres superiores, irregulares y grandes, de color blanco, con la base punteada de rojo y con una gran mancha amarilla en el margen. Un largo pistilo de color rojo y cinco estambres, rojos también, aparecen doblados. El fruto (2) es una vaina, amarilla verdosa, con vetas de color rojo que toma tonalidad oscura al llegar a la madurez; contiene tres grandes semillas planas, pero que en general son estériles.
Propagación: Mediante semilla, aunque raras veces con éxito; es más fácil obtener reproducción mediante esqueje de leño semimaduro.
Condiciones de cultivo: Además de su procedencia de Birmania, crece en Java y en parte de las Indias Occidentales, en Trinidad y Jamaica. Puede vegetar en invernaderos, pero la floración es tan rara que incluso se recuerda una que tuvo lugar en Inglaterra en 1849.

229 PATA DE VACA
Bauhinia acuminata

Familia: Leguminosas

Etimología: El nombre recuerda a los hermanos Johann y Caspar Bauhin, botánicos que vivieron en el siglo XVI.

Hábitat: Especie originaria de Asia, desde la India a Malasia y China.

Descripción: Arbusto de 2-4 m de altura, con ramificaciones bastante extendidas, que en especial en las ramas jóvenes toma un curioso aspecto zigzagueante. Las hojas (1) son pecioladas; la lámina está dividida en más de 2/3 de su longitud en dos lóbulos oblicuos, oblongos, con cuatro nerviaciones longitudinales cada uno. La base del pecíolo posee dos estípulas espinosas y la nerviación central, que divide a los dos lóbulos, termina en una espina flexible. Las flores son blancas, con 5 pétalos bien separados, lanceolados, largos y atenuados en la base, reunidas en cimas paucifloras; las flores son bastante efímeras, pero se suceden a lo largo de todo el verano. La planta florece muy joven, cuando todavía no alcanza un metro de altura. Emite fácilmente retoños radicales, incluso aún a cierta distancia del tronco principal. Los frutos (2) son vainas aplastadas.

Propagación: Mediante semillas o retoños radicales. Las plantas obtenidas por este último procedimiento florecen dentro del mismo año.

Condiciones de cultivo: Especie semirrústica; no tolera las heladas, a menos de que no sean totalmente esporádicas, en especial durante la fase juvenil.

---

230 PATA DE VACA
Bauhinia variegata

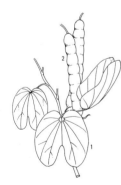

Familia: Leguminosas

Etimología: El atributo específico se debe a la variegación de las flores.

Hábitat: Especie nativa de la India, actualmente cultivada en todos los países tropicales.

Descripción: Árbol con tronco erecto y corteza gris, hendida verticalmente, que en los lugares de origen alcanza los 10 m de altura; su madera, de color rojo oscuro, es muy pesada y dura; sin embargo, debido a la delgadez del tronco, no es muy utilizada en ebanistería; no obstante, su corteza se emplea frecuentemente para la obtención de taninos. Las hojas (1), como sucede en todo el género, presentan una curiosa morfología que ha dado origen a su nombre: la lámina, entera hasta un cierto punto, se divide a partir de él en dos lóbulos a ambos lados de la nerviación central, cada uno de ellos con numerosas nerviaciones. Las flores nacen en racimos cortos y poseen cinco pétalos muy claviformes, de color rosa, uno de los cuales, el más grande, está intensamente variegado en amarillo o blanco. El fruto (2) es una vaina de hasta 50 cm de longitud, que contiene varias semillas. A pesar de las utilizaciones prácticas que de esta especie se hace en la India, en la que las hojas y los capullos se emplean como alimento, su cultivo obedece fundamentalmente a razones decorativas y ornamentales.

Propagación: Mediante semillas; la planta florece aproximadamente al cabo de tres años.

Condiciones de cultivo: Ambiente tropical; los ejemplares pequeños pueden cultivarse en invernadero cálido e incluso llegan a florecer.

231 PONCHOTE
Bombax ellipticum

Familia: Bombacáceas
Etimología: El nombre deriva del griego *bómbyx,* seda, a causa de los pelos sedosos que ocupan la cápsula de las semillas.
Hábitat: Especie nativa de México.
Descripción: Árbol de madera blanda y tronco de color verdoso, provisto de hojas caducas; éstas son grandes, digitadas, con 5 folíolos, de color rojo oscuro en fase juvenil y de color verde en fase adulta. Las flores aparecen antes que las hojas y por ello son más vistosas: están formadas por cinco pétalos púrpuras, al principio soldados, pero posteriormente se separan en cinco partes, enrollándose y formando de este modo una especie de base al manojo plumoso constituido por los estambres céreos, de color rosa pálido, de unos 10 cm de longitud y culminados por las anteras de color amarillo oro. El fruto es una cápsula. El árbol se cultiva principalmente a causa de su floración, pero como en otras especies, se utiliza también como fibra vegetal las fibras encerradas en los frutos que de forma más o menos conspicua rodean las semillas.
Propagación: Mediante semillas.
Condiciones de cultivo: Esta especie se cultiva prácticamente sólo en América Central, donde en Haití recibe el nombre de *fromagier,* a pesar de que este nombre común suela reservarse a las especies asiáticas.

232 ESCOBILLÓN ROJO
Callistemon speciosus

Familia: Mirtáceas
Etimología: Deriva del griego *kállos,* belleza y *stémon,* estambre; en efecto, la belleza de las flores se debe a los estambres.
Hábitat: Especie originaria de Australia.
Descripción: Este arbusto, de hoja perenne, alcanza una altura de unos 3 m; las hojas (1) son lanceoladoacuminadas, bastante estrechas, con nerviación central muy marcada y prominente, disposición alterna de las hojas y márgenes enteros. Las flores (2) nacen en apretadas espigas cilíndricas, terminales y al igual como sucede en otras plantas de la misma familia, el crecimiento continúa al ápice de la inflorescencia, con la que ésta termina por formar una especie de manguito en la parte superior de la ramificación. El cáliz muestra cinco pequeños sépalos, y los pétalos son también cinco, pero caedizos; los estambres son libres, largos, numerosísimos, de color rojo y anteras amarillas. Los pequeños frutos son cápsulas leñosas que persisten durante largo tiempo sobre la planta, adheridos a las ramas, incluso después de que el crecimiento continúe.
Propagación: Mediante semillas, a finales de invierno y primavera; por esqueje semileñoso en invernadero.
Condiciones de cultivo: No tolera los fríos muy fuertes y prolongados; esta especie es especialmente adecuada para los climas templados.

233 CAMELIA BLANCA
Camellia japonica

Familia: Teáceas

Etimología: El nombre fue dado por Linné en honor al jesuita Camellus, como cultivador de la botánica, y no como erróneamente se dice en recuerdo del misionero Giorgio Kamel, como introductor de la camelia en Europa.

Hábitat: Tal como dice el nombre específico, la planta procede del Japón.

Descripción: Es un árbol que puede alcanzar 12 m de altura. Las hojas (1), coriáceas, con la lámina oval, puntiagudas con los márgenes denticulados, poseen una página superior de color verde oscuro brillante y la inferior verde claro opaco. Las flores (2), provistas de cinco sépalos verdes y coriáceos rodeados por las brácteas y 5 pétalos con una gama de colores que varía del blanco al color rosa oscuro, posee numerosos estambres. El fruto es una cápsula coriácea, leñosa, con tres partes. De esta especie se conocen numerosas variedades hortícolas que se diferencian por el tamaño mayor de las flores, dobles, y por las tonalidades difuminadas y estriadas de los colores. Son plantas que en el ambiente adecuado se muestran muy longevas, florecen a partir de edad muy temprana y, mediante un lento desarrollo, sólo alcanzan la madurez hacia la edad de 20 años.

Propagación: Mediante injerto sobre ejemplares obtenidos por semillas de dos años de edad; también por esqueje o acodo en ambiente cerrado.

Condiciones de cultivo: Esta especie vive en terrenos frescos, ricos en humus y pobres en cal; prefiere los climas suaves y la humedad elevada.

234 SÉN JAPONÉS
Cassia javanica

Familia: Leguminosas

Etimología: El nombre deriva del que los antiguos griegos atribuían a una serie de plantas con propiedades terapéuticas; Linné lo aplicó a este género en especial en relación a la especie *C. fistula*, de la que se obtenían los principios utilizados en farmacopea.

Hábitat: Especie originaria de todo el archipiélago malayo.

Descripción: Árbol de hoja caduca de una altura media entre 6 y 8 metros, a pesar de que en el ambiente de procedencia puede alcanzar alturas bastante mayores. El tallo es bastante delgado, la ramificación muy extendida, las hojas (1) pennadas, de aproximadamente unos 30 cm de longitud, están compuestas por 6-15 pares de folíolos elipticoblongos, de color verde brillante en la cara superior, más pálida en la cara inferior, ligeramente pubescente. Las flores (2) nacen en densos y grandes racimos laterales, axilares, en los que cada flor está sostenida por un pedúnculo rojizo que dispone en la base de una bráctea serícea; la corola está formada por cinco pétalos oblongos, redondeados en el ápice, de color rosa pálido o blanco, con veteado de color rosa oscuro o bien rojo, con un aspecto marmóreo. Los estambres están presentes en número de diez, tres de ellos más largos, mientras que los restantes, en el centro, constituyen un pequeño haz. El pistilo está inserto directamente en el cáliz, que es de color rojo o púrpura. El fruto es una legumbre de color marrón (3).

Propagación: Mediante semillas o por esqueje de leño semimaduro.

Condiciones de cultivo: Climas tropicales, cálidos y húmedos.

235 CATALPA
Catalpa bignonioides

Familia: Bigoniáceas
Etimología: El nombre deriva de un dialecto indio propio de América septentrional.
Hábitat: Parte meridional de los Estados Unidos: Florida, Georgia y Mississippi.
Descripción: Especie ornamental por sus flores que alcanza hasta 20 m de altura, con la copa muy extendida. Las hojas (1), generalmente caducas, son simples, provistas de largo pecíolo, acorazonadovadas y acuminadas en el ápice, a veces con dos lóbulos laterales, de hasta 20 cm de longitud y pubescentes en la cara inferior. En general se insertan sobre las ramas en disposición verticilada, y una de sus características es emitir un olor desagradable al ser estrujadas. Las flores (2), reunidas en grandes espigas terminales erectas, poseen corola tubulosacampanada que se abre en cinco lóbulos irregulares, dos pequeños dispuestos en posición superior y otros tres más grandes abajo. Su color es blanco con estrías amarillas y punteadas de color púrpura en el interior de la corola. A estas flores siguen silicuas muy largas, delgadas y cilíndricas que miden hasta medio metro, con pelos blancos en cada extremidad.
Propagación: Mediante semillas o por esqueje de leño maduro.
Condiciones de cultivo: Especie rústica; no tolera las heladas.

236 ÁRBOL DE JUDEA
Cercis siliquastrum

Familia: Leguminosas
Etimología: El nombre deriva del griego *kerkis*, utilizado para designar a una especie indeterminada, probablemente un álamo.
Hábitat: Especie originaria del área mediterránea; la confusión entre Judea y Judas ha hecho que esta especie a veces esté erróneamente designada, e incluso ha hecho pensar, según la tradición, que en él se colgó a Judas.
Descripción: Árbol pequeño, de hoja caduca, cuya corteza es negruzca, alcanza 10-15 m de altura, ornamental debido a la posesión de numerosas flores (1), que aparecen con anterioridad al follaje, reunidas en grupos insertos directamente sobre el tronco. Poseen corola papilonada de color rosa violáceo a la que siguen largas vainas de color rojizo (2), que contienen a las semillas, y persisten después de la caída de las hojas (3). Éstas son bastante circulares, acorazonadas, con nerviación palmada, lisas y de color verde oscuro en la página superior, glaucas en el envés. Las ramificaciones secundarias adoptan una morfología zigzagueante.
Propagación: Mediante semillas o por retoños basales; las plantas inician su floración a partir de la edad de 5-6 años.
Condiciones de cultivo: Crece en terrenos calcáreos y en posición a pleno sol; tolera la atmósfera contaminada de las ciudades. Sin embargo, no tolera las heladas intensas o prolongadas. Requiere la acción de la poda y posee tendencia a emitir retoños basales.

237 MACASAR
Chimonanthus praecox

Familia: Calicantáceas
Etimología: El nombre deriva del griego *chéima*, invierno, y *anthos*, flor, en relación a la floración invernal que se produce en la especie *praecox*.
Hábitat: Especie originaria de China y Japón.
Descripción: Arbusto de 2-3 m de altura, con hojas (1) caducas, simples, enteras, opuestas, que en el período entre diciembre y febrero se cubren de flores (2), solitarias, estrelladas, amarillas en la parte exterior, rojizas en el interior, muy perfumadas, y aparecen con anterioridad a las hojas. En realidad, dentro de esta familia de incierta posición taxonómica, los elementos florales, muy numerosos, no son fácilmente distinguibles en cáliz y corola. El número de los estambres y de pistilos puede ser elevado y el fruto, múltiple, está rodeado por el receptáculo. Existen varias sinonimias de esta especie, muy adecuadas para su cultivo con fines ornamentales, sobre todo debido a que su floración se realiza en invierno: *Chimonanthus fragrans, Marantia fragrans, Calicanthus praecox*. Existe una variedad *grandiflorus*, con las flores de mayor tamaño y menos perfumadas del grupo.
Propagación: Mediante semillas; la siembra se efectúa en primavera, o bien por acodo en otoño.
Condiciones de cultivo: Es una especie bastante rústica, sobre todo si crece bajo la protección de un muro en lugar perfectamente soleado.

238 CORNEJO DEL HIMALAYA
Cornus capitata

Familia: Cornáceas
Etimología: El nombre del género conserva la raíz latina que probablemente alude al hecho de disponer de una madera dura como el cuerno animal.
Hábitat: Himalaya y China occidental.
Descripción: Es el mejor representante de todos los árboles orientales introducidos en Europa con fines ornamentales; mide de 6 a 10 m de altura, posee un porte arbustivo con largas ramificaciones flexibles. Las hojas (1), perennes en los países de origen y semiperennes en los ambientes de cultivo con climas más fríos, son cuneadas, coriáceas, ovaladoelípticas, acuminadas, opuestas y trifoliadas, de color verde oscuro en la página superior y blanquecinas y pubescentes en el envés. Miden hasta unos 10 cm de longitud, y en otoño adquieren tonalidad púrpura y amarillo oro, mientras que las ramificaciones juveniles conservan su color rojizo. Las brácteas ovadoagudas que acompañan a las flores (2) presentan tonalidades que varían entre el blanco crema y el amarillo azufre. Una vez perdidas las brácteas, las infrutescencias, constituidas por pequeñas drupas y de forma característica, es semejante a una fresa grande, ya que es de color rojo vivo. Esta especie presenta también la sinonimia de *Benthamia fragifera;* es una especie muy adecuada para la decoración de jardines.
Propagación: mediante semillas; si se desea mantener los caracteres del progenitor conviene reproducir esta especie por vía vegetativa, por esqueje o acodo.
Condiciones de cultivo: Clima templado cálido; se adapta a todo tipo de sustrato, incluso calcáreo.

239 CORNEJO AMERICANO
Cornus florida var. *rubra*

Familia: Cornáceas
Etimología: El nombre específico alude claramente a la región de origen.
Hábitat: Especie originaria de América septentrional, especialmente de la zona de Florida, pero también se encuentra en los estados de Massachussets, Texas y Ontario.
Descripción: Árbol de 5-10 m de altura, con copa baja y extendida debido a las ramificaciones muy ensanchadas, a la vez que las ramas jóvenes se presentan algo dobladas. Las hojas (1), opuestas, ovadoagudas, frecuentemente onduladas y con los márgenes crispados, son verdes y glabras por encima, glaucas y pubescentes a lo largo de la nerviación en la página inferior. A diferencia de *C. capitata*, las hojas son caducas, pero antes de perderse adoptan una hermosa tonalidad amarillenta y después rojiza, con variegaciones de todos colores. Las flores (2), agrupadas en pequeños conjuntos, están acompañadas de cuatro brácteas espatuladas y oblongas, a veces con la extremidad acorazonada, que parecen cuatro pétalos dispuestos en cruz. La floración tiene lugar en abril y mayo; en octubre se produce la maduración de los frutos (3), oblongos, de 1,5 cm de longitud y de color escarlata. Existe asimismo una variedad denominada *rubra* que constituye una de las mejores plantas ornamentales de jardín, puesto que en mayo parece un inmenso manojo de flores rosadas.
Propagación: Mediante semillas, o por esqueje, acodo o injerto.
Condiciones de cultivo: Es indiferente al tipo de sustrato, prefiere los climas templados.

---

240 CRINODENDRO
Crinodendron hookerianum

Familia: Elenocarpáceas
Etimología: El nombre deriva del griego *krínon*, lirio, y *déndron*, árbol, en relación a la forma de la corola de una de las especies de este género, *C. patagua*, que recuerda a la flor de una liliácea.
Hábitat: Chile, pero la especie está extendida en numerosos países tropicales.
Descripción: Árbol que alcanza como máximo 10 m de altura; las hojas (1) simples, enteras, lanceoladas, miden hasta 10 cm de longitud y disponen de estípula; en la página superior son de color verde oscuro, más que la inferior, donde la nerviación es muy aparente. Sus típicas flores (2) de color rojo, muy perfumadas, poseen corola colgante, y recuerdan a la forma de una linterna; existe también una variedad *album*, con corola blanca. Los capullos florales se forman en otoño, pero no se abren hasta la siguiente primavera. Para el curtido de pieles se utiliza la corteza de *C. patagua*, árbol originario también de Chile. Numerosos autores denominan todavía a esta especie ornamental con el viejo sinónimo de *Tricuspidaria hookeriana*. Está muy discutida la pertenencia de este género a la familia mencionada.
Propagación: Pueden obtenerse nuevas plantas mediante semillas puestas a germinar en primavera, o bien por esqueje semileñoso puesto a enraizar en invernadero.
Condiciones de cultivo: Prefiere los terrenos ácidos y el ambiente húmedo; no soporta la temperatura de −10°C. Requiere exposiciones a la sombra y teme los lugares sometidos en exceso a la acción del viento.

241 ÁRBOL DE LOS PAÑUELOS
Davidia involucrata

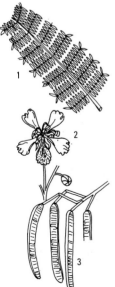

Familia: Davidiáceas
Etimología: El nombre fue dedicado a Armand David (1826-1900), misionero francés en China, naturalista, quien por primera vez describió a la especie.
Hábitat: Especie originaria de China occidental.
Descripción: Este singular árbol de hoja caduca tiene aspecto piramidal y puede alcanzar 20 m de altura. Las hojas (1) son acorazonadas y acuminadas, con los márgenes aserrados, verdes, glabras en la página superior y pubescentes en la inferior. No obstante, sus flores constituyen la particularidad más notable de esta especie; se reúnen en inflorescencias globosas, formadas por numerosas flores masculinas, y una bisexual, disponiendo en la base de dos grandes brácteas, una de las cuales es cuatro veces mayor que la otra; de color blanco crema, ovadas y colgantes; su aspecto ha determinado el nombre común de esta especie. Los frutos (2), que siguen a la floración y que aparecen después de la pérdida de las hojas, son drupas bastante grandes, con una semilla leñosa y crestada, de forma esférica, verde externamente y recubierta por una cera de color rojo violáceo que con el tiempo se hace marronácea. Existe una variedad, denominada *vilmoriniana*, con hojas totalmente glabras y glaucas.
Propagación: Mediante semillas, en primavera, o por esqueje de leño semimaduro en verano.
Condiciones de cultivo: Especie semirrústica, tolera las heladas esporádicas.

242 POINCIANA REAL
Delonix regia

Familia: Leguminosas
Etimología: El nombre procede del griego *délos,* evidente, y *ónyx,* uña, con referencia a la forma de los pétalos. En la zona tropical de origen, el nombre común utilizado es *flamboyant,* flameante.
Hábitat: Procede de Madagascar.
Descripción: Árbol de hoja caduca que puede alcanzar 12 m de altura, con tronco grueso y nudoso y corteza también gruesa, de color marrón grisáceo. Las ramas se disponen extendidas y las hojas (1), bipennadas, se componen de numerosos folíolos que dan al conjunto un aspecto plumoso. Las flores (2), muy vistosas, razón por la que la especie se cultiva, nacen en grandes racimos y su color varía del carmín al rojo anaranjado; poseen cinco sépalos abiertos, rojos en el interior y verdosos en el exterior, y cinco pétalos, cuatro de los cuales de color rojo, claviformes y con el margen ondulado. Cada flor posee aproximadamente diez estambres, provistos de largos filamentos rojos y anteras amarillas, manchadas de rojo en la parte superior. El polen es de color anaranjado. Los frutos (3) son largas vainas de color rojo marronáceo, contienen semillas oblongas, amarillentas, jaspeadas de marrón.
Propagación: Mediante semillas o esqueje.
Condiciones de cultivo: Especie exclusivamente tropical; actualmente, esta planta se encuentra en todos los continentes y se cultiva en los jardines y para bordear las avenidas y carreteras con vegetación.

243 CEIBO
Etythrina caffra

Familia: Leguminosas
Etimología: El nombre deriva del griego *etythrós*, rojo, debido al color de las flores.
Hábitat: Especie nativa del cabo de Buena Esperanza y otras regiones de Sudáfrica.
Descripción: Árbol de hoja caduca, con ramificaciones abiertas, que puede alcanzar 20 m de altura y a veces más; el tronco y las ramas están muy provistas de espinas. Las hojas (1), compuestas, trifoliadas, con folíolos romboideovados y acuminados, poseen pecíolos muy largos. Las flores (2), reunidas en espigas verticiladas, nacen sobre pedúnculos axilares, erectos, y se abren sucesivamente, curvándose hacia el exterior; las flores son tubulares, de color escarlata, que al envejecer cambian a color púrpura; los estambres son prominentes, lo que ayuda a proporcionar un aspecto plumoso. El fruto es una legumbre que contiene semillas ovoidales.
Propagación: Mediante semillas, que deben ser frescas ya que pierden rápidamente su poder de germinación; por esqueje de leño semimaduro en invernadero.
Condiciones de cultivo: Especie semitropical; los ejemplares pequeños pueden mantenerse en invernadero, sin embargo su floración es incierta.

---

244 ÁRBOL DEL CORAL
Erythrina crista-galli

Familia: Leguminosas
Etimología: El nombre específico se debe al vexilo, rojo y erecto como la cresta de un gallo.
Hábitat: Especie originaria del Brasil.
Descripción: Pequeño árbol que alcanza y a veces supera los 3 m de altura, con grueso tronco negruzco y rugoso, frecuentemente distorsionado o nudoso; las ramificaciones son abiertas y poco densas, provistas de espinas, y en la base aparecen frecuentemente nuevas ramificaciones. La planta es caduca y posee hojas de color verde brillantes, grandes, trifoliadas, con folíolos ovadoacuminados; el pecíolo es largo, provisto de pequeñas espinas. Las flores, razón por la que se cultiva esta especie, nacen en grandes y vistosos racimos que aparecen sobre el leño del año anterior; cada flor mide por separado aproximadamente 5 cm, presenta forma papilionada, con un gran vexilo de color rojo vivo. El fruto es una legumbre, negruzca al llegar a la madurez, que encierra varias semillas reniformes, marronáceas, manchadas de oscuro y con un ojo negro, duras y coriáceas. Existen variedades con flores de diversas tonalidades de color, desde el coral hasta el carmín, y una de ellas, *compacta,* presenta menor desarrollo y es de aspecto más recogido.
Propagación: Mediante semillas, que deben mantenerse previamente en agua por espacio de cuarenta y ocho horas.
Condiciones de cultivo: No tolera las fuertes heladas; puede cultivarse al aire libre, pero sólo en los climas suaves.

245 JACARANDA
Jacaranda mimosifolia

Familia: Bignoniáceas
Etimología: El nombre es latinización del brasileño.
Hábitat: Brasil.
Descripción: En el género existen unas cincuenta especies, y su área de distribución se extiende desde el sur de México hasta Argentina; todas son muy semejantes entre sí y los sinónimos suelen, por esta razón, emplearse erróneamente. Esta especie, que alcanza incluso 10 m en su ambiente natural, es de menor talla al ser cultivada y se conoce en horticultura también con el nombre de *J. ovalifolia.* Las hojas (1) son opuestas, bipennadas, con aproximadamente 16 pares de pinnas, cada una de las cuales sostiene 14-24 pares de folíolos ovales, con un aspecto ligero y plumoso. Las flores (2) se reúnen en espigas piramidales y laxas, formadas por más de cincuenta flores con cáliz pequeño y corola tubulosa, ensanchada y curvada, con el limbo bilabiado, con tres lóbulos más grandes y dos ligeramente más pequeños, de color azul violáceo. El fruto es una cápsula oblonga, dehiscente. La madera que se obtiene del árbol es apreciada y se emplea en carpintería y ebanistería; se conoce también con el nombre de falso palisandro.
Propagación: Por esqueje de leño semimaduro o bien por semillas.
Condiciones de cultivo: Requiere climas suaves, en los que no se produzcan heladas y en los que los descensos de temperatura sean esporádicos.

246 JABONERO DE LA CHINA
Koelreuteria paniculata

Familia: Sapindáceas
Etimología: Género dedicado al botánico alemán Joseph G. Koelreuter (1733-1806), pionero en el estudio de las hibridaciones.
Hábitat: Especie procedente de China y Japón.
Descripción: Árbol de hoja caduca, de 10-15 m de altura, ramificaciones abiertas y frecuentemente iniciadas desde el nivel más bajo, forma una copa esférica. Las hojas (1) son imparipinnadas, de 30-35 cm de longitud, compuestas de 7-15 folíolos ovados, acuminados, dentados y a veces ligeramente lobulados en los márgenes en la parte de la base, lisos en la página superior, pubescentes a lo largo de la nerviación del envés. Las flores (2) son pequeñas, amarillas, reunidas en largas y vistosas espigas terminales que pueden alcanzar 50 cm de longitud; la floración se produce en verano y otoño, es vistosa y a ella sigue la aparición de frutos persistentes durante todo el invierno y muy decorativos. Los frutos son cápsulas trígonas, vesiculosas, con una línea hundida en el centro de cada una de las caras acorazonadas; el color puede variar del amarillo oscuro al violáceo. Las semillas, negras y redondas, en general se disponen una en cada celda.
Propagación: Mediante semillas o esqueje, y también por esqueje radical. El árbol no es muy longevo.
Condiciones de cultivo: Especie bastante rústica, pero incapaz de resistir las heladas intensas; prefiere las posiciones soleadas y resiste sin inconveniente las heladas.

247 LLUVIA DE ORO
Laburnum anagyroides

Familia: Leguminosas

Etimología: El nombre deriva del latín.

Hábitat: Europa meridional.

Descripción: Árbol de hoja caduca, de 4-6 m de altura y a veces, frecuentemente con aspecto de mata, con las ramas abiertas y las ramificaciones secundarias colgantes, pubescente, de color amarillo verdoso. Las hojas (1) son alternas, trifoliadas, con folíolos glaucos, elípticas y casi siempre obtusas, pecioladas y carentes de estípula. Las flores (2), de color amarillo oro, con la corola papilionada, nacen en largos racimos colgantes que pueden alcanzar 25 cm de longitud y aparecen al final de la primavera; los frutos (3) son legumbres pubescentes, lineales, dehiscentes, encierran varias semillas negras; éstas son muy venenosas, en especial antes de madurar, y por otro lado toda la planta es tóxica. Existen distintas variedades entre las que cabe citar *aureum,* con hojas amarillentas, y el híbrido muy extendido, *wateteri,* obtenido por el cruzamiento de *L. anagyroides* y *L. alpinum;* su variedad «Vossii» presenta racimos largos de unos 50 cm, de color amarillo intenso, pero en general es estéril o presenta muy pocas semillas.

Propagación: Mediante semillas o por retoños basales; las variedades requieren, para multiplicarse, el injerto sobre sujetos obtenidos por semilla a partir de la especie tipo.

Condiciones de cultivo: Especie muy rústica; prefiere los terrenos calcáreos.

248 ÁRBOL DE JÚPITER
Lagerstroemia speciosa

Familia: Litráceas

Etimología: El nombre fue dado por Linné en recuerdo a su amigo Magnus von Lagerström (1691-1759), de Göteborg.

Hábitat: Especie nativa de la India donde se ha utilizado para la obtención de madera con el nombre de *jarool;* actualmente se la cultiva en todos los países tropicales a causa de sus flores.

Descripción: Árbol que puede alcanzar 15 m de altura y más, con tronco grueso formado por madera resistente, utilizada en la construcción naval y, debido a la facilidad de su pulido, a veces se ha preferido a la caoba para los restantes usos. Las ramas, muy separadas, nacen a partir de un punto bastante alto y sostienen hojas (1) opuestas, enteras coriáceas, oblongoacuminadas, que se pierden durante breve tiempo en el período de sequía. Las flores (2), muy vistosas, nacen en espigas apicales y cambian de color a lo largo del día: de color rosa por la mañana, se convertirá en púrpura por la tarde. Las flores están formadas por cinco pétalos claviformes, muy atenuados en la base, separados, ondulados y con los márgenes festoneados. Cada inflorescencia puede medir unos 40 cm, con flores de 5-6 cm de diámetro. Una especie más común, cultivada en todos los climas templados, rústica, de bastante menor talla es *L. indica,* que a pesar de su nombre es originaria de China.

Propagación: Mediante semillas; por esqueje semileñoso.

Condiciones de cultivo: *L. speciosa* en climas tropicales, cálidos y húmedos; *L. indica,* de hoja caduca teme solamente las fuertes heladas.

249 ÁRBOL DE LOS TULIPANES
Liriodendron tulipifera

Familia: Magnoliáceas.
Etimología: El nombre deriva del griego *léirion,* lirio, *déndron,* árbol, y hace referencia a la vistosidad de las flores.
Hábitat: Especie originaria de la zona oriental de los Estados Unidos.
Descripción: Especie ornamental y útil para la producción de madera, que puede alcanzar 40 m de altura. Las hojas (1) son caducas, alternas, provistas de largos pecíolos, de forma muy característica, con dos lóbulos muy pronunciados en la parte basal y con el ápice limpiamente truncado. Su color es verde glauco, pero antes de caer adoptan una tonalidad amarilla brillante. Las flores, bisexuales, son estivales, de color amarillo verdoso, grandes, solitarias, con tres sépalos separados y seis pétalos erectos y manchados de un tinte naranja en la base. La floración no aparece hasta que el árbol ha superado los quince años de edad. El fruto (2) es una sámara. La madera, de color amarillo claro, de grano fino, se utiliza para la construcción de muebles y barcas; todos los restantes elementos contienen sustancias empleadas en farmacopea.
Propagación: Mediante semillas, pero difícilmente son fértiles; el árbol se caracteriza por un rápido crecimiento y presenta anillos anuales de crecimiento del espesor de 1 cm.
Condiciones de cultivo: Especie rústica, que requiere posiciones soleadas, sin embargo con humedad atmosférica y sustrato también húmedo, debido a que las raíces son delicadas y carnosas, y una de ellas es axonomorfa. En general esta especie no está sujeta a enfermedades y raras veces se ve atacada por los parásitos.

---

250 MAGNOLIA
Magnolia grandiflora

Familia: Magnoliáceas
Etimología: El nombre honra a Pierre Magnol (1638-1715), director del Jardín Botánico de Montpellier.
Hábitat: Especie procedente del sudeste de los Estados Unidos.
Descripción: Es un bellísimo árbol de hasta 25 m de altura, con copa ancha, cónica, de 5-8 m de diámetro; el tronco, provisto de corteza sin asperezas y de color gris negruzco, puede medir 1,5 m de circunferencia. Las jóvenes ramificaciones, rojizas, están cubiertas de pelos y las yemas cónicas, de color verde oscuro, poseen también el ápice rojizo y pubescente. Las hojas (1), persistentes, son ovadooblongas, coriáceas, enteras, pero a veces con los márgenes ondulados, miden de 8 a 16 cm de longitud y de 5 a 9 cm de anchura, de color verde brillante en la página superior, pubescentes y ferruginosas en la página inferior. También el pecíolo es muy tomentoso. Las flores (2), perfumadas y con pétalos carnosos, son de color amarillo claro al abrirse para convertirse finalmente en una corola de color blanco, en forma de copa y con una anchura de 25 cm. La floración dura todo el verano y destaca, debido a su blancura, del follaje brillante. Ésta es la razón por la que la magnolia, introducida en Europa en 1737, sea muy apreciada. La corteza, como sucede también en las especies americanas, posee propiedades tónicas, vermífugas y antirreumáticas. En (3), infrutescencia.
Propagación: Mediante semillas, esqueje, acodo o injerto.
Condiciones de cultivo: Climas templados y terrenos neutros o ácidos.

251 MAGNOLIA JAPONESA
Magnolia obovata

Familia: Magnoliáceas
Etimología: El atributo específico alude a la forma de los pétalos a pesar de que algunos autores la atribuyen falsamente a las hojas.
Hábitat: Vive espontáneanea en China y Japón.
Descripción: Es un árbol de hasta 20 m de altura, provisto de hojas (1) caducas, muy grandes, de hasta 40 cm, obovadas, bruscamente estrechadas en la base, glaucas y al principio pubescentes en la página inferior, en la que la nerviación es muy aparente. Las flores, perfumadas, poseen pétalos carnosos, encerrados en capullos cónicos y al abrirse constituyen la corola, que puede medir 20 cm de diámetro. Ello sucede al principio del verano; las flores son de color amarillo crema con los estambres de color rojo. La infrutescencia, como ocurre en todas las magnolias, está sostenida por un eje robusto, de más de 12 cm de longitud, a veces algo curvado, con escamas pubescentes, oscuras, que encierran las semillas, lisas, brillantes y de color rojo vivo. El fruto recuerda vagamente a una piña de forma oval, lo que apunta al primitivismo de esta familia y que entre todas las plantas actuales provistas de flores parece que las magnolias están muy próximas a las primeras plantas con flores fósiles. En efecto, esta especie ha aparecido sobre la superficie terrestre con gran adelanto frente a otros vegetales.
Propagación: Mediante semillas, aunque también puede realizarse por esqueje y acodo.
Condiciones de cultivo: Terrenos ácidos y posiciones resguardadas.

252 MAGNOLIA DE HOJAS PEQUEÑAS
Magnolia sieboldi

Familia: Magnoliáceas
Etimología: El nombre específico está dedicado a Philipp Franz von Siebold (1796-1866), médico alemán que al estar enrolado en el ejército holandés fue enviado al Japón donde transcurrió largos períodos de su vida y cuidó de remitir muchas de las plantas de la flora local a Europa.
Hábitat: Especie originaria de Japón y Corea.
Descripción: Es un pequeño árbol que apenas alcanza los 5-6 m de altura con las jóvenes ramificaciones, el pecíolo foliar, el pedúnculo del fruto, las yemas y las hojas recientes pubescentes. Las hojas (1) enteras, elípticas, obovadooblongas, pueden medir hasta 15 cm de longitud, muestran el haz de color verde y el envés glauco. Las flores (2) que se abren en verano, poseen un largo pedúnculo y pueden ser colgantes; presentan la forma de taza y están provistas de pétalos blancos, sépalos rosa y estambres de color carmín. Su producción de semillas es muy limitada, ya que dispone de pocos carpelos.
Propagación: Mediante semillas, que deben ponerse a germinar en otoño, pero también pueden obtenerse nuevos individuos por acodo o por esqueje de leño semimaduro, de unos 10 cm de longitud, recogido en julio y puesto a enraizar en ambiente húmedo; puede reproducirse también por injerto.
Condiciones de cultivo: Es una de las especies de magnolia menos rústica y más sensible al frío; prefiere los terrenos ácidos y ligeros.

253 ÁRBOL LIRIO
Magnolia x soulangiana

Familia: Magnoliáceas
Etimología: Especie dedicada a Etienne Soulange-Bodin (1744-1846), horticultor francés.
Descripción: Es un árbol ramificado a partir de la base, que puede alcanzar 6-7 m de altura, muy rústico; es un híbrido que se obtiene mediante el cruzamiento de *M. denudata* (= *M. conspicua*), árbol que alcanza hasta 10 m de altura y que vive espontáneo en China, con flores blancas de hasta 15 cm de anchura, y *M. Liliflora*, arbusto de ramificaciones abiertas, que como máximo alcanza 4 m de altura, con flores erectas en forma de campana de color púrpura en su cara exterior y blanco en el interior; vive espontáneo en el Japón. Puesto que uno de los progenitores tiene flores blancas mientras que el otro posee tonalidades rojizas, este híbrido, al haberse estabilizado a través de muchos años de comercio continuado, presenta caracteres intermedios con respecto a los progenitores, no sólo en cuanto a la altura, sino también en las flores globosas, blancas, con difumaciones rojizas o rosadas, en especial en la base de la página externa de los pétalos o bien de los sépalos, que pueden estar teñidos, de la misma longitud que los pétalos, raras veces de color verde y pequeños. Al ser una especie muy apreciada por la belleza de las flores (2), que se abren con anterioridad a la aparición de las hojas (1), ovadas u ovadooblongas, ha dado origen a numerosas variedades hortícolas.
Propagación: Por vía vegetativa.
Condiciones de cultivo: Climas templados y terrenos no calcáreos.

254 CINAMOMO
Melia azedarach

Familia: Meliáceas
Etimología: El nombre deriva del griego *melia,* fresno, debido a la semejanza de las flores de esta especie con las del fresno.
Hábitat: Especie nativa de Asia, en particular de la zona del Himalaya, pero actualmente naturalizada en todas las regiones tropicales y subtropicales.
Descripción: Árbol de hoja caduca, con copa dilatada, que alcanza los 10-15 m de altura; su madera de color rojo marronáceo presenta escasa importancia comercial a pesar de que se utilice para la construcción de pequeños objetos. Las ramas, muy frágiles, son movidas fácilmente por el viento, las hojas (1) son pennadas formadas por varios pares de folíolos ovadoacuminados, con los márgenes dentados. Las flores (3), que aparecen al inicio del verano, son de color lila, con cinco pétalos y un tubo estaminal central de color violeta oscuro; son pequeñas y perfumadas y se reúnen en grandes espigas que dan lugar a continuación a drupas (3) esféricas, de pulpa amarillenta y con las semillas óseas molduradas y perforadas. En efecto, a causa de que las semillas se utilicen para la confección de collares y rosarios, esta especie se denomina también con el nombre de árbol de los rosarios en determinadas regiones. La parte carnosa del fruto es maloliente, en especial una vez maduro.
Propagación: Mediante semillas, que poseen un gran poder de germinación, y también por esqueje en primavera. El árbol es de crecimiento muy rápido.
Condiciones de cultivo: Especie de ambiente semirrústico; teme únicamente las fuertes heladas.

255 ADELFA
Nerium oleander

Familia: Apocináceas
Etimología: El nombre deriva del griego *nerón*, agua, debido a que la adelfa crece mejor en la orilla de los cursos de agua.
Hábitat: Especie espontánea en todos los climas mediterráneos.
Descripción: Pequeño árbol que puede alcanzar una altura máxima de 5-6 m; posee corteza grisácea, lisa y porte erecto y ensanchado. Las hojas (1), persistentes, son verticiladas, generalmente dispuestas en número de tres en cada verticilo, lanceoladoacuminadas, muy coriáceas y con fuerte nerviación central, de color verde oscuro. Las flores (2) poseen un cáliz pequeño gamosépalo con cinco lóbulos, corola tubular ensanchada y cinco vistosos segmentos, separados, adelgazados en la base y obtusos en el ápice, a menudo crenados en los márgenes; las flores se reúnen en cimas terminales y su color puede variar del blanco al amarillo, rosa o bien rojo. El fruto (3) está constituido por dos folíolos con numerosas semillas provistas de vilano. Todas las partes de la planta son muy venenosas, dado que la savia contiene varios elementos tóxicos, entre los que hay que citar la neerina y la neriantina, que agitan al corazón. Mediante cultivo se han obtenido formas con flores dobles, frecuentemente estériles y persistentes sobre las ramificaciones después de la floración, y también variedades con flores jaspeadas.
Propagación: Mediante esqueje o acodo en verano.
Condiciones de cultivo: Climas suaves; soporta la sequía.

---

256 PAULONIA
Paulownia imperialis

Familia: Escrofulariáceas
Etimología: El nombre recuerda a Anna Paulowna (1795-1865), hija de Pablo I de Rusia, a quien le fue dedicada esta especie en 1835. La especie también se conoce con el nombre de *P. tomentosa*.
Hábitat: Especie originaria de China central, y su cultivo está muy desarrollado en Japón.
Descripción: Árbol ornamental que alcanza los 20 m de altura, con porte de tendencia erecta, ramificaciones extendidas y copa globosa; la corteza es de color negruzco. Las hojas (1), provistas de largo pecíolo, son generalmente enteras, acorazonadas, ovales, a veces trilobuladas, pubescentes en la cara superior y tomentosas en el envés. Las flores, cuyo capullo se forma en otoño, se abren en primavera antes que las hojas, y se disponen en espigas erectas. El cáliz es tomentoso, de color ferruginoso; la corola es larga, gamopétala, con cinco limbos cortos; el fruto (2) es una cápsula dehiscente, que contiene numerosas semillas aladas pequeñas. La madera es de consistencia blanda.
Propagación: Esta especie puede multiplicarse por esqueje, pero en general se reproduce mediante semillas. Es de rápido crecimiento en la primera fase de su vida, y completa su desarrollo aproximadamente en 25 años.
Condiciones de cultivo: Es una especie bastante rústica; el hielo, sin embargo, provoca la caída de las hojas. Soporta podas muy drásticas y emite nuevos retoños basales con suma facilidad.

257 FRANGIPANES
Plumeria alba

Familia: Apocináceas

Etimología: El nombre recuerda al botánico francés Charles Plumier (1646-1704).

Hábitat: Especie originaria de las Indias Occidentales, pero actualmente extendida por todos los países tropicales.

Descripción: Pequeño árbol que puede alcanzar los 8 m de altura, pero que sin embargo a veces permanece en el estadio arbustivo; posee un látex que escurre fácilmente en cualquier lesión producida. Las ramificaciones son blandas y carnosas y disponen, en la parte terminal, hojas alternas, abovadas, coriáceas, con la página inferior ligeramente tomentosa; esta especie pierde la hoja durante la estación seca y sólo en las zonas muy cálidas y húmedas conserva el follaje a lo largo de todo el ciclo anual. Las flores, muy perfumadas, agrupadas en cimas terminales, son céreas, gamopétalas, provistas de una estrecha corola tubular y cinco grandes lóbulos separados, parcialmente sobrepuestos. El color de los pétalos es blanco, con tonalidades amarillas hacia la base. El nombre común se debe al perfume que recuerda a otro perfume muy célebre, creado por el marqués Muzio Frangipane, en el siglo XVI, y que le valió la amistad de Catalina de Medicis, reina de Francia.

Propagación: Mediante esqueje de leño maduro, dejando secar el látex, en arena ligeramente húmeda.

Condiciones de cultivo: Ambiente tropical y semitropical, o bien en invernadero.

---

258 FRANGIPANES ROJOS
Plumeria rubra

Familia: Apocináceas

Etimología: El nombre de la especie deriva del latín *ruber,* rojo.

Hábitat: Especie procedente de América centromeridional, de México a Ecuador, pero al igual como sucede con la especie *P. alba,* su cultivo está en particular muy extendido en Asia tropical, donde se llama comúnmente planta del templo, debido a que sus flores se ofrecen en los templos indúes. En Hawai, ambas especies se emplean para construir los denominados «lei», guirnaldas de flores que se colocan en el cuello.

Descripción: Arbusto que alcanza unos 6 m de altura, con hojas elípticas y coriáceas de 20-30 cm. Las flores, no distintas de las de la especie *P. alba,* con respecto a la forma, sin embargo su color varía del rojo al rosa, con manchas amarillas en el punto de arranque del pétalo. También esta especie exuda un látex denso por las heridas, y pierde las hojas en la estación seca, manteniéndolas sólo parcialmente en aquellos lugares de climas muy húmedos. El perfume que desprenden es tan intenso que bastan unas pocas flores para esparcirlo por toda la casa, y, particularmente en Java, es práctica corriente utilizar estas flores para honrar a los huéspedes agradables.

Propagación: Mediante esqueje de vástagos lignificados, después de que el látex se haya secado, en arena y con escasa humedad, ya que la planta muestra facilidad a pudrirse.

Condiciones de cultivo: Ambientes tropicales; en los climas templados debe mantenerse esta especie en invernaderos.

259 RODODENDRO
Rhododendron arboreum

Familia: Ericáceas
Etimología: El nombre deriva del griego *rhódon,* rosa, y *déndron,* árbol, es decir, árbol de las rosas debido a la tonalidad de las flores de determinadas especies.
Hábitat: Himalaya, Asam y Ceilán.
Descripción: Este árbol, no demasiado grande, puede alcanzar en sus regiones de origen 12 m de altura; posee hojas (1) persistentes, coriáceas, rugosas, simples, enteras y apuntadas que, a su vez, pueden presentar una tomentosidad blanquecina o bien un color ferruginoso en la página inferior. Las flores (2), acampanadas, reunidas en inflorescencias globosas en la extremidad de las ramas, son frecuentemente de color rosa, pero pueden variar del blanco al rojo intenso, pero frecuentemente poseen la corola más clara con una serie de manchas más oscuras que le confieren una tonalidad muy hermosa. La floración tiene lugar en marzo a mayo. El ovario es tomentoso y el fruto es una cápsula con 7 a 9 compartimientos. Esta especie es progenitora de muchas variedades hortícolas.
Propagación: Mediante semillas, que deben situarse en una mezcla de arena y turba en invernadero cálido. Se reproduce también por acodo, renuevo, injerto o esqueje, que conviene sumergir en una solución hormonal con el fin de facilitar la aparición de las raíces.
Condiciones de cultivo: Al ser una especie relativamente rústica, prefiere los ambientes ácidos y una cierta humedad ambiental.

260 ACACIA ROSADA
Robinia hispida

Familia: Leguminosas
Etimología: El nombre fue dado por Linné en honor de Jean Robin (1550-1629), herborista de Enrique IV de Francia, en cuyo jardín se desarrolló el primer ejemplar introducido en Europa, denominado por el botánico francés prelinneano Cornut, como *Acacia americana robinii.*
Hábitat: Especie procedente de la región sudoriental de los Estados Unidos.
Descripción: Pequeño árbol de porte arbustivo con el tallo, las ramificaciones y el raquis de las inflorescencias cubiertos de pelos híspidos pero no espinosos. Las hojas (1) son compuestas imparipinnadas, con 7-13 folíolos glabros, ovales y obtusos, de 2-4 cm de longitud. Las flores aparecen sobre racimos paucifloros, cortos en número variable de 3 a 7; la corola es papilonada, de un color rosa más o menos intenso. La vaina (2) es híspida, con escasas semillas y difícilmente alcanza la plena madurez; la planta emite numerosos renuevos basales y debido a ello se le suele utilizar para su multiplicación.
Propagación: Mediante renuevos basales; si se desean ejemplares monocórmicos, con un aspecto no tan acentuado de mata, la especie puede injertarse sobre individuos obtenidos mediante semillas de *R. pseudoacacia.*
Condiciones de cultivo: Especie bastante rústica, pero en aquellos lugares en los que el frío sea intenso y prolongado, necesita exposiciones protegidas de los vientos fríos.

261 ACACIA
Robinia pseudoacacia

Familia: Leguminosas

Etimología: El nombre de la especie deriva de *pseudés,* falso, y *Acacia,* debido al cambio de nombre realizado por Linné.

Hábitat: Especie originaria de la parte oriental de los Estados Unidos, y su área de distribución se extiende hasta Oklahoma; es la única especie del género totalmente naturalizada en Europa.

Descripción: Árbol de hoja caduca que alcanza los 25 m de altura, con tronco erecto, a menudo bifurcado, con la corteza provista de numerosas irregularidades, de color marrón grisáceo al llegar a la madurez. Las ramas, espinosas, poseen corteza lisa y se disponen en forma globular; las ramificaciones secundarias, de color marrón rojizo, son pubescentes y sostienen hojas (1) pennadas, de color verde pálido, alternas, compuestas de un número variable de folíolos, entre 7 y 20. Las hojas poseen dos fuertes espinas situadas en la base del pecíolo, que en realidad son estípulas transformadas. Las flores, sostenidas por racimos colgantes, son blancas, ligeramente perfumadas y florecen en mayo-junio; el cáliz es verde y acampanado, y la corola papilionácea. Los frutos (2) son vainas colgantes, coriáceas, de color rojo marronáceo al llegar a la madurez, y contienen de 4 a 10 semillas reniformes.

Propagación: Mediante semillas o por renuevos radicales; el crecimiento de esta especie es muy rápido e incluso puede hacerse invasora.

Condiciones de cultivo: Se cultiva en casi la totalidad de Europa; el sistema radical es tan potente que en el estadio arbustivo la planta se emplea para contener diques y escarpados.

262 SESBANIA
Sesbania grandiflora

Familia: Leguminosas

Etimología: El nombre deriva del adjetivo árabe utilizado para una de las espcies, *S. sesban.*

Hábitat: Presente en una amplia área que comprende la isla Mauricio, India y Australia.

Descripción: Árbol poco longevo, de 8-10 m de altura, madera blanda sin valor económico, cultivada únicamente con fines ornamentales. Hojas (1) bipennadas, de unos 30 cm de longitud compuestas de 20-30 pares de folíolos delgados y oblongos, de color verde pálido, más o menos glaucos. Las flores (2) aparecen en la axila de las hojas, reunidas en cortos racimos paucifloros; son papilionadas, con el vexilo oblongo; su color puede variar entre el rosa vivo, blanco, o bien rojo oscuro. El fruto es una larga legumbre, curvada, de unos 30 cm de longitud. La floración en estival.

Propagación: Mediante semillas o por esqueje de leño semimaduro, en ambiente cálido y cerrado.

Condiciones de cultivo: Especie tropical y semitropical; pequeños ejemplares pueden mantenerse en invernadero, pero es difícil que logren florecer. Es probable que esta especie crezca al aire libre en aquellos climas más suaves, pero debe resguardarse al llegar el invierno, ya que de ningún modo tolera el frío.

263 TULIPERO DEL GABÓN
Spathodea campanulata

Familia: Bignoniáceas

Etimología: El nombre deriva del griego *spáthe*, espata, debido a la forma de la corola; los anglosajones le denominan comúnmente árbol africano de los tulipanes.

Hábitat: Especie nativa de África ecuatorial, extendida actualmente a todos los trópicos.

Descripción: Árbol de hoja perenne que alcanza 25 y más m de altura; su corteza, rugosa, es de color gris verdoso y las hojas (1) son pennadas, de 7-19 folíolos ovales y brillantes. Las flores comparecen en inflorescencias apicales que se abren sucesivamente del exterior al interior; el cáliz es coriáceo, la corola acampanada, irregular, hinchada unilateralmente, es de color escarlata y posee los márgenes recortados. El fruto es una larga cápsula que contiene centenares de semillas comprimidas, aplastadas, blanquecinas y aladas. La madera, blanda, carece de utilidad a pesar de que las tribus africanas lo utilizan para la construcción de los tambores tam-tam, y recién cortada desprende un intenso olor a ajo. Considerado como uno de los árboles más hermosos del mundo, en África todavía está conectado con prácticas de magia negra.

Propagación: Mediante semillas o por esqueje semileñoso.

Condiciones de cultivo: Especie exclusivamente tropical; en los invernaderos jamás llega a florecer, ya que las flores sólo aparecen sobre los ejemplares adultos que requieren demasiado espacio para ser mantenidos en invernaderos.

264 ESTENOCARPO
Stenocarpus sinuatus

Familia: Proteáceas

Etimología: El nombre deriva del griego *stenós*, estrecho, y *karpós*, fruto, debido a que los frutos son planos y delgados.

Hábitat: Especie originaria de Australia, donde crece en Queensland y Nueva Gales del Sur.

Descripción: Árbol alto, de unos 10-20 m con hojas (1) pecioladas, verdes y brillantes, que pueden ser enteras, oblonganceoladas, de 20 cm de longitud, o bien profundamente hendidas, con 1-4 pares de lóbulos oblongos y que entonces miden 30 cm. Poseen una fuerte nerviación central, de color más pálido y son rojizas en el envés. Estos árboles se cultivan por sus flores, extrañísimas y brillantes, que son en realidad inflorescencias en umbela en las que las flores individuales, hermafroditas, poseen perianto irregular, formado por un tubo corolino abierto en la parte basal mientras que en el ápice el limbo es casi globular y curvado, dando la impresión de estar soldado. Las flores poseen los pedúnculos que nacen todos a partir del mismo punto central, y por su color rojo vivo y la disposición radial, la planta ha merecido en los países anglosajones la denominación de rueda de fuego. El fruto es un folículo (2), largo y delgado.

Propagación: Mediante semillas y acodo; es difícil reproducir la planta por esqueje.

Condiciones de cultivo: Debido a que esta planta requiere una temperatura mínima de aproximadamente 8°C puede cultivarse en los climas templados a condición de que se la proteja de los fríos invernales.

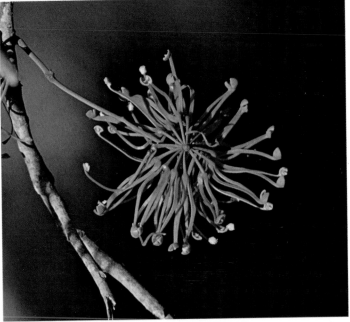

265 TABEBUIA
Tabebuia serratifolia

Familia: Bignoniáceas
Etimología: El nombre deriva del nombre indígena que en Brasil se da a la planta; los nombres locales son muy abundantes, pero el de mayor uso en las Indias Occidentales es «pouï».
Hábitat: Especie originaria de América Central, y se extiende por la faja septentrional de Sudamérica.
Descripción: Los relatos de los exploradores, retrocediendo a la mitad del siglo XIX, hablan de este gigantesco árbol, de 60-70 m de altura, esférico, situado en las colinas dispuestas en el valle del Amazonas. Probablemente ejemplares parecidos viven actualmente, dado lo inadecuado de los medios de transporte y el peso de la madera, pero en los puntos en los que ha sido posible emprender una explotación industrial, sólo persisten árboles más jóvenes y de menor altura. Su madera, conocida con el nombre de madera de Surinam, es una de las más duras y persistentes del mundo. El tronco posee corteza grisácea, lisa en estadio juvenil y después hendida, mide cerca de 3 m de circunferencia y está coronado por un conjunto de hojas (1) digitadas, con 4-5 folíolos serrados en el ápice. Las flores (2), de color amarillo, posee corola circular y curvada, con lóbulos ondulados y ensortijados, nacen sobre inflorescencias abiertas. El fruto (3) es una cápsula con numerosas semillas aladas.
Propagación: Mediante esqueje o acodo.
Condiciones de cultivo: Climas tropicales, húmedos y cálidos.

266 YUCA
Yucca elephantipes

Familia: Agaváceas
Etimología: El nombre deriva del utilizado en las islas Caribes para designar a una planta euforbiácea, erróneamente aplicado a este género que frecuentemente se adscribe a la familia Liliáceas de la que fue separado por A. Engler.
Hábitat: Esta especie proviene de México sudoriental.
Descripción: Ésta es una de las relativamente escasas especies xerófitas arborescentes; puede alcanzar una altura de 8-10 m, con la corteza hendida, con el caule ensanchado en la base, muy ramificado, y la corteza de color marrón rojizo. La mayor parte de las yucas arbóreas presentan el mismo aspecto, y por ello es muy difícil distinguirlas entre sí. *Y. elephantipes* posee un grupo característico de hojas (1) situadas en el ápice de las ramificaciones, con lámina linear glauca, erecta en el centro y vuelta hacia afuera en las del entorno, pero no son punzantes. Las flores (2), acampanadas, nacen en grandes espigas terminales, son blancas y con tonalidades de color crema. Los frutos son carnosos y amarillos; consisten en bayas colgantes, mientras que en otras especies de yucas son cápsulas. La polinización es muy poco frecuente; en los lugares de origen está encomendada a la acción de una pequeña mariposa, *Pronuba yuccasella*, pero puede realizarse también de modo artificial.
Propagación: Mediante semillas, esqueje o renuevos.
Condiciones de cultivo: Climas templados, no tolera el frío intenso.

ÁRBOLES CON IMPORTANCIA ECONÓMICA

267 ARCE DEL AZÚCAR
Acer saccharum

Familia: Aceráceas

Etimología: El nombre genérico procede del nombre latino del arce, que significa también duro, en relación a que su leño se utilizó para la construcción de lanzas.

Hábitat: Su área de distribución se extiende por la región oriental del Canadá y de los Estados Unidos.

Descripción: Es un árbol que alcanza 30-35 m de altura, con corteza grisácea surcada por líneas verticales y ramificaciones frágiles y glabras, yemas agudas y nunca de color rojo, lo que diferencia a esta especie del *A. rubrum*, muy semejantes entre sí; como otros caracteres diferenciales pueden citarse las hojas (1) palmatolobuladas, con 5 y a veces 3 lóbulos separados, con ángulos obtusos; el pecíolo jamás de color rojo, está desprovisto del jugo blanco y de consistencia de látex. Las flores (2) son de color amarillo verdoso y se reúnen en corimbos, y las sámaras (3) poseen alas ligeramente divergentes. Al llegar el otoño, esta especie adopta coloraciones que van desde el amarillo al rojo, en especial en las zonas septentrionales de su hábitat, donde en el otoño los días soleados se alternan con las noches frías en justa proporción. Mediante incisiones practicadas al tronco se obtiene un líquido que contiene de 1 a 4 % de sacarosa, líquido del que se extrae el azúcar de arce.

Propagación: Mediante semillas en semilleros.

Condiciones de cultivo: Terrenos fértiles, frescos y profundos; climas fríos con alternancia marcada de las estaciones.

268 ÁRBOL DEL KAJÚ
Anacardium occidentale

Familia: Anacardiáceas

Etimología: El nombre, debido a Linne, debe su origen al aspecto vagamente acorazonado del pseudofruto.

Hábitat: Esta especie es originaria de la zona tropical de Sudamérica.

Descripción: Es un árbol de 10 a 12 m de altura, con follaje extendido y persistente, provisto de hojas (1) simples, ovales, coriáceas y dispuestas de forma alterna; las flores (2) reunidas en inflorescencias en la extremidad de las ramas jóvenes, son de color blanco rojizo, pequeñas y perfumadas. El verdadero fruto (3), seco y reniforme, queda englobado en el interior del pedúnculo floral que engruesa formando una masa pulposa, azucarada y comestible, del tamaño de un puño. Su color, al llegar a la madurez, es blanco, amarillo o bien rojo escarlata. En el comercio se encuentra con el nombre de manzana de kajú, mientras que el verdadero fruto se denomina nuez de kajú; este último, liberado de la envoltura a fin de evitar la causticidad del aceite esencial que contiene, se come, cocido a la brasa. El líquido contenido en la vaina ha encontrado aplicación como material aislante en la industria aeroespacial, ya que puede soportar fuertes variaciones térmicas. Además, su toxicidad no desaparece del todo, y los obreros que lo mantienen en la boca pueden presentar síntomas de envenenamiento.

Propagación: Mediante semillas.

Condiciones de cultivo: Ambiente tropical cálido y húmedo.

269 ORIANA
Bixa orellana

Familia: Bixáceas
Etimología: Deriva del nombre local o sudamericano.
Hábitat: Especie procedente de América tropical, pero naturalizada en numerosos países que presentan el mismo tipo de clima.
Descripción: Es un pequeño árbol provisto de hojas (1) alternas, simples, semejantes a las del tilo, acompañadas por estípulas y largo pecíolo. La inflorescencia, formada por flores (2) hermafroditas, con cáliz caduco, forma una larga y laxa espiga de un hermoso color rosa encarnado. El fruto (3), razón por la que se cultiva esta especie, es una cápsula que contiene un jugo rojo. El colorante obtenido se conoce en el comercio bajo el nombre de oriana y en efecto se utiliza para teñir los tejidos, a los que confiere un tinte rojo anaranjado no muy estable a la luz. La solución aceitosa del principio colorante contenido en la oriana se emplea como el único medio permitido, según las disposiciones legislativas, para proporcionar coloración amarillenta a la mantequilla y al queso. Las poblaciones del Caribe preparan un colorante con el que se embadurnan el cuerpo, como adorno y para protegerse de la picadura de los insectos.
Propagación: Mediante semillas o también por esqueje de leño maduro.
Condiciones de cultivo: Ambiente tropical, cálido y húmedo.

---

270 ÁRBOL DEL TÉ
Camellia sinensis

Familia: Teáceas
Etimología: El nombre específico indica su procedencia del Extremo Oriente, y el cultivo del té fue un monopolio chino hasta que en 1840 Robert Fortune logró exportar una planta desde China a la India e iniciar su cultivo.
Hábitat: China, Asam e India, con abundantes cultivos.
Descripción: Se trata de un pequeño árbol que en estado espontáneo alcanza hasta 12-15 m, pero que en las plantaciones se mantiene, mediante continuas podas, en una altura entre 1 y 1,5 m. Posee hojas (1) coriáceas, elipticolanceoladas, finamente dentadas, de color verde oscuro brillante y pecíolo corto. Las flores (2), pequeñas, blancas y perfumadas, poseen numerosos estambres amarillos, son solitarias o se reúnen en cimas de 2 a 5 flores; los frutos (3) son cápsulas que contienen 1-4 semillas. Esta planta se poda con la doble finalidad de facilitar la recogida de favorecer la producción de las hojas jóvenes, que se recogen cada tres semanas a partir del tercer año. Se distingue el té verde, preparado simplemente mediante el secado de las hojas, del té negro obtenido al someter las hojas a un proceso de fermentación.
Propagación: Por esqueje y acodo, a fin de mantener las variedades seleccionadas.
Condiciones de cultivo: Esta especie, que prefiere las zonas tropicales montañosas, siente inclinación por los climas templados, cálidos y húmedos.

271 ÁRBOL DE CEIBA
Ceiba pentandra

Familia: Bombacáceas
Etimología: El nombre deriva del utilizado en Sudamérica.
Hábitat: Especie originaria de la zona tropical del Viejo y Nuevo Mundo.
Descripción: Gran árbol que alcanza 30-40 m de altura, con tronco grueso, espinoso, en cuya base se dispone una larga formación de sostén; las ramas, gruesas y robustas, se disponen muy esparcidas casi horizontalmente en forma de pisos. Las hojas (1) son compuestas, digitadas, con 5-7 folíolos enteros. Las flores (2) son blancas y grandes, dispuestas en ramillete, con el cáliz gamosépalo y los pétalos oblongos, de los que sobresale la columna estaminal. El fruto (3) es una cápsula coriácea, oblonga, de unos 10 cm, que se abre en cinco valvas, con numerosas semillas de color marrón, ovoidales, insertas en el interior de una masa de densas fibras, parecidas al algodón, y que constituyen el denominado kapok o lana vegetal, utilizada para acolchar. A pesar de que la madera, blanda y ligera, se utilice para diversas aplicaciones, el kapok, nombre de origen malayo, es el motivo principal de su cultivo a pesar de que no pueda ser hilado ni tejido. En las regiones en las que existe una estación seca, el árbol se hace caduco y las hojas se pierden antes de que los primeros frutos se abran.
Propagación: Mediante semillas, la planta es de rápido crecimiento.
Condiciones de cultivo: Especie exclusivamente tropical.

272 ÁRBOL DE LA QUINA
Chinchona calysaya

Familia: Rubiáceas
Etimología: El nombre recuerda a la condesa de Chinchón, esposa del virrey de Perú que en 1638 fue curada de las fiebres mediante la corteza de un árbol de Perú.
Hábitat: Especie originaria de los Andes, desde Perú a Bolivia, pero su cultivo está en la actualidad casi totalmente concentrado en la isla de Java.
Descripción: Árbol de hoja perenne, de 30 m de altura, con tronco erecto y corteza amarillenta; las hojas (1) son opuestas, coriáceas, oblongas, con el pecíolo y la nerviación rojiza. Las flores (2), perfumadas, de color rosa, se reúnen en espigas, y los frutos (3) son pequeñas cápsulas ovoides. La corteza del árbol es rica en alcaloides, y el más abundante es la quinina que tiene acción terapéutica en la malaria. Mediante selección de las variedades y perfeccionamiento de los métodos de separación de la corteza, que puede realizarse de distintos modos, en las Indias Orientales se ha logrado aumentar la producción de quinina en relación con los alcaloides secundarios. La droga fue conocida durante mucho tiempo con el nombre de polvos de la condesa y también polvos de los jesuitas, debido a que esta orden religiosa contribuyó a su difusión. La importancia de esta planta actualmente es menor, dado que la quinina se obtiene también por síntesis.
Propagación: Mediante semillas.
Condiciones de cultivo: Ambiente tropical.

273 ÁRBOL DEL ALCANFOR
Cinnamomum camphora

Familia: Lauráceas
Etimología: Deriva del antiguo nombre griego *chinnámomom*, utilizado para describir la especie actualmente conocida.
Hábitat: China y Japón.
Descripción: Árbol de hojas perennes que alcanza 15 m de altura; posee hojas (1) de color verde claro, glaucas en el envés; son alternas, ovadoacuminadas, con tres nerviaciones muy marcadas; en la fase juvenil son de color rosado. Las flores (2) pequeñas, de color amarillo blancuzco, nacen en espigas axilares, y los frutos (3) que aparecen a continuación son pequeñas drupas ovoidales, de color rojo violáceo oscuro al alcanzar la completa madurez. El alcanfor se encuentra en el aceite esencial contenido en todos los tejidos, y en efecto, al estrujar las hojas se desprende el olor característico, que es más intenso en la madera, bien de la parte aérea como de las raíces, donde frecuentemente se acumula en cavidades. Hubo un tiempo que el alcanfor se extraía abatiendo los árboles, pero actualmente se utilizan también las hojas y las ramificaciones jóvenes, con lo que los árboles sólo se cortan cuando alcanzan la edad de 50 años. El producto, utilizado en medicina, se obtiene actualmente también por síntesis; generalmente se utiliza para la fabricación del celuloide y también como antiparasitario; el alcanfor sintético reduce el alto coste de la sustancia natural.
Propagación: Mediante semillas o esqueje de leño semimaduro.
Condiciones de cultivo: Zonas tropicales y subtropicales.

274 CANELA
Cinnamomum zeylanicum

Familia: Lauráceas
Etimología: El atributo específico deriva de su lugar de origen, la isla de Ceilán.
Hábitat: India y Ceilán, pero actualmente cultivada en todas las zonas tropicales.
Descripción: Árbol de hoja perenne, de 6-10 m de altura, tallo erecto y corteza marrón pálido; las ramas jóvenes son casi cuadrangulares. Las hojas (1), de unos 15 cm de longitud, son coriáceas y rígidas, opuestas, lanceoladoovadas, de color verde brillante en la página superior, y pálido o glauco en la inferior, cruzada por tres fuertes nerviaciones. Las flores (2) son pequeñas, de color blancoamarillentas, con la corola tubular y seis lóbulos separados, aterciopelados en su cara externa. Las flores se reúnen en inflorescencias en espigas axilares y terminales; el fruto es una baya, con una sola semilla, que permanece en el interior del cáliz persistente, y al estar madura es de color negro. Con el fin de obtener la droga, en las plantaciones, se cortan los árboles de modo que la base emita nuevos retoños; cuando éstos tienen dos años se cortan y se separa la corteza, se deja después secar durante un día y a continuación se raspa y se seca completamente introduciendo los trozos más pequeños dentro de los mayores, hasta obtener las formaciones tubulares que se venden bajo el nombre de canela y que sirven para aromatizar.
Propagación: Mediante semillas.
Condiciones de cultivo: Ambiente tropical y subtropical.

275 NARANJO AMARGO
Citrus aurantium var. *amara*

Familia: Rutáceas

Etimología: El nombre específico hace referencia al color anaranjado del fruto, mientras que el nombre de la variedad puntualiza que el fruto no es dulce.

Hábitat: Especie originaria probablemente de Asia sudoccidental; se cultivó en Arabia desde finales del siglo IX, y en Sicilia fue introducido en el año 1002.

Descripción: Este árbol puede alcanzar 15 m de altura y 50 cm de diámetro. Se distingue del naranjo dulce por las largas espinas situadas en la axila de las hojas (1) inferiores, por el follaje más oscuro y aromático, por los pecíolos más anchamente alados y por la cubierta de los frutos (3), más tosca y más intensamente colorada y por la pulpa,de sabor ácido amargo. La corteza sirve para preparar bebidas tonicoamargas, los denominados bitter y licores dulces como el curaçao. Las flores (2), extraordinariamente perfumadas, se recogen sacudiendo el árbol. Sirven para preparar la esencia de naranjo amargo, más conocida con el nombre de esencia de neroli debido al nombre de Anna Maria de la Tremoille de Noirmoutier, esposa de Flavio Orsini, príncipe de Nerola, que la introdujo en Francia sobre 1680; es muy apreciada en perfumería. Por destilación de las hojas de las ramificaciones del naranjo amargo se obtiene además la esencia de petitgrain, menos apreciada.

Propagación: Mediante semillas; se utiliza también como portainjerto.

Condiciones de cultivo: Climas templados, cálidos y secos.

---

276 BERGAMOTA
Citrus bergamina

Familia: Rutáceas

Etimología: Del turco *beg armodi.*

Hábitat: Esta especie es de origen desconocido, probablemente híbrida. En Italia, por ejemplo, se cultiva desde los inicios del siglo XVIII en una reducida área de la costa jónica, en la provincia de Reggio Calabria.

Descripción: Es un pequeño árbol que alcanza los 3 m de altura, con ramas colgantes, hojas (1) algo vesiculosas con pecíolos levemente alados. Las flores (2), provistas de 5 sépalos verdes, 5 pétalos blancos y 10 estambres, son perfumadas. El fruto (3) es un hesperidio, algo más pequeño que las naranjas, esférico, provisto de corteza delgada y de color amarillo limón; contiene de 10 a 15 gajos, y la pulpa es acídula pero no comestible. Se cultiva exclusivamente con el fin de obtener esencia presionando la corteza. Esta esencia se utiliza para la preparación de licores y perfumes, como por ejemplo el agua de Colonia. Este perfume fue inventado en 1670 por un mercader ambulante, Giampaolo Feminis di Crana (Novara), que pasó la receta a Giovanni Maria Farina de S. Maria Maggiore; este último fundó en Colonia un negocio de mercancías distintas, entre las que vendía el *aqua amabilis,* denominada sólo a partir de 1748 *eau de Cologne.*

Propagación: Mediante semillas, injerto o acodo.

Condiciones de cultivo: Requiere temperaturas mínimas no inferiores a 2°C.

277 PLANTA DEL CAFÉ
Coffea arabica

Familia: Rubiáceas
Etimología: El nombre deriva de la palabra árabe utilizada para denominar a la bebida, que parece a su vez derivada del nombre de la ciudad de Caffa en Etiopía.
Hábitat: Especie espontánea en Etiopía, Mozambique y Angola, de donde fue importada a Arabia y finalmente a Europa a finales del siglo XVI. Después del descubrimiento, se inició el cultivo en Sudamérica y actualmente es la principal productora mundial.
Descripción: Árbol de hoja perenne, de 2-3 m de altura, ramificaciones abiertas y flexibles; las hojas (1), opuestas, son de color verde brillante, oblongoacuminadas, provistas de un corto pecíolo y nerviación muy marcada. Las flores (2), blancas y perfumadas, con la corola tubular, nacen en ramilletes en la axila de las hojas y son seguidas por la aparición de los frutos (3), que son drupas provistas de dos semillas y un revestimiento carnoso, al principio de color verde, que enrojece al madurar. Cada una de las semillas posee la superficie externa convexa y la interna plana, atravesada por un surco. Estas semillas constituyen el grano de café que, después de tostado, sirven para preparar la conocida.
Propagación: Mediante semillas, en sustrato arenoso; en invernadero cálido.
Condiciones de cultivo: Ambiente tropical o semitropical, cálido y húmedo. En nuestros climas europeos necesita pasar el invierno al resguardo, en invernaderos cálidos, y no tolera en general temperaturas por debajo de 16°C. En tales condiciones puede incluso fructificar.

278 COLA
Cola acuminata

Familia: Esterculiáceas
Etimología: Deriva del nombre indígena africano.
Hábitat: Especie nativa de África tropical.
Descripción: Este árbol, de aproximadamente 20 m de altura, posee hojas (1) persistentes, pecioladas, alternas, con la lámina lanceolada, acuminada, coriácea, con las nerviaciones sobresalientes en el envés, y en la fase juvenil pueden incluso estar hendidas en la base. Las flores (2), unisexuales o polígamas, nacen en apretadas espigas axilares o terminales, y carecen por completo de corola. Los cinco segmentos, amarillos y vistosos, con estriaciones de color púrpura en la base, no son más que prolongaciones del cáliz, tubular y verdoso. Los frutos, de unos 15 cm de longitud, son de color verde, coriáceos, oblongos, formados por 4-6 secciones conocidos con el nombre de nuez de cola, y aparecen antes de la madurez como tubérculos dentro del involucro. Están constituidos por dos cotiledones y son de forma irregular; antes de la madurez, su color varía entre blanco, amarillo y rosa; una vez secos son de color rojizo. Contienen aproximadamente un 2% de cafeína, y algo de teobromina y otras drogas. Son muy utilizadas por los indígenas como excitante y se exportan en grandes cantidades, ya que entran en la composición de determinadas bebidas refrescantes.
Propagación: Mediante semillas o por esqueje de leño maduro.
Condiciones de cultivo: Especie exclusivamente tropical.

279 ÁRBOL DE LAS CALABAZAS
Crescentia cujete

Familia: Bignoniáceas
Etimología: El nombre recuerda a Pietro de'Crescenzi (1230-1321), agrónomo italiano.
Hábitat: América tropical y subtropical.
Descripción: El tronco oscuro de este árbol, con la corteza ligeramente hendida, alcanza 6-10 m de altura; su madera, de color blanco y dura, se emplea en ebanistería. Las hojas (1), brevemente pecioladas, lanceoladas, de color verde oscuro, se disponen alternas, a pesar de que existen variedades con hojas acuminadas y reunidas en los nudos, procedentes de las Antillas y Guayana. Las flores son grandes, solitarias o bien dispuestas a pares, con el cáliz bipartido y corola tubular, hinchada en el centro y abierta en cinco limbos, amarillenta, con veteados oscuros o de color violáceo, de olor desagradable. El fruto (2), que constituye la base para el cultivo de esta especie, posee forma esférica y ovoidal, de tamaño variable y puede llegar a alcanzar hasta 50 cm de longitud. Posee una sola cavidad y pulpa abundante; los indígenas lo trabajan adecuadamente y lo aprovechan para obtener distintos utensilios para uso doméstico. El procedimiento consiste en practicar ligamentos antes de que el fruto alcance la madurez completa y posterior vaciado de la pulpa, dejando sólo la envoltura leñosa. La pulpa se utiliza en farmacopea.
Propagación: Mediante semillas.
Condiciones de cultivo: Especie exclusivamente tropical.

---

280 DRAGO
Dracaena drago

Familia: Agaváceas
Etimología: El nombre deriva del griego *drákaina,* hembra del dragón.
Hábitat: Especie endémica de las islas Canarias.
Descripción: Este árbol, de lento crecimiento y forma extraña, pertenece al grupo de las Monocotiledóneas, como todas las palmas, pero está provisto de un tronco leñoso, a pesar de que está incluido dentro de la familia Liliáceas. El tronco grueso, ramificado, presenta penachos apicales de hojas (1) ensiformes, dispuestas en roseta, que pueden alcanzar 20 m de longitud y más de 4 m de diámetro. Además es una planta de extraordinaria longevidad; existen dos ejemplares en la isla de Tenerife (en Icod de los Vinos) que pueden considerarse como de los árboles más antiguos del mundo. Las flores (2), reunidas en grandes espigas, son acampanadas, de color blanco amarillento, nacen en el ápice de las ramas entre la roseta de hojas erectas, y dan lugar a bayas (3) anaranjadas. La linfa resinosa y rojiza que exuda el tronco se denomina sangre de dragón y ha sido un elemento de gran importancia económica como base de los tintes y colores, hasta la llegada de los colorantes sintéticos. El árbol ni ramifica ni florece antes de alcanzar los 30 años de edad.
Propagación: Mediante semillas o por esqueje apical o de tallo.
Condiciones de cultivo Climas suaves en los que no hiele.

281 COCA
Erythroxylon coca

Familia: Eritroxiláceas
Etimología: Del griego *erythós,* rojo, y *xylon,* madera, debido a su corteza rojiza.
Hábitat: Especie nativa de Bolivia, Perú y Colombia, pero también se cultiva en Asia tropical.
Descripción: Arbusto que alcanza unos 3 m de altura y se ramifica a partir de la fase juvenil; posee, sin embargo, un tronco bastante delgado. Las hojas (1), pequeñas, elípticas, algo pecioladas, son alternas y enteras, de color verde claro brillante, más o menos acuminadas según la variedad. Las flores (2), pequeñas, poseen cáliz verde y cinco pétalos blancos; nacen en la axila de las hojas, pedunculadas, solitarias o bien reunidas en grupos de dos o tres. A continuación se producen los frutos (3), pequeñas drupas ovales con el arilo de color rojo brillante. Existen distintas variedades. Las cuatro más consideradas son *genuina truxillo,* de Perú, *boliviana,* de Bolivia, *spruceana,* cultivada en las Indias Orientales, donde también se cultiva la más común, *novogranatense,* de Colombia, a veces considerada como una especie aparte. El alcaloide que constituye la verdadera cocaína se extrae de las hojas a escala industrial; pero los indios han utilizado durante siglos bolos masticadores de estas hojas que les ayudaban a resistir la fatiga y el hambre.
Propagación: Mediante semillas.
Condiciones de cultivo: Especie tropical; en climas templados puede mantenerse en invernadero.

---

282 ÁRBOL DEL CAUCHO
Ficus elastica

Familia: Moráceas
Etimología: El nombre deriva del higo comestible, *Ficus carica.*
Hábitat: Especie originaria de Asia tropical.
Descripción: Esta planta, que se comercializa también en forma de ejemplares muy jóvenes como planta de interior, en su ambiente natural es un árbol que puede alcanzar hasta 30 m de altura, con ramificaciones muy abiertas que constituyen una copa globular. Las hojas (1), de 30 y más centímetros de longitud, son algo pecioladas, coriáceas, brillantes, enteras, elípticas u oblongas, con fuerte nerviación principal central y nerviaciones secundarias que se disponen aproximadamente en ángulo recto y corren paralelas hasta llegar aproximadamente a los márgenes. Los frutos (2), cubiertos inicialmente por un invólucro, nacen en la axila de las hojas caducas y al llegar a la madurez son de color amarillo verdoso. Miden poco más de 1 cm de longitud. Como sucede en todos los representantes del género, el tronco y los restantes elementos exudan un látex blanco y denso al ser lesionado. En el caso de esta especie sirve para la fabricación del caucho, procediendo a la incisión de la madera y a recoger el látex mediante recipientes adecuados. no obstante, la producción de esta especie es menor que la del género *Hevea,* debido a que las incisiones sólo pueden realizarse cada tres años, si no quiere correrse el riesgo de deteriorar el árbol.
Propagación: Mediante esqueje apical o por yemas.
Condiciones de cultivo: Ambiente cálido y húmedo; los ejemplares jóvenes deben cultivarse en maceta.

283 CAMPECHE
Haematoxylon campechianum

Familia: Leguminosas
Etimología: El nombre deriva del griego *áimatos*, sangre, y *xylon*, madera.
Hábitat: América tropical e Indias Occidentales.
Descripción: Árbol que puede alcanzar 6-9 m de altura, con ramas espinosas, hojas (1) compuestas, pennadas, que constan de 2-4 pares de folíolos, con los bordes profundamente incisos. Las flores (2), pequeñas y perfumadas, son de color amarillo. Los frutos (3) son legumbres oblongas. El leño posee duramen denso, duro, de color marrón rojizo y a veces violáceo, del que se extrae un principio activo, la hematoxilina, sustancia incolora, que por oxidación se transforma en un colorante de color rojo, la hemateína, que tiene la capacidad de reaccionar con los hidratos metálicos y producir lacas coloreadas. Al tratar los fragmentos de hojas con vapor a presión se prepara el extracto de campeche, una mezcla de hematoxilina y hemateína utilizado como barniz, como tinta y, en tintorería, para la seda, lana y algodón, como un colorante sobre mordiente. La hematoxilina se utiliza también como colorante en microscopía y su afinidad con los compuestos que constituyen los cromosomas nucleares de la célula, permite su individualización y estudio. El nombre común deriva del término castellano campeche, debido al estado mexicano de Campeche.
Propagación: Mediante semillas.
Condiciones de cultivo: Prefiere los climas cálidos y subtropicales.

284 ÁRBOL DE CAUCHO
Hevea brasiliensis

Familia: Euforbiáceas
Etimología: El nombre deriva del indígena *hevé,* que significa goma.
Hábitat: Especie procedente de Brasil, precisamente de la cuenca del río Amazonas.
Descripción: Árbol tropical que alcanza los 18 m de altura, y supone la fuente principal para la obtención del caucho mediante manipulación de su látex coagulado. Las hojas (1) son alternas, con largo pecíolo, compuestas de tres folíolos lanceoladoacuminados. La planta es monoica, con flores pequeñas, reunidas en espiga, pubescente y sin pétalos. El fruto (2) es una cápsula. El látex se recoge previa incisión en la corteza, que es de color gris claro.
Propagación: Puede multiplicarse por esqueje, pero generalmente se reproduce mediante semillas, que deben ser recientes, ya que pierden rápidamente su poder de germinación. El árbol es de crecimiento rápido; al cabo de seis años proporciona ya una buena producción de látex y pronto alcanza la plena madurez.
Condiciones de cultivo: Esta especie puede desarrollarse únicamente en climas tropicales, cálidos y húmedos, como los propios de las pluviisilvas. Desde 1876 en que el inglés H. Wickam logró exportar las semillas del Brasil, rápidamente surgieron grandes plantaciones en Ceilán, Indochina y Malasia.

285 HIERBA MATE
Ilex paraguariensis

Familia: Aquifoliáceas
Etimología: El nombre deriva del utilizado por los romanos para designar a la encina, *Quercus ilex,* debido a la semejanza entre las hojas de algunas especies.
Hábitat: Especie originaria de Brasil meridional y de Paraguay, pero se cultiva en toda América meridional tropical.
Descripción: Pequeño árbol que alcanza los 6 m de altura, de hojas perennes; éstas (1) son coriáceas, lanceoladas y oblongas, con la base atenuada, el ápice casi obtuso y los márgenes serrados crenados. Las flores (2), pequeñas y blancas, nacen en copetes en la axila de las hojas. Los frutos (3) son bayas de color rojo, globoides, provistas de cuatro semillas. La planta se cultiva a causa de las hojas, con las que se prepara una infusión que constituye una bebida muy conocida en Sudamérica, denominada también té de los jesuitas, debido a que esta orden fue la primera en darla a conocer en Europa. Las hojas, una vez secas, se someten a un proceso de torrefacción y se pulverizan; los polvos secos se ponen en infusión en agua caliente, y constituyen una bebida estimulante pero menos activa que el café y el té. En Argentina, Paraguay («tereré») y Uruguay es la bebida por excelencia. Se toma a todas horas y en todas las clases sociales; se bebe a sorbos a través de la llamada «bombilla», tras haberla preparado en el «mate» hecho de diversos materiales y moldeado en forma de recipiente.
Propagación: Mediante semillas o esqueje.
Condiciones de cultivo: Ambiente tropical.

286 ÁRBOL DEL ESTORAQUE
Liquidambar styraciflua

Familia: Hamamelidáceas
Etimología: Deriva del latín *liquidus,* líquido, y del árabe *ambar,* ámbar, debido a su secreción fluida y aromática.
Hábitat: Especie originaria de Norteamérica, en su región atlántica, e introducida en Europa en 1681.
Descripción: Árbol de hoja caduca que en sus lugares de procedencia alcanza 40 m de altura, con copa estrecha y porte fastigiado; la corteza está profundamente hendida, incluso en las ramificaciones jóvenes. Las hojas (1) son alternas, pecioladas y palmadas, con 5-7 lóbulos acuminados, lisos y brillantes en la página superior, pubescentes en la inferior, a lo largo de la nerviación. Su color verde brillante presenta varias tonalidades sucesivas (roja, escarlata y violácea) antes de que las hojas se pierdan. Las flores (2,3) son unisexuales y se disponen sobre el mismo pie, tanto las masculinas como las femeninas. Son insignificantes, apétalas y situadas en inflorescencias globosas. Los frutos son en realidad infrutescencias, esféricas, compuestas de numerosas cápsulas dehiscentes, cada una con 1-2 semillas aladas y con espinas prominentes formadas por los estilos persistentes. La madera y las hojas son aromáticas. La corteza, separada del tronco, hervida y rápidamente exprimida, produce una resina aceitosa, denominada estoraque, que se emplea en preparaciones terapéuticas y como fijador en la fabricación de perfúmenes.
Propagación: Mediante semillas o esqueje.
Condiciones de cultivo: Especie muy rústica; prefiere los terrenos frescos.

287 MANDIOCA
Manihot sculenta

Familia: Euforbiáceas
Etimología: El nombre genérico deriva del brasileño *manioc.*
Hábitat: Especie originaria de América tropical, pero cultivada también en Asia y África.
Descripción: Es un arbusto que alcanza únicamente los 3 m de altura y a veces presenta forma arbustiva. Las hojas (1) son palmatolobuladas, con 3-7 lóbulos; las flores (2), reunidas en racimos axilares o terminales, son dioicas, unisexuales y apétalas, pero con los sépalos a veces petaloides. Los frutos (3) son cápsulas aladas. Pero la importancia de esta planta, desde el punto de vista económico, lo que induce a su cultivo, reside en sus grandes raíces tuberosas, de color blanco en su interior, venenosas cuando están verdes, ya que contienen ácido cianhídrico pero pierden su toxicidad mediante el lavado y cocción y, a través de tales procedimientos, se obtiene la harina conocida con el nombre de mandioca, muy adecuada como recurso alimentario. Existe una variedad denominada *variegata*, con hojas veteadas de color amarillo pálido, que es muy decorativa; la especie, *M. dulcis,* denominada en Brasil *macaxeiro* o *aipi,* menos productiva, sin embargo sus raíces contienen mucha menor cantidad de ácido cianhídrico y por ello son menos tóxicas, incluso en estado fresco.
Propagación: Multiplicación por esqueje en invernadero.
Condiciones de cultivo: Especie tropical; los ejemplares pequeños pueden sin embargo cultivarse en invernadero.

---

288 ÁRBOL DE LAS ORQUÍDEAS
Monodora myristica

Familia: Anonáceas
Etimología: El nombre deriva del griego *mónos,* uno, y *doreá,* da, a causa de sus flores solitarias. El nombre vulgar castellano alude a la semejanza de la flor con la de las orquídeas, a pesar que se trata de especies muy distintas.
Hábitat: Especie procedente de las selvas de África ecuatorial.
Descripción: Este árbol, que en la naturaleza alcanza 20 m de altura, en cultivo permanece generalmente con dimensiones más reducidas. Las grandes hojas (1) son glabras, obovadas, con la base cuneada y el pecíolo breve. La lámina posee 10-20 nerviaciones laterales, prominentes en la cara inferior. Las flores, solitarias, colgantes, provistas de largo pedúnculo, recuerdan a las de algunas especies de orquídeas; disponen de tres sépalos y seis pétalos unidos en la base, tres de los cuales, externos, son lanceolados y crispados, de color amarillo con variegaciones violáceas, mientras que los internos, más cortos, son ovados y tomentosos en la base. Los frutos (2), de consistencia leñosa, globosa y bastante grandes, poseen una pulpa resinosa que contiene numerosas semillas. Se utilizan como especia para aromatizar los alimentos y presentan también algunas propiedades medicinales. Por ello se confunden a veces con los frutos de *Myristica fragrans,* que proporciona la común nuez moscada.
Propagación: Normalmente por esqueje de leño maduro, en invernadero.
Condiciones de cultivo: A pesar de que los ejemplares jóvenes pueden mantenerse en invernadero cálido, sólo es posible lograr un cultivo completo de la especie en ambientes tropicales.

289 MORINGA
Moringa oleifera

Familia: Moringáceas
Etimología: El nombre deriva del cingalés *morunga*.
Hábitat: Especie procedente de la India, y actualmente naturalizada también en las Indias Occidentales.
Descripción: Pequeño árbol que puede alcanzar 8 m de altura, con el tronco formado por madera blanca y corteza suberosa, los jóvenes renuevos son pubescentes. Las hojas (1) son tripinnadas, carentes de estípulas, de unos 50 cm de longitud, y con folíolos peciolados. Las flores (2), reunidas en inflorescencias en espiga, poseen cáliz gamosépalo, con cinco lóbulos doblados hacia el exterior y corola con cinco pétalos, cuatro también doblados y uno erecto, al que están unidas las anteras, mientras que los estambres poseen filamentos largos y rectos. Singularmente, las flores son blanquecinas, pedunculadas y perfumadas, seguidas de frutos (3) que son cápsulas que miden hasta 30 cm de longitud, con nueve costillas, que se abren en tres valvas para liberar a las semillas, grandes, triangulares y trialadas. De las semillas se extrae un aceite que no enrancia y que se utiliza en los mecanismos delicados y de precisión, tanto que se denomina aceite de los relojeros y a veces aceite de Behen. También las raíces, que presentan gusto picante, se utilizan a veces como especias y para condimentar.
Propagación: Mediante semillas.
Condiciones de cultivo: Ambiente tropical y subtropical.

---

290 NUEZ MOSCADA
Myristica fragrans

Familia: Miristicáceas
Etimología: Del griego *myristikós*, perfumado, oloroso.
Hábitat: Especie procedente de las islas Molucas, en el archipiélago Malayo, pero cultivada también en otros países tropicales.
Descripción: Especie de hojas perennes, de 10 a 20 m de altura, con hojas (1) alternas, ovales, con pecíolo corto, de color verde oscuro en el haz, de tonalidad más clara en el envés, aromáticas. Las plantas son dioicas, por lo que al menos deben cultivarse conjuntamente un árbol de flores masculinas con otro de flores femeninas. Las inflorescencias son axilares, las flores pequeñas, de color amarillo o verde; las masculinas (2) disponen de numerosos estambres reunidos en una especie de columna, las femeninas (3) disponen de un único carpelo. Ambas son perfumadas. El fruto (4) que sigue a la fecundación es una baya carnosa, piriforme; al llegar a la madurez se abre liberando una gran semilla rodeada por un arilo fibroso. Este último, una vez seco, cambia de color, de rojizo a amarillento, y se comercializa con el nombre de macia, utilizado en gastronomía y perfumería. La semilla desnuda, tratada previamente con cal, constituye la nuez moscada, utilizada para aromatizar alimentos y bebidas. El nombre común se refiere al aroma que desprende, ligeramente almizclado.
Propagación: Mediante semillas; también por esqueje, pero es más difícil.
Condiciones de cultivo: Especie tropical; requiere un ambiente cálido y húmedo.

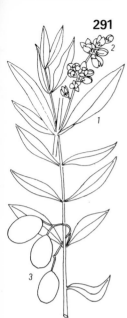

291 OLIVO
Olea europea

Familia: Oleáceas
Etimología: El nombre de latín, derivado del griego *eláia*.
Hábitat: A pesar de ser una especie típicamente mediterránea, se piensa que pueda proceder del Cáucaso.
Descripción: Posee una copa muy extendida, y el árbol puede alcanzar 10 m de altura, está formada por hojas persistentes, coriáceas, opuestas, de color verde glauco en la cara superior y de color gris plateado en la inferior, debido a la presencia de pelos estelares que confieren a las hojas la tomentosidad característica, que sirve para preservarlas de una traspiración excesiva en los climas cálidos mediterráneos. El tronco es muy retorcido; la corteza, de color gris y lisa, se fractura al envejecer; la madera, de color amarillo marronáceo, muy dura, se utiliza para la fabricación de muebles caros. La planta es de crecimiento lento y puede alcanzar una edad considerable. Las flores (2), primaverales, son pequeñas y blancas; el fruto (3) es una drupa carnosa y aceitosa, de la que se extrae el aceite de oliva. El género *Olea* está presente en Europa ya desde el Terciario; su origen está muy discutido. Para algunos autores, *O. europea* var. *sativa* procede de *O. europea* var. *oleaster*, pero ello no ha podido comprobarse jamás, ya que al cultivar esta última variedad sólo produce frutos algo mayores, pero no comparables a los de la otra especie.
Propagación: Por renuevos o semillas.
Condiciones de cultivo: El cultivo encuentra su óptimo en la misma zona que el naranjo.

292 PIMIENTA DE JAMAICA
Pimenta dioica

Familia: Mirtáceas
Etimología: El nombre deriva del castellano pimento, que no debe confundirse con una especie de pepinillo picante del género *Capsicum*.
Hábitat: Especie originaria de América Central, desde México a Jamaica.
Descripción: Arbolillo que en los países de origen alcanza 10 m de altura, pero que en condiciones de invernadero permanece más bajo; posee tronco flexible, con la corteza de color gris plateado, ramificaciones numerosas pero delgadas, con hojas (1) coriáceas, opuestas, oblongoacuminadas, con fuertes nerviaciones. Las flores (2), pequeñas, de color blanquecino, nacen en cimas generalmente apicales, a veces axilares y poseen 4-5 pétalos. El cáliz dispone a su vez de cuatro lóbulos, lo que le distingue de otras especies. Los frutos (3), globosos, son muy pequeños, miden unos 3 mm o poco más, y constituyen la droga por la que se cultiva esta especie y que sirve para aromatizar las carnes. El perfume que desprende parece una composición de varios perfumes separados, y que en inglés se denomina *allspice* (todas las especias). Otra especie, muy semejante pero de menor tamaño y que por tanto puede cultivarse en invernadero, es *P. acris*, cuyas hojas aromáticas se utilizan también como condimento.
Propagación: Mediante semillas; es difícil reproducir esta especie por esqueje.
Condiciones de cultivo: Requiere ambientes tropicales; los ejemplares jóvenes pueden mantenerse en invernadero.

293 ALCORNOQUE
Quercus suber

Familia: Fagáceas
Etimología: Ha conservado el antiguo nombre latín.
Hábitat: Especie espontánea en la cuenca mediterránea centrooccidental y en las costas atlánticas de África.
Descripción: Es un árbol que mide como máximo 15-20 m de altura, posee tronco retorcido, provisto de una gruesa corteza blanquecina profundamente surcada, de color rojizo en el interior. Las ramificaciones, irregulares, forman una amplia copa, poco simétrica, de hojas (1) perennes, coriáceas, lanceoladas, de márgenes dentados, de un hermoso color verde oscuro, brillantes en la cara superior, mientras que por debajo son blancas y tomentosas, debido a la presencia de los pelos estelares. Las flores, que surgen en abril-mayo, aparecen separadas; las masculinas (2) en largos amentos colgantes y las femeninas en espigas erectas provistas de 2 a 5 flores. El fruto es una típica bellota (3), con la cúpula a base de escamas grisáceas, tomentosa. La importancia fundamental de esta especie obedece al aprovechamiento de la gruesa corteza suberosa, que se retira periódicamente cada 9-10 años, según las exigencias, dejando desnudo a una parte del tronco, que muestra entonces su característico color rojizo.
Propagación: Se prefiere realizar siembras directas o incluso en maceta con posterior trasplante de toda la macolla junto con la tierra.
Condiciones de cultivo: Esta especie prefiere las localidades cálidas y áridas de la zona climática del olivo; especie frugal y con escasas exigencias con respecto a la luz; elige los terrenos sueltos y ácidos, procedentes de la metamorfosis de rocas silíceas.

294 ÁRBOL DE LA LACA
Rhus verniciflua

Familia: Anacardiáceas
Etimología: El nombre científico indica que este árbol, mediante incisiones, exuda un látex utilizado en la elaboración de barnices.
Hábitat: Su área de distribución comprende China y Japón.
Descripción: Árbol que alcanza hasta 25 m de altura, el de mayor envergadura del género, con grandes hojas (1) imparipinnadas, sostenidas por un corto pecíolo y formadas por 11-15 folíolos ovadooblongos o bien oblongolanceolados, de 12 cm de longitud, enteros, redondeados o bien acuminados en la base, pubescentes en la página inferior. El fruto (2) es una drupa más ancha que larga, amarillenta. De las incisiones practicadas al tronco emerge un líquido venenoso y viscoso que, en contacto con el aire, se oxida. Si quiere aplicarse como laca vitrificante debe sobreponerse con un pincel antes de que endurezca, lo que acontece, de forma inexplicable, mejor en ambiente húmedo. Cuando coagula, la laca se endurece extraordinariamente, tanto que puede pulimentarse hasta que adquiere una elevada brillantez. La extracción de este látex se ha practicado en China desde tiempos prehistóricos y estaba ya sujeta a reglamentos oficiales bajo la dinastía Chou (1122-256 a. de C.). La manufactura de objetos lacados alcanzó su máxima perfección durante la dinastía Ming (1368-1644), momento en el que fue conocida en Europa.
Propagación: Mediante semillas o renuevos basales.
Condiciones de cultivo: Climas subtropicales.

295 NUEZ VÓMICA
Strychnos nux-vomica

Familia: Loganiáceas

Etimología: El nombre deriva del que los griegos daban a determinada planta venenosa, probablemente una solanácea; Linné aplicó este nombre a la especie en relación al veneno.

Hábitat: Especie procedente de la India y Ceilán.

Descripción: Árbol que alcanza 12-14 m de altura, con tronco provisto de corteza grisácea y muy ramificado; las hojas (1) son opuestas, algo pecioladas, ovales y acuminadas, con cinco nerviaciones muy aparentes, sobresalientes en el envés, de color verde oscuro. Las flores (2) son pequeñas, blancas, reunidas en corimbos apicales y seguidas por la aparición de frutos (3), que son bayas globosas, grandes, al principio de color verde, y amarillo rojizo al llegar la madurez. La pulpa es blanca, viscosa y amarga, con 5-8 semillas esféricas que contienen alcaloides muy venenosos, de los que se obtiene la estricnina. Las primeras descripciones de estos frutos fueron realizadas por Valerio Cordo en 1561 y después por Jacobus Tabernaemontanus, ambos botánicos alemanes, en 1564. También la corteza contiene principios activos, de los que en la India se extrae un tónico.

Propagación: Mediante semillas en invernadero cálido.

Condiciones de cultivo: Se cultiva en zonas exclusivamente tropicales; los ejemplares jóvenes pueden mantenerse en invernaderos cálidos.

---

296 JAMBOLERRO
Syzygium aromaticum

Familia: Mirtáceas

Etimología: Deriva del griego *syzýghios,* apareado, a causa de que las hojas y las ramificaciones parten de un mismo punto en varias de las especies que componen el género. Esta espcie es todavía muy conocida con el antiguo sinónimo de *Eugenia caryophyllata;* la coincidencia de este atributo específico, utilizado para indicar a las hojas aromáticas, con las de una especie de clavel *(Dianthus caryophyllus)* ha originado algunos errores en la denominación vulgar.

Hábitat: Especie procedente de las Molucas, pero se cultiva en todos los países tropicales.

Descripción: Mide 10-12 m de altura, posee tronco grisáceo y ramificaciones erectas con porte conicocilíndrico. Las hojas (1), persistentes, son ovadoacuminadas, con pecíolo y nerviación conspicua, coriáceas. Las flores (2) se disponen en cimas terminales corimboformes, tres en cada ramificación de la inflorescencia; las flores poseen un cáliz gamosépalo de color rojo amarillento, largo y cilíndrico, con cinco lóbulos, pétalos rojos y numerosos estambres que sobresalen. Los capullos florales, cuando los pétalos están todavía cerrados y aparecen como una pelotilla clara en la extremidad del cáliz, se recogen y se desecan. Constituye la droga denominada clavo de clavel, usada como especia. El fruto (3) es una drupa carnosa y rojiza.

Propagación: Mediante semillas.

Condiciones de cultivo: Especie cultivada en los países tropicales.

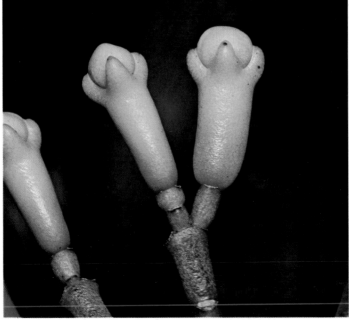

297 TAMARINDO
Tamarindus indica

Familia: Leguminosas
Etimología: Deriva del árabe *tamar,* dátil, e *hindi,* indio. A pesar de que la especie se conoce en Europa desde finales de la Edad Media, probablemente importada por los árabes, se suponía que las semillas pertenecían a una especie de palma india. La primera verdadera descripción se realizó en 1563.
Hábitat: Especie procedente de África tropical y actualmente está extensamente cultivada en Asia y también en América.
Descripción: Árbol de gran porte que alcanza 25 m de altura, con tronco provisto de corteza de color gris marronáceo, de aproximadamente 7 m de circunferencia. Las hojas (1), pennadas, poseen 10-20 pares de folíolos; las flores (2), nacen en grandes racimos y poseen tres pétalos superiores de color amarillo, veteados en rojo, y dos inferiores más pequeños. El tubo estaminal es largo y curvado. El fruto es una legumbre larga y también curvada, indehiscente, ligeramente comprimida, las semillas están contenidas en el interior de una pulpa, rodeadas de una débil membrana. De su pulpa, rica en hidratos de carbono y ácidos, se extraen los ingredientes usados para la elaboración de bebidas y también en medicina; para fines farmacéuticos se emplea también la corteza, muy astringente, y a veces incluso las flores. La madera es resistente y de fácil trabajo.
Propagación: La reproducción a través de semillas puede producir ejemplares de mala calidad, por lo que en general se prefiere la reproducción por esqueje.
Condiciones de cultivo: Ambiente tropical y subtropical.

298 MIROBÁLANO
Terminalia catappa

Familia: Combretáceas
Etimología: El nombre deriva del latín *terminalis,* final, dado que las hojas aparecen en el ápice de las ramificaciones.
Hábitat: Especie indígena de la isla Andamán en el golfo de Bengala, donde crece espontánea en los lugares más húmedos de la selva, y actualmente se halla extendida en todos los trópicos.
Descripción: Árbol de hoja caduca, de 20-25 m de altura, con ramificaciones horizontales y ramas insertas en verticilos sobre el eje principal; la corteza es de color gris oscuro. Las hojas, de unos 30 cm de longitud, son obovadas, obtusas en el ápice, y nacen en el extremo de las ramificaciones jóvenes. Las hojas poseen además la nerviación en relieve, son pubescentes en el envés, donde la nerviación es más notable. Las flores, pequeñas y blanquecinas, con anteras amarillas, se reúnen en espigas curvas terminales. El fruto es una drupa oval, indehiscente, de unos 5 cm de longitud, verde o rojiza, con una parte externa carnosa y una leñosa, ligeramente parecida a una almendra, donde precisamente está contenida la semilla. En la India se considera como comestible y además se extrae un aceite, pero la principal utilidad del fruto es que contiene hasta un 50 % de sustancias tánicas; son por lo tanto muy utilizados en el curtido de pieles. Antiguamente se empleaban también en farmacopea.
Propagación: Exclusivamente mediante semillas.
Condiciones de cultivo: Tropical, cálido y húmedo.

299 TETRAPANAX
Tetrapanax papyriferum

Familia: Araliáceas

Etimología: Del griego *tétra,* cuatro, ya que este género posee sólo cuatro estambres y es muy parecido al género *Panax,* cuyo nombre a su vez deriva de *panaqués,* panacea, esto es remedio a todos los males, ya que a este género pertenece la especie *P. schinseng,* a la que los chinos atribuyen propiedades terapéuticas.

Hábitat: Especie procedente de China meridional y de las islas de Taiwan.

Descripción: Es un árbol de hoja perenne, que en los climas originales alcanza 9 m de altura; sin embargo, en cultivo no rebasa los 3-6 m; sus hojas (1) son grandes, palmadas, profundamente lobuladas; cada lóbulo posee una fuerte nerviación y la lámina está recorrida por las venas secundarias. La parte juvenil del tallo y de las ramificaciones se cubre en un tomento blanco, lo mismo que las hojas en el momento de aparecer. Las flores (2), de color blanco, se agrupan en largos tirsos de casi un metro de longitud. La médula blanca del tallo y de las ramas se extrae, cortada en hojas delgadísimas y se prensa para la obtención de un tipo de papel muy apreciado. Este tipo de papel, producido en China desde muy antiguo (probablemente unos cien años a. de C.) se extraía también de otra especie, *Broussonetia papyrifera.*

Propagación: Mediante esqueje que es puesto a enraizar en arena, o bien por semillas.

Condiciones de cultivo: Especie semirrústica; tolera los fríos de corta duración.

300 PLANTA DEL CACAO
Theobroma cacao

Familia: Esterculiáceas

Etimología: El nombre deriva del griego *theós,* dios, y *bróma,* alimento, lo que significa alimento divino.

Hábitat: Esta especie procede probablemente de la región amazónica; sin embargo, se cultivaba también en otras regiones en el momento del descubrimiento de América.

Descripción: Árbol no muy grande, que puede rebasar los 8 m de altura, pero que en cultivo, merced a la poda, se mantiene con dimensiones más reducidas; la planta es de hojas perennes, con una densa copa formada por hojas (1) alternas y oblongas, pecioladas, de color verde brillante; es una especie cauliflora, es decir, las flores (2) aparecen directamente insertadas sobre el tronco o las viejas ramificaciones. Son pequeñas, de color blanco rosado, con el cáliz profundamente dividido y cinco pétalos claviformes; el ovario es sésil y el estilo filiforme. Los frutos (3), razón por la cual la planta es cultivada, son grandes bayas ovoidales, provistas de costillas, de color rojo marrón en la madurez; contienen numerosas semillas aplanadas dispuestas en cinco hileras, que al madurar se recogen y se ponen a fermentar, proceso quedará lugar a la fabricación de chocolate. A pesar de que una de las sustancias que contiene la especie, la teobromina, se utilice en medicina, la producción del cacao es el objetivo principal del cultivo de esta especie.

Propagación: Mediante semillas; también por injerto.

Condiciones de cultivo: Especie actualmente extendida por todas las regiones tropicales; su cultivo sólo es posible en estos ambientes.

GLOSARIO

Actinomorfo órgano, generalmente flores, con simetría radial.

Acodo aéreo método de reproducción de las plantas. Se practica una incisión en la corteza de una rama, rodeando el punto con esfagno húmeo o bien con tierra, sostenido todo el conjunto mediante una funda. A la altura de la incisión aparecen raíces; entonces puede cortarse al nivel adecuado y proceder a su enraizamiento en el sustrato conveniente.

Acorazonado en forma de corazón.

Adnato crecido conjuntamente con otro órgano, al mismo tiempo.

Adventicio ocasional, que no ocurre normalmente.

Afilo carente de hojas.

Alado con expansiones delgadas laterales semejantes a unas alas.

Amacollado aproximación de las ramificaciones a la base del tallo.

Androceo parte masculina de la flor; está formada por el conjunto de los estambres.

Antera parte de los estambres que contiene el polen.

Apical situado en la punta, o ápice, de los tallos, ramas, inflorescencias, etc.

Aquenio fruto seco indehiscente, que contiene una sola semilla.

Arilo parte externa, casi siempre carnosa, frecuentemente coloreada, que aparece junto a las semillas.

Armado provisto de órganos de defensa, generalmente espinas o acúleos.

Atenuado órgano que se estrecha a medida que se aproxima a su ápice, incluso a veces sucede en la base.

Axila ángulo formado por una ramificación o por un pecíolo respecto al tallo del que deriva.

Axilar situado en una axila.

Axonomorfa raíz principal, originada a partir del cuello de la planta y opuesta al tallo; posee un desarrollo predominante con respecto a las otras raíces secundarias de la planta.

Baya fruto carnoso e indehiscente, que puede contener una o varias semillas.

Bífico dividido longitudinalmente en dos partes.

Bipartido dividido en dos partes muy profundas y separadas.

Bipinnada hoja compuesta, cuyo raquis está ramificado en partes secundarias que son las que sostienen directamente a los folíolos.

Bráctea hoja modificada que puede adoptar diversas coloraciones, de forma y consistencia varia, y que cuando aparece se sitúa sobre las partes foliares o floreales.

Bulbo tallo subterráneo muy reducido y engrosado, con una sola yema central.

Caduco órgano que se pierde rápidamente, prematuramente.

Cáliz involucro externo de la yema floral que tiene encomendadas las funciones protectoras de los órganos internos de la flor.

Capilar delgado como un cabello.

Cápsula fruto seco, dehiscente, generalmente plurilocular.

Caule tallo.

Cauliflora se dice de la planta leñosa que produce las flores directamente sobre el tronco de una cierta edad.

Cespitoso se dice de la planta que tiende a ser rastrera.

Cladodio ramificaciones aplastadas que asumen funciones propias de las hojas.

Clon en biología se utiliza este término para indicar al conjunto de individuos procedentes, por multiplicación agámica, de un único individuo inicial.

Compuesta formada por varias partes; por ejemplo, una hoja compuesta está formada por varios folíolos independientes.

Connato unido; órgano adherido a otro.

Corola parte de la flor, más o menos desarrollada, que tiene misiones protectoras y también de reclamo hacia los insectos que cuidan de la polinización. La corola está compuesta por los pétalos; si los pétalos están unidos, se denomina gamopétala y en caso contrario dialipétala.

Coliledón hoja primordial del embrión que tiene misión de nutrición.

Cuello zona de transición entre las raíces y el tallo.

Culmo tallo cilíndrico, hueco y que contiene médula.

Cultivar nombre convencional con el que se suele designar a los individuos procedentes de cruzamiento a lo largo de las series de cultivo.

Cuneado en forma de cúneo, con la parte delgada unida al punto de arranque.

Cuspidado que termina en punta aguda.

Deciduo que posee una función limitada en el tiempo, y se utiliza en especial para las plantas que pierden su hoja en invierno o bien durante la estación seca.

Decumbente que se inclina o se adapta sobre el sustrato, pero con la parte apical siempre ascendente.

Decusado puesto ortogonalmente, por ejemplo el caso de dos hojas opuestas que forman una especie de cruz con el par situado anteriormente en el tallo y el posterior.

Dehiscente fruto que se abre espontáneamente liberando con ello a las semillas.

Deltoide triangular.

Dicotiledónea planta en la que el embrión que posee dos cotiledones.

Dicotómico bifurcado regularmente en dos ejes bastante divergentes.

Digitado órgano con varias partes divergentes pero que inicialmente parten todas ellas de un mismo punto.

Dioica se dice de la planta en la que sus flores masculinas y femeninas están situadas sobre pies distintos.

Dístico órganos, en particular hojas o ramificaciones, dispuestas de forma alterna sobre dos filas opuestas sobre el mismo eje.

Drupa fruto carnoso indehiscente que posee las semillas encerradas en un denominado hueso leñoso.

Edáfico del suelo.

Embrión conjunto de elementos que en el interior de las semillas constituyen el esbozo de la futura planta.

Endemismo fenómeno según el cual una especie determinada es propia únicamente de una zona muy reducida y bien delimitada.

Envainante hoja provista de una ancha base que se abraza al fruto.

Epífita planta que crece sobre otra sin ser parásita.

Estambre órgano componente del androceo (parte masculina de la flor) y que contiene el polen.

Estaminodio estambre sin antera.

Esqueje método de reproducción de una planta: de la planta madre se separa una rama (herbácea, semileñosa o bien leñosa) o una hoja, que se sitúan sobre un sustrato adecuado a fin de que enraicen rápidamente.

Estigma parte apical y más engrosada del pistilo, destinada a recibir los granos polínicos.

Estípula bráctea situada en la base del pecíolo.

Estoma apertura situada entre dos células especiales de la epidermis foliar que, al comunicar la cámara del aire con el exterior, regula los intercambios gaseosos con la atmósfera.

Estomático adjetivo que se utiliza para indicar las líneas a lo largo de las cuales se disponen los estomas en algunas clases especiales de hojas, como por ejemplo las aciculares.

Estróbilo denominados también piñas o conos. Son las inflorescencias típicas de las Gimnospermas, con flores unisexuales, formadas por escamas unidas a los sacos polínicos o bien de hojas carpelares sostenedoras de los óvulos, y a continuación de la fecundación, de las semillas.

Fastigiado porte de un árbol erecto y columnar.

Filodio pecíolo aplanado a modo de la lámina foliar.

Flabelado hojas dispuestas en forma de abanico.

Fronde término utilizado para denominar a las hojas particulares de los Helechos.

Frútice planta con tallo leñoso y ramificado ya a partir de la base:

Germinabilidad capacidad germinativa de las semillas.

Gineceo parte femenina de la flor, formada por el pistilo.

Glomérulo inflorescencia con flores sésiles reunidas en una especie de cabezuela esferoidal.

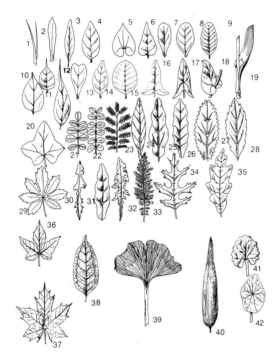

Distintos tipos de hojas que se diferencian entre sí atendiendo a la base de la lámina foliar (del número 1 al 36), al tipo de nerviación (de la 37 a la 40) y al pecíolo (números 41 y 42): 1) aciculada; 2) linear; 3) lanceolada; 4) oval; 5) acorazonada; 6) truncada; 7) cuneada; 8) obovada; 9) elíptica; 10) aguda; 11) mucronada; 12) acuminada; 13) emarginada; 14) obtusa; 15) redonda; 16) astada; 17) asaetada; 18) amplexicaule (que abraza al tallo); 19) envainante; 20) palmadolobulada; 21) imparipinnada; 22) paripinnada; 23) bipinnada; 24) con margen entero; 25) sinuosa; 26) sinuodentada; 27) dentada; 28) aserrada; 29) palmadopartida; 30) sectada; 31) crenada; 32) podada; 33) bipinnada-sectada; 34) hendida; 35) lobada; 36) palmada; 37) palminervia; 38) retinervia; 39) en abanico con nerviación dicótoma; 40) paralelinervia; 41) peciolada; 42) peltada.

Hábitat lugar o región en la que la planta crece de forma natural, ligada a los factores climáticos y restantes características ecológicas del ambiente.

Herbáceo que tiene la consistencia de una hierba; que no es leñoso.

Hermafrodita flor en la que coexisten los órganos sexuales masculinos y femeninos.

Heterofilia presencia de hojas de morfología distinta sobre la misma planta.

Híbrido individuo vegetal procedente de la fecundación natural o artificial entre plantas pertenecientes a formas, géneros o especies distintas.

Higroscópico capaz de absorber y mantener la humedad.

Hoja apéndice del tallo o de las ramas, insertas en los nudos. Consta generalmente de pecíolo, más o menos delgado, y de la lámina, más o menos amplia.

Imbricado puesto un elemento en el interior de otro, como las tejas de un tejado.

Indehiscente fruto que no se abre, y que por tanto no libera a las semillas.

Inflorescencia conjunto de flores que no nacen aisladas, sino en número variable sobre un eje principal, simple o ramificado.

Internudo intervalo entre dos nudos situados sobre el tallo o una ramificación.

Injerto forma de reproducción agámica de las plantas. Suele emplearse en las especies hortícolas.

Lámina parte dilatada de una hoja.

Látex jugo laticinoso, de densidad y coloración variable, que exuda de los tejidos de determinadas plantas al ser injuriadas por algún tipo de lesión.

Latifolia se emplea este término para designar a las plantas que poseen una lámina más o menos grande, en contraposición a la forma de las hojas aciculares.

Legumbre fruto seco dehiscente, que al llegar a la madurez se abre en dos valvas.

Lenticelas órganos que sustituyen a los estomas en la estructura del tallo; frecuentemente son muy visibles y parecidos a pequeñas verrugas.

Lucívago planta que crece más intensamente si es expuesta a plena luz.

Micrópilo solución de continuidad en el tegumento que rodea al óvulo.

Moniculado órgano cubierto por protuberancias agudas o espinas rígidas; deriva de la semejanza de su forma con el caparazón de un molusco del género *Murex*.

Moniliforme semejante a un collar formado por granos; se utiliza también este adjetivo para las legumbres cuya vaina se estrecha entre semilla y semilla.

Monocárpica planta que florece y fructifica una sola vez.

Monocotiledónea planta cuyo embrión contiene un solo cotiledon.

Monoica planta que lleva flores masculinas y femeninas sobre el mismo individuo.

Mucronado hojas con el ápice duro y acuminado.

Nudo punto de inserción de las yemas y hojas sobre el tallo y las ramas.

Obovado en forma ovada, pero con la parte más estrecha en el ápice.

INFLORESCENCIAS CIMOSAS (DEFINIDAS)

Cada eje secundario
sostiene una flor

Simples

monocasio

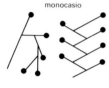

amento

cima escorpiónida	cima helicoidal	Bajo el ápice aparecen dos tallos	Bajo el ápice aparecen varios tallos
		dicasio	pleiocasio

corimbo

Ostíolo en general, abertura; en particular, la abertura apical de la inflorescencia del género *Ficus,* es decir del siconio.

Página término usado para cada una de las dos caras de la lámina de una hoja.

Papo o vilano, topete de pelos que en las Compuestas aparece por transformación del cáliz y que contribuye a la diseminación anemófila, mediante el viento.

Pecíolo sección foliar estrecha que une la lámina al tallo.

Pedicelo tallo que une la flor a su punto de inserción en el tallo.

Pinnada hoja compuesta, con folíolos situados a ambos lados del raquis que constituye el eje central; se denomina paripinnada si posee un número par de folíolos, e imparipinnada si el número es impar.

Perianto conjunto de sépalos y pétalos.

Perigonio conjunto de tépalos.

Pétalos elementos florales que constituyen la corola.

Pistilo parte femenina de la flor (gineceo).

Polen granos que se producen en las anteras y originan los gametos masculinos.

Policórmico que presenta varios tallos en lugar de un solo eje principal.

Polinización transporte del polen de la antera al estigma; puede realizarse a través de los insectos (entomófila) o mediante el viento (anemófila).

Prónubo todos aquellos elementos que contribuyen a la fecundación, transportando el polen de una flor a otra.

Própagulos tallo que emite raíces por aquellos nudos que entran en contacto con el suelo, natural o artificialmente.

Pruina formación cérea que forma un estrato protector sobre los frutos o las hojas.

Pubescente cubierto de pelos.

Raquis eje central de las hojas compuestas o de las inflorescencias.

cabezuela

racimo

umbela

espiga

Compuestas

umbela compuesta

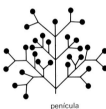

penícula
o tirso

espiga
compuesta

Retoños ramificaciones subterráneas que parten de la raíz o del rizoma, y a su vez producen nuevas raíces formando un nuevo individuo independiente.

Resinífera especie que dispone de canales que ayudan al transporte de la resina producida a los órganos que la exudan.

Sésil todo órgano que carece del apéndice que normalmente lo une a la base.

Siconio inflorescencia típica del género *Ficus,* formada por un receptáculo carnoso, generalmente piriforme, que contiene las flores unisexuales, que a su vez producen una infrutescencia compuesta de pequeños frutos del tipo aquenio.

Sincarpo fruto compuesto formado por la concrescencia y soldadura de los carpelos sobre un eje carnoso; es típico de algunas especies de plantas tropicales, como *Annona* y *Ananas.*

Sufrútice planta que presenta una corta porción del tallo leñosa y el restante es de consistencia herbácea.

Tallo eje principal de la planta que soporta a los restantes órganos, como las ramas, las hojas y las flores.

Tegumento revestimiento o involucro de distintos órganos mediante tejidos de defensa.

Tejido conjunto de células de un organismo que realizan la misma función.

Tépalos nombre con el que se designa al conjunto de sépalos y pétalos al presentar características semejantes en cuanto a tamaño, color y consistencia.

Tirso inflorescencia indefinida en la que los ramitos laterales no alcanzan la misma altura que el central.

Tomentoso órgano revestido de pelos cortos, blandos y tupidos.

Trífido dividido en tres partes o lóbulos.

Tubérculo tallo subterráneo muy engrosado, generalmente de forma irregular, que posee la función de actuar como reserva nutritiva y presenta varias yemas.

Umbilicado con una depresión esférica parecida a un ombligo.

Umbonado que presenta un umbón, es decir, una prominencia parecida a la central de un escudo.

Unisexual flor provista de órganos sólo masculinos o sólo femeninos, sólo con estambres o sólo con pistilos.

Urceolado en forma de olla.

Verticilo así se denomina el punto de unión de más de dos hojas o ramificaciones al mismo nudo del mismo eje.

Vexilar función realizada generalmente a través de los colores de la corola o de las brácteas para el reclamo de los insectos prónubos.

Yema inicio o punto de crecimiento del tallo, rama o flor.

ÍNDICE ANALÍTICO